250 CONJUGATED SPANISH VERBS

250 CONJUGATED SPANISH VERBS

José Romero and Betty Guzman

Contemporary Books, Inc.
Chicago

Library of Congress Cataloging in Publication Data

Romero, José.
250 conjugated Spanish verbs.

1. Spanish language—Verbs—Tables. I. Guzman, Betty.
II. Title: Two hundred fifty conjugated Spanish verbs.
III. Title: Two hundred and fifty conjugated Spanish verbs.
PC4271.R66 468.2'421 81-66110
ISBN 0-8092-5845-5 AACR2

Published by Contemporary Books, Inc.
180 North Michigan Avenue, Chicago, Illinois 60601
Manufactured in the United States of America
Library of Congress Catalog Card Number: 81-66110
International Standard Book Number: 0-8092-5845-5

Published simultaneously in Canada by
Beaverbooks, Ltd.
150 Lesmill Road
Don Mills, Ontario M3B 2T5
Canada

Contents

Introduction vii
List of Tenses xi
Conjugations 1-250
Glossary of Selected Verb Idioms 251
Spanish–English Index 255
English–Spanish Index 259

Introduction

There are five moods in Spanish conjugations: the indicative, the subjunctive, the conditional, the imperative, and the infinitive.

The *indicative* is the mood of reality. It tells the action or true state of being in three sets of tenses grouped according to time: present, past, and future. There are eight tenses in the indicative: one for the present, five for the past, and two for the future.

The *subjunctive* is the mood of supposition, need, or obligation. It always refers to the feelings of the speaker toward the situation rather than to the situation itself. Although the subjunctive was once used as a mood in itself in English, it is now rarely used in English, and alternative constructions are used instead. The Spanish subjunctive is used whenever the situation calls for it.

There are four tenses in the subjunctive. The authors have excluded the *future* and *future perfect* tenses, because these tenses are never used in modern Spanish. Notice that the two forms given for the *imperfect* and *pluperfect subjunctive* are both used in modern Spanish.

The *conditional* is the mood of probability prior to the resolution of a previous clause.

The *imperative* mood has one tense only, a present tense. The imperative can be used to convey either a command or a request. Naturally, the imperative is not conjugated in the first person singular, although it is in the first person plural, when it has the meaning of *Let's* . . . . Another way to form the imperative first person plural is to use *Vamos a* before the infinitive, but only in affirmative commands. Notice that the affirmative command forms for *tu* and *vosotros* are given. Otherwise, the command forms correspond to the present subjunctive conjugation.

The *infinitive* mood is the verb form from which all other forms are derived. It is equivalent to *to* plus the verb. It expresses the verb in the abstract, removed from time (tense), number, or person. This mood includes the past participle and the present participle or gerund. The present participle corresponds to the -ing form of the verb in English. When used with *estar* (and some other verbs), it denotes an action in progress (e.g., I am writing right now). The past participle denotes an action received or suffered. It is used in the compound tenses with the auxiliary *haber*. As in English, it can also be used as an adjective (e.g., the *broken* window).

In Spanish, each verb belongs to one of three groups: those with infinitives ending in -AR; those with infinitives ending in -ER; and those with infinitives ending in -IR. Each of these uses a particular set of endings for each form of every tense. The regular verbs listed may be used as models for conjugating regular verbs other than those included in the book.

Compound tenses (*haber*)

All compound tenses in Spanish are conjugated with the auxiliary *haber*. It should be made clear that *haber* and *tener* both translate to *to have;* but *tener* conveys the meaning of *to have, to hold,* or *to possess* while *haber* is generally used to form compound tenses. *Tener* can also be used as an auxiliary, for example, *tengo dicho,* for *I have said.*

Sample English Conjugation and Spanish Translation

to speak: hablar

Pres. Part.: speaking—hablando
Past Part.: spoken—hablado

INDICATIVE

Pres.
I speak—*hablo*

Imperf.
I spoke—*hablaba*

Pret.
I spoke—*hablé*

Fut.
I will speak—*hablaré*

Pres. Perf.
I have spoken—*he hablado*

Pluperf.
I had spoken—*había hablado*

Past Ant.
I had spoken—*hube hablado*

Fut. Perf.
I will have spoken—*habré hablado*

SUBJUNCTIVE

Pres.
I may speak—*hable*

Imperf.
I might speak—*hablara; hablase*

Perf.
I may have spoken—*haya hablado*

Pluperf.
I might have spoken—*hubiera hablado; hubiese hablado*

CONDITIONAL

Simple
I would speak—*hablaría*

Cond. Perf.
I would have spoken—*habría hablado*

IMPERATIVE

Speak—*hable*

Passive Voice

In Spanish as well as in English the passive voice is used in a sentence in which the subject, no matter who or what, is acted upon rather than acting itself. In Spanish the passive voice is formed by conjugating *ser* followed by the past participle and *por* or *de*. The past participle agrees with the subject. For example:

Los platos fueron lavados por Juan.
The dishes were washed by Juan.

When the sentence expresses a state rather than involving a subject that is being acted upon, there is no passive voice. *Estar* is used in place *of ser*. For example:

Los platos estaban apilados en el fregadero.
The dishes were stacked in the sink.

Pronouns

This is how conjugations are to be read with respect to personal pronouns:

	Singular	*Plural*
First person	yo (I)	nosotros (we)
Second person	tú (you)	vosotros (you)
Third person	él, ella (he, she)	ellos, ellas (they)
	usted (you)	ustedes (you)

When speaking, avoid using personal pronouns, except *usted*. *Usted* can be confused with *él* or *ella* since these pronouns are all used with the same verb endings even though *usted* is second person just as *tú* is. *Usted* is more polite than *tú* and is used to address an older person, a teacher or superior, or anyone the speaker is not well acquainted with.

Note that *vosotros* is only used in Spain; so when speaking with a person from any other country, *ustedes* should be used instead. The pronoun *vos* is used in some countries in Central and South America as an equivalent of *tú*.

Reflexive Verbs

A reflexive verb is one whose object refers to the subject of the sentence, contrary to the nonreflexive verb that acts upon an object. In Spanish, reflexive verbs are conjugated in the same way as nonreflexive verbs, except that reflexive pronouns must be used in front of the verb forms. Here are the reflexive pronouns and their English equivalents:

me	myself
te	yourself
se	himself, herself, yourself
nos	ourselves
os	yourselves
se	themselves, yourselves

As with nonreflexive verbs, one need not use personal pronouns but only the reflexive pronouns—except for *usted* and *ustedes*.

Mastering verbs is vital to learning Spanish. Every sentence must contain a verb in its proper mood and tense in order to convey its intended meaning. We feel this book will be valuable to Spanish students and travelers, since it contains the most common verbs, fully conjugated in a format easily understandable at a glance. You may use the book as a guide for practice or carry it for quick reference. It is written for students at any level, as it contains simple and accurate explanations. The list of idioms will be of use to more advanced students as well.

We hope that this book will be of great help to you and that it will contribute to a better understanding between English- and Spanish-speaking people.

José Romero
Betty Guzman
March, 1981
Chicago

List of Tenses

presente de indicativo	present indicative
presente de subjuntivo	present subjunctive
imperfecto de subjuntivo	imperfect indicative
imperfecto de indicativo	imperfect subjunctive
pretérito de indicativo	preterite
futuro de indicativo	future
potencial simple	conditional simple
potencial compuesto	conditional perfect
pretérito perfecto de indicativo	present perfect indicative or past indefinite
pretérito perfecto de subjuntivo	present perfect or past subjunctive
pluscuamperfecto de indicativo	pluperfect or past perfect indicative
pluscuamperfecto de subjuntivo	pluperfect or past perfect subjunctive
pretérito anterior	preterite perfect or past anterior
futuro perfecto de indicativo	future perfect or future anterior
participio presente (gerundio)	present participle (gerund)
participio pasado	past participle
imperativo	imperative or command

abrir

Pres. Part.: abriendo
Past Part.: abierto

abrir: to open

INDICATIVE

Pres.	*Fut.*	*Past Ant.*
abro	abriré	hube abierto
abres	abrirás	hubiste abierto
abre	abrirá	hubo abierto
abrimos	abriremos	hubimos abierto
abrís	abriréis	hubisteis abierto
abren	abrirán	hubieron abierto
Imperf.	*Pres. Perf.*	*Fut. Perf.*
abría	he abierto	habré abierto
abrías	has abierto	habrás abierto
abría	ha abierto	habrá abierto
abríamos	hemos abierto	habremos abierto
abríais	habéis abierto	habréis abierto
abrían	han abierto	habrán abierto
Pret.	*Pluperf.*	
abrí	había abierto	
abriste	habías abierto	
abrió	había abierto	
abrimos	habíamos abierto	
abristeis	habíais abierto	
abrieron	habían abierto	

SUBJUNCTIVE

Pres.	*Imperf.*	*Pluperf.*
abra	abriese	hubiera abierto
abras	abrieses	hubieras abierto
abra	abriese	hubiera abierto
abramos	abriésemos	hubiéramos abierto
abráis	abrieseis	hubierais abierto
abran	abriesen	hubieran abierto
Imperf.	*Pres. Perf.*	*Pluperf.*
abriera	haya abierto	hubiese abierto
abrieras	hayas abierto	hubieses abierto
abriera	haya abierto	hubiese abierto
abriéramos	hayamos abierto	hubiésemos abierto
abrierais	hayáis abierto	hubieseis abierto
abrieran	hayan abierto	hubiesen abierto

CONDITIONAL		IMPERATIVE
Simple	*Cond. Perf.*	
abriría	habría abierto	
abrirías	habrías abierto	abre; no abras
abriría	habría abierto	abra
abriríamos	habríamos abierto	abramos
abriríais	habríais abierto	abrid; no abráis
abrirían	habrían abierto	abran

CONJUGATED SAME AS ABOVE
encubrir: to hide

acabar

Pres. Part.: acabando **acabar: to finish; to end**
Past Part.: acabado

INDICATIVE

Pres.	*Fut.*	*Past Ant.*
acabo	acabaré	hube acabado
acabas	acabarás	hubiste acabado
acaba	acabará	hubo acabado
acabamos	acabaremos	hubimos acabado
acabáis	acabaréis	hubisteis acabado
acaban	acabarán	hubieron acabado
Imperf.	*Pres Perf.*	*Fut. Perf.*
acababa	he acabado	habré acabado
acababas	has acabado	habrás acabado
acababa	ha acabado	habrá acabado
acabábamos	hemos acabado	habremos acabado
acababais	habéis acabado	habréis acabado
acababan	han acabado	habrán acabado
Pret.	*Pluperf.*	
acabé	había acabado	
acabaste	habías acabado	
acabó	había acabado	
acabamos	habíamos acabado	
acabasteis	habíais acabado	
acabaron	habían acabado	

SUBJUNCTIVE

Pres.	*Imperf.*	*Pluperf.*
acabe	acabase	hubiera acabado
acabes	acabases	hubieras acabado
acabe	acabase	hubiera acabado
acabemos	acabásemos	hubiéramos acabado
acabéis	acabaseis	hubierais acabado
acaben	acabasen	hubieran acabado
Imperf.	*Pres. Perf.*	*Pluperf.*
acabara	haya acabado	hubiese acabado
acabaras	hayas acabado	hubieses acabado
acabara	haya acabado	hubiese acabado
acabáramos	hayamos acabado	hubiésemos acabado
acabarais	hayáis acabado	hubieseis acabado
acabaran	hayan acabado	hubiesen acabado

CONDITIONAL		IMPERATIVE
Simple	*Cond. Perf.*	
acabaría	habría acabado	
acabarías	habrías acabado	acaba; no acabes
acabaría	habría acabado	acabe
acabaríamos	habríamos acabado	acabemos
acabaríais	habríais acabado	acabad; no acabéis
acabarían	habrían acabado	acaben

aceptar

Pres. Part.: aceptando
Past Part.: aceptado

aceptar: to accept

INDICATIVE

Pres.	*Fut.*	*Past Ant.*
acepto	aceptaré	hube aceptado
aceptas	aceptarás	hubiste aceptado
acepta	aceptará	hubo aceptado
aceptamos	aceptaremos	hubimos aceptado
aceptáis	aceptaréis	hubisteis aceptado
aceptan	aceptarán	hubieron aceptado
Imperf.	*Pres. Perf.*	*Fut. Perf.*
aceptaba	he aceptado	habré aceptado
aceptabas	has aceptado	habrás aceptado
aceptaba	ha aceptado	habrá aceptado
aceptábamos	hemos aceptado	habremos aceptado
aceptabais	habéis aceptado	habréis aceptado
aceptaban	han aceptado	habrán aceptado
Pret.	*Pluperf.*	
acepté	había aceptado	
aceptaste	habías aceptado	
aceptó	había aceptado	
aceptamos	habíamos aceptado	
aceptasteis	habíais aceptado	
aceptaron	habían aceptado	

SUBJUNCTIVE

Pres.	*Imperf.*	*Pluperf.*
acepte	aceptase	hubiera aceptado
aceptes	aceptases	hubieras aceptado
acepte	aceptase	hubiera aceptado
aceptemos	aceptásemos	hubiéramos aceptado
aceptéis	aceptaseis	hubierais aceptado
acepten	aceptasen	hubieran aceptado
Imperf.	*Pres. Perf.*	*Pluperf.*
aceptara	haya aceptado	hubiese aceptado
aceptaras	hayas aceptado	hubieses aceptado
aceptara	haya aceptado	hubiese aceptado
aceptáramos	hayamos aceptado	hubiésemos aceptado
aceptarais	hayáis aceptado	hubieseis aceptado
aceptaran	hayan aceptado	hubiesen aceptado

CONDITIONAL		IMPERATIVE
Simple	*Cond. Perf.*	
aceptaría	habría aceptado	
aceptarías	habrías aceptado	acepta; no aceptes
aceptaría	habría aceptado	acepte
aceptaríamos	habríamos aceptado	aceptemos
aceptaríais	habríais aceptado	aceptad; no aceptéis
aceptarían	habrían aceptado	acepten

acompañar

Pres. Part.: acompañando **acompañar: to accompany; to keep company**
Past Part.: acompañado

INDICATIVE

Pres.	*Fut.*	*Past Ant.*
acompaño	acompañaré	hube acompañado
acompañas	acompañarás	hubiste acompañado
acompaña	acompañará	hubo acompañado
acompañamos	acompañaremos	hubimos acompañado
acompañáis	acompañaréis	hubisteis acompañado
acompañan	acompañarán	hubieron acompañado
Imperf.	*Pres. Perf.*	*Fut. Perf.*
acompañaba	he acompañado	habré acompañado
acompañabas	has acompañado	habrás acompañado
acompañaba	ha acompañado	habrá acompañado
acompañabamos	hemos acompañado	habremos acompañado
acompañabais	habéis acompañado	habréis acompañado
acompañaban	han acompañado	habrán acompañado
Pret.	*Pluperf.*	
acompañé	había acompañado	
acompañaste	habías acompañado	
acompañó	había acompañado	
acompañamos	habíamos acompañado	
acompañasteis	habíais acompañado	
acompañaron	habían acompañado	

SUBJUNCTIVE

Pres.	*Imperf.*	*Pluperf.*
acompañe	acompañase	hubiera acompañado
acompañes	acompañases	hubieras acompañado
acompañe	acompañase	hubiera acompañado
acompañemos	acompañásemos	hubiéramos acompañado
acompañéis	acompañaseis	hubierais acompañado
acompañen	acompañasen	hubieran acompañado
Imperf.	*Pres. Perf.*	*Pluperf.*
acompañara	haya acompañado	hubiese acompañado
acompañaras	hayas acompañado	hubieses acompañado
acompañara	haya acompañado	hubiese acompañado
acompañáramos	hayamos acompañado	hubiésemos acompañado
acompañarais	hayáis acompañado	hubieseis acompañado
acompañaran	hayan acompañado	hubiesen acompañado

CONDITIONAL		IMPERATIVE
Simple	*Cond. Perf.*	
acompañaría	habría acompañado	—
acompañarías	habrías acompañado	acompaña; no acompañes
acompañaría	habría acompañado	acompañe
acompañaríamos	habríamos acompañado	acompañemos
acompañaríais	habríais acompañado	acompañad; no acompañéis
acompañarían	habrían acompañado	acompañen

Pres. Part.: aconsejando
Past Part.: aconsejado

aconsejar: to advise, counsel

INDICATIVE

Pres.	*Fut.*	*Past Ant.*
aconsejo	aconsejaré	hube aconsejado
aconsejas	aconsejarás	hubiste aconsejado
aconseja	aconsejará	hubo aconsejado
aconsejamos	aconsejaremos	hubimos aconsejado
aconsejáis	aconsejaréis	hubisteis aconsejado
aconsejan	aconsejarán	hubieron aconsejado
Imperf.	*Pres. Perf.*	*Fut. Perf.*
aconsejaba	he aconsejado	habré aconsejado
aconsejabas	has aconsejado	habrás aconsejado
aconsejaba	ha aconsejado	habrá aconsejado
aconsejábamos	hemos aconsejado	habremos aconsejado
aconsejabais	habéis aconsejado	habréis aconsejado
aconsejaban	han aconsejado	habrán aconsejado
Pret.	*Pluperf.*	
aconsejé	había aconsejado	
aconsejaste	habías aconsejado	
aconsejó	había aconsejado	
aconsejamos	habíamos aconsejado	
aconsejasteis	habíais aconsejado	
aconsejaron	habían aconsejado	

SUBJUNCTIVE

Pres.	*Imperf.*	*Pluperf.*
aconseje	aconsejase	hubiera aconsejado
aconsejes	aconsejases	hubieras aconsejado
aconseje	aconsejase	hubiera aconsejado
aconsejemos	aconsejásemos	hubiéramos aconsejado
aconsejéis	aconsejaseis	hubierais aconsejado
aconsejen	aconsejasen	hubieran aconsejado
Imperf.	*Pres. Perf.*	*Pluperf.*
aconsejara	haya aconsejado	hubiese aconsejado
aconsejaras	hayas aconsejado	hubieses aconsejado
aconsejara	haya aconsejado	hubiese aconsejado
aconsejáramos	hayamos aconsejado	hubiésemos aconsejado
aconsejarais	hayáis aconsejado	hubieseis aconsejado
aconsejaran	hayan aconsejado	hubiesen aconsejado

CONDITIONAL		IMPERATIVE
Simple	*Cond. Perf.*	
aconsejaría	habría aconsejado	
aconsejarías	habrías aconsejado	aconseja; no consejes
aconsejaría	habría aconsejado	aconseje
aconsejaríamos	habríamos aconsejado	aconsejemos
aconsejaríais	habríais aconsejado	aconsejad; no aconsejéis
aconsejarían	habrían aconsejado	aconsejen

acordarse

Pres. Part.: acordándose **acordarse: to remember**
Past Part.: acordado

INDICATIVE

Pres.	*Fut.*	*Past Ant.*
me acuerdo	me acordaré	me hube acordado
te acuerdas	te acordarás	te hubiste acordado
se acuerda	se acordará	se hubo acordado
nos acordamos	nos acordaremos	nos hubimos acordado
os acordáis	os acordaréis	os hubisteis acordado
se acuerdan	se acordarán	se hubieron acordado
Imperf.	*Pres. Perf.*	*Fut. Perf.*
me acordaba	me he acordado	me habré acordado
te acordabas	te has acordado	te habrás acordado
se acordaba	se ha acordado	se habrá acordado
nos acordábamos	nos hemos acordado	nos habremos acordado
os acordabais	os habéis acordado	os habréis acordado
se acordaban	se han acordado	se habrán acordado
Pret.	*Pluperf.*	
me acordé	me había acordado	
te acordaste	te habías acordado	
se acordó	se había acordado	
nos acordamos	nos habíamos acordado	
os acordasteis	os habíais acordado	
se acordaron	se habían acordado	

SUBJUNCTIVE

Pres.	*Imperf.*	*Pluperf.*
me acuerde	me acordase	me hubiera acordado
te acuerdes	te acordases	te hubieras acordado
se acuerde	se acordase	se hubiera acordado
nos acordemos	nos acordásemos	nos hubiéramos acordado
os acordéis	os acordaseis	os hubierais acordado
se acuerden	se acordasen	se hubieran acordado
Imperf.	*Pres. Perf.*	*Pluperf.*
me acordara	me haya acordado	me hubiese acordado
te acordaras	te hayas acordado	te hubieses acordado
se acordara	se haya acordado	se hubiese acordado
nos acordáramos	nos hayamos acordado	nos hubiésemos acordado
os acordarais	os hayáis acordado	os hubieseis acordado
se acordaran	se hayan acordado	se hubiesen acordado

CONDITIONAL		IMPERATIVE
Simple	*Cond. Perf.*	
me acordaría	me habría acordado	
te acordarías	te habrías acordado	acuérdate; no te acuerdes
se acordaría	se habría acordado	acuérdese
nos acordaríamos	nos habríamos acordado	acordémonos
os acordaríais	os habríais acordado	acordaos; no os acordéis
se acordarían	se habrían acordado	acuérdense

CONJUGATED SAME AS ABOVE

acordar: to agree
desacordar: to untune
desacordarse: to be forgetful

acostarse

Pres. Part.: acostándose
Past Part.: acostado

acostarse: to lie down; to go to bed

INDICATIVE

Pres.
me acuesto
te acuestas
se acuesta
nos acostamos
os acostáis
se acuestan

Imperf.
me acostaba
te acostabas
se acostaba
nos acostábamos
os acostabais
se acostaban

Pret.
me acosté
te acostaste
se acostó
nos acostamos
os acostasteis
se acostaron

Fut.
me acostaré
te acostarás
se acostará
nos acostaremos
os acostaréis
se acostarán

Pres. Perf.
me he acostado
te has acostado
se ha acostado
nos hemos acostado
os habéis acostado
se han acostado

Pluperf.
me había acostado
te habías acostado
se había acostado
nos habíamos acostado
os habíais acostado
se habían acostado

Past Ant.
me hube acostado
te hubiste acostado
se hubo acostado
nos hubimos acostado
os hubisteis acostado
se hubieron acostado

Fut. Perf.
me habré acostado
te habrás acostado
se habrá acostado
nos habremos acostado
os habréis acostado
se habrán acostado

SUBJUNCTIVE

Pres.
me acueste
te acuestes
se acueste
nos acostemos
os acostéis
se acuesten

Imperf.
me acostara
te acostaras
se acostara
nos acostáramos
os acostarais
se acostaran

Imperf.
me acostase
te acostases
se acostase
nos acostásemos
os acostaseis
se acostasen

Pres. Perf.
me haya acostado
te hayas acostado
se haya acostado
nos hayamos acostado
os hayáis acostado
se hayan acostado

Pluperf.
me hubiera acostado
te hubieras acostado
se hubiera acostado
nos hubiéramos acostado
os hubierais acostado
se hubieran acostado

Pluperf.
me hubiese acostado
te hubieses acostado
se hubiese acostado
nos hubiésemos acostado
os hubieseis acostado
se hubiesen acostado

CONDITIONAL

Simple
me acostaría
te acostarías
se acostaría
nos acostaríamos
os acostaríais
se acostarían

Cond. Perf.
me habría acostado
te habrías acostado
se habría acostado
nos habríamos acostado
os habríais acostado
se habrían acostado

IMPERATIVE

acuéstate; no te acuestes
acuéstese
acostémonos
acostaos; no os acostéis
acuéstense

CONJUGATED SAME AS ABOVE

acostar: to put to bed, to lay down

adelantarse

Pres. Part.: adelantándose
Past Part.: adelantado

adelantarse: to take the lead; to move ahead

INDICATIVE

Pres.
me adelanto
te adelantas
se adelanta
nos adelantamos
os adelantáis
se adelantan

Imperf.
me adelantaba
te adelantabas
se adelantaba
nos adelantábamos
os adelantabais
se adelantaban

Pret.
me adelanté
te adelantaste
se adelantó
nos adelantamos
os adelantasteis
se adelantaron

Fut.
me adelantaré
te adelantarás
se adelantará
nos adelantaremos
os adelantaréis
se adelantarán

Pres. Perf.
me he adelantado
te has adelantado
se ha adelantado
nos hemos adelantado
os habéis adelantado
se han adelantado

Pluperf.
me había adelantado
te habías adelantado
se había adelantado
nos habíamos adelantado
os habíais adelantado
se habían adelantado

Past Ant.
me hube adelantado
te hubiste adelantado
se hubo adelantado
nos hubimos adelantado
os hubisteis adelantado
se hubieron adelantado

Fut. Perf.
me habré adelantado
te habrás adelantado
se habrá adelantado
nos habremos adelantado
os habréis adelantado
se habrán adelantado

SUBJUNCTIVE

Pres.
me adelante
te adelantes
se adelante
nos adelantemos
os adelantéis
se adelanten

Imperf.
me adelantara
te adelantaras
se adelantara
nos adelantáramos
os adelantarais
se adelantaran

Imperf.
me adelantase
te adelantases
se adelantase
nos adelantásemos
os adelantaseis
se adelantasen

Pres. Perf.
me haya adelantado
te hayas adelantado
se haya adelantado
nos hayamos adelantado
os hayáis adelantado
se hayan adelantado

Pluperf.
me hubiera adelantado
te hubieras adelantado
se hubiera adelantado
nos hubiéramos adelantado
os hubierais adelantado
se hubieran adelantado

Pluperf.
me hubiese adelantado
te hubieses adelantado
se hubiese adelantado
nos hubiésemos adelantado
os hubieseis adelantado
se hubiesen adelantado

CONDITIONAL

Simple
me adelantaría
te adelantarías
se adelantaría
nos adelantaríamos
os adelantaríais
se adelantarían

Cond. Perf.
me habría adelantado
te habrías adelantado
se habría adelantado
nos habríamos adelantado
os habríais adelantado
se habrían adelantado

IMPERATIVE

adelántate; no te adelantes
adeléntese
adelantémonos
adelantaos; no os adelantéis
adelántense

CONJUGATED SAME AS ABOVE
adelantar: to advance, accelerate; promote

Pres. Part.: afeitándose
Past Part.: afeitado

afeitarse: to shave oneself

INDICATIVE

Pres.	*Fut.*	*Past Ant.*
me afeito	me afeitaré	me hube afeitado
te afeitas	te afeitarás	te hubiste afeitado
se afeita	se afeitará	se hubo afeitado
nos afeitamos	nos afeitaremos	nos hubimos afeitado
os afeitáis	os afeitaréis	os hubisteis afeitado
se afeitan	se afeitarán	se hubieron afeitado
Imperf.	*Pres. Perf.*	*Fut. Perf.*
me afeitaba	me he afeitado	me habré afeitado
te afeitabas	te has afeitado	te habrás afeitado
se afeitaba	se ha afeitado	se habrá afeitado
nos afeitábamos	nos hemos afeitado	nos habremos afeitado
os afeitabais	os habéis afeitado	os habréis afeitado
se afeitaban	se han afeitado	se habrán afeitado
Pret.	*Pluperf.*	
me afeité	me había afeitado	
te afeitaste	te habías afeitado	
se afeitó	se había afeitado	
nos afeitamos	nos habíamos afeitado	
os afeitasteis	os habíais afeitado	
se afeitaron	se habían afeitado	

SUBJUNCTIVE

Pres.	*Imperf.*	*Pluperf.*
me afeite	me afeitase	me hubiera afeitado
te afeites	te afeitases	te hubieras afeitado
se afeite	se afeitase	se hubiera afeitado
nos afeitemos	nos afeitásemos	nos hubiéramos afeitado
os afeitéis	os afeitaseis	os hubierais afeitado
se afeiten	se afeitasen	se hubieran afeitado
Imperf.	*Pres. Perf.*	*Pluperf.*
me afeitara	me haya afeitado	me hubiese afeitado
te afeitaras	te hayas afeitado	te hubieses afeitado
se afeitara	se haya afeitado	se hubiese afeitado
nos afeitáramos	nos hayamos afeitado	nos hubiésemos afeitado
os afeitarais	os hayáis afeitado	os hubieseis afeitado
se afeitaran	se hayan afeitado	se hubiesen afeitado

CONDITIONAL		IMPERATIVE
Simple	*Cond. Perf.*	
me afeitaría	me habría afeitado	
te afeitarías	te habrías afeitado	aféitate; no te afeites
se afeitaría	se habría afeitado	aféitese
nos afeitaríamos	nos habríamos afeitado	afeitémonos
os afeitaríais	os habríais afeitado	afeitaos; no os afeitéis
se afeitarían	se habrían afeitado	aféitense

CONJUGATED SAME AS ABOVE
afeitar: to shave

agarrar

Pres. Part.: agarrando
Past Part.: agarrado

agarrar: to grasp; to catch; to take

INDICATIVE

Pres.	*Fut.*	*Past Ant.*
agarro	agarraré	hube agarrado
agarras	agarrarás	hubiste agarrado
agarra	agarrará	hubo agarrado
agarramos	agarraremos	hubimos agarrado
agarráis	agarraréis	hubisteis agarrado
agarran	agarrarán	hubieron agarrado
Imperf.	*Pres. Perf.*	*Fut Perf.*
agarraba	he agarrado	habré agarrado
agarrabas	has agarrado	habrás agarrado
agarraba	ha agarrado	habrá agarrado
agarrábamos	hemos agarrado	habremos agarrado
agarrabais	habéis agarrado	habréis agarrado
agarraban	han agarrado	habrán agarrado
Pret.	*Pluperf.*	
agarré	había agarrado	
agarraste	habías agarrado	
agarró	había agarrado	
agarramos	habíamos agarrado	
agarrasteis	habías agarrado	
agarraron	habían agarrado	

SUBJUNCTIVE

Pres.	*Imperf.*	*Pluperf.*
agarre	agarrase	hubiera agarrado
agarres	agarrases	hubieras agarrado
agarre	agarrase	hubiera agarrado
agarremos	agarrásemos	hubiéramos agarrado
agarréis	agarraseis	hubierais agarrado
agarren	agarrasen	hubieran agarrado
Imperf.	*Pres. Perf.*	*Pluperf.*
agarrara	haya agarrado	hubiese agarrado
agarraras	hayas agarrado	hubieses agarrado
agarrara	haya agarrado	hubiese agarrado
agarráramos	hayamos agarrado	hubiésemos agarrado
agarrarais	hayáis agarrado	hubieseis agarrado
agarraran	hayan agarrado	hubiesen agarrado

CONDITIONAL		IMPERATIVE
Simple	*Cond. Perf.*	
agarraría	habría agarrado	
agarrarías	habrías agarrado	agarra; no agarres
agarraría	habría agarrado	agarre
agarraríamos	habríamos agarrado	agarremos
agarraríais	habríais agarrado	agarrad; no agarréis
agarrarían	habrían agarrado	agarren

CONJUGATED SAME AS ABOVE
desgarrar: to tear, claw; expectorate

Pres. Part.: agitando
Past Part.: agitado

agitar: to agitate/shake up

INDICATIVE

Pres.	*Fut.*	*Past Ant.*
agito	agitaré	hube agitado
agitas	agitarás	hubiste agitado
agita	agitará	hubo agitado
agitamos	agitaremos	hubimos agitado
agitáis	agitaréis	hubisteis agitado
agitan	agitarán	hubieron agitado
Imperf.	*Pres. Perf.*	*Fut. Perf.*
agitaba	he agitado	habré agitado
agitabas	has agitado	habrás agitado
agitaba	ha agitado	habrá agitado
agitábamos	hemos agitado	habremos agitado
agitabais	habéis agitado	habréis agitado
agitaban	han agitado	habrán agitado
Pret.	*Pluperf.*	
agité	había agitado	
agitaste	habías agitado	
agitó	había agitado	
agitamos	habíamos agitado	
agitasteis	habíais agitado	
agitaron	habían agitado	

SUBJUNCTIVE

Pres.	*Imperf.*	*Pluperf.*
agite	agitase	hubiera agitado
agites	agitases	hubieras agitado
agite	agitase	hubiera agitado
agitemos	agitásemos	hubiéramos agitado
agitéis	agitaseis	hubierais agitado
agiten	agitasen	hubieran agitado
Imperf.	*Pres. Perf.*	*Pluperf.*
agitara	haya agitado	hubiese agitado
agitaras	hayas agitado	hubieses agitado
agitara	haya agitado	hubiese agitado
agitáramos	hayamos agitado	hubiésemos agitado
agitarais	hayáis agitado	hubieseis agitado
agitaran	hayan agitado	hubiesen agitado

CONDITIONAL		IMPERATIVE
Simple	*Cond. Perf.*	
agitaría	habría agitado	
agitarías	habrías agitado	agita; no agites
agitaría	habría agitado	agite
agitaríamos	habríamos agitado	agitemos
agitaríais	habríais agitado	agitad; no agitéis
agitarían	habrían agitado	agiten

agradecer

Pres. Part.: agradeciendo **agradecer: to thank**
Past Part.: agradecido

INDICATIVE

Pres.
agradezco
agradeces
agradece
agradecemos
agradecéis
agradecen

Imperf.
agradecía
agradecías
agradecía
agradecíamos
agradecíais
agradecían

Pret.
agradecí
agradeciste
agradeció
agradecimos
agradecisteis
agradecieron

Fut.
agradeceré
agradecerás
agradecerá
agradeceremos
agradeceréis.
agradecerán

Pres. Perf.
he agradecido
has agradecido
ha agradecido
hemos agradecido
habéis agradecido
han agradecido

Pluperf.
había agradecido
habías agradecido
había agradecido
habíamos agradecido
habíais agradecido
habían agradecido

Past Ant.
hube agradecido
hubiste agradecido
hubo agradecido
hubimos agradecido
hubisteis agradecido
hubieron agradecido

Fut. Perf.
habré agradecido
habrás agradecido
habrá agradecido
habremos agradecido
habréis agradecido
habrán agradecido

SUBJUNCTIVE

Pres.
agradezca
agradezcas
agradezca
agradezcamos
agradezcáis
agradezcan

Imperf.
agradeciera
agradecieras
agradeciera
agradeciéramos
agradecierais
agradecieran

Imperf.
agradeciese
agradecieses
agradeciese
agradeciesemos
agradecieseis
agradeciesen

Pres. Perf.
haya agradecido
hayas agradecido
haya agradecido
hayamos agradecido
hayáis agradecido
hayan agradecido

Pluperf.
hubiera agradecido
hubieras agradecido
hubiera agradecido
hubiéramos agradecido
hubierais agradecido
hubieran agradecido

Pluperf.
hubiese agradecido
hubieses agradecido
hubiese agradecido
hubiésemos agradecido
hubieseis agradecido
hubiesen agradecido

CONDITIONAL

Simple
agradecería
agradecerías
agradecería
agradeceríamos
agradeceríais
agradecerían

Cond. Perf.
habría agradecido
habrías agradecido
habría agradecido
habríamos agradecido
habríais agradecido
habrían agradecido

IMPERATIVE

agradece; no agradezcas
agradezca
agradezcamos
agradeced; no agradezcáis
agradezcan

CONJUGATED SAME AS ABOVE

aborrecer: to abhor, detest
aparecer: to appear
compadecer: to sympathize
desagradecer: to be ungrateful
desaparecer: to disappear

ahorrar

Pres. Part.: ahorrando
Past Part.: ahorrado

ahorrar: to economize; to save

INDICATIVE

Pres.	*Fut.*	*Past Ant.*
ahorro	ahorraré	hube ahorrado
ahorras	ahorrarás	hubiste ahorrado
ahorra	ahorrará	hubo ahorrado
ahorramos	ahorraremos	hubimos ahorrado
ahorráis	ahorraréis	hubisteis ahorrado
ahorran	ahorrarán	hubieron ahorrado
Imperf.	*Pres. Perf.*	*Fut. Perf.*
ahorraba	he ahorrado	habré ahorrado
ahorrabas	has ahorrado	habrás ahorrado
ahorraba	ha ahorrado	habrá ahorrado
ahorrábamos	hemos ahorrado	habremos ahorrado
ahorrabais	habéis ahorrado	habréis ahorrado
ahorraban	han ahorrado	habrán ahorrado
Pret.	*Pluperf.*	
ahorré	había ahorrado	
ahorraste	habías ahorrado	
ahorró	había ahorrado	
ahorramos	habíamos ahorrado	
ahorrasteis	habíais ahorrado	
ahorraron	habían ahorrado	

SUBJUNCTIVE

Pres.	*Imperf.*	*Pluperf.*
ahorre	ahorrase	hubiera ahorrado
ahorres	ahorrases	hubieras ahorrado
ahorre	ahorrase	hubiera ahorrado
ahorremos	ahorrásemos	hubiéramos ahorrado
ahorréis	ahorraseis	hubierais ahorrado
ahorren	ahorrasen	hubieran ahorrado
Imperf.	*Pres. Perf.*	*Pluperf.*
ahorrara	haya ahorrado	hubiese ahorrado
ahorraras	hayas ahorrado	hubieses ahorrado
ahorrara	haya ahorrado	hubiese ahorrado
ahorráramos	hayamos ahorrado	hubiésemos ahorrado
ahorrarais	hayáis ahorrado	hubieseis ahorrado
ahorraran	hayan ahorrado	hubiesen ahorrado

CONDITIONAL		IMPERATIVE
Simple	*Cond. Perf.*	
ahorraría	habría ahorrado	
ahorrarías	habrías ahorrado	ahorra; no ahorres
ahorraría	habría ahorrado	ahorre
ahorraríamos	habríamos ahorrado	ahorremos
ahorraríais	habríais ahorrado	ahorrad; no ahorréis
ahorrarían	habrían ahorrado	ahorren

alcanzar

Pres. Part.: alcanzando
Past Part.: alcanzado

alcanzar: to reach

INDICATIVE

Pres.	*Fut.*	*Past Ant.*
alcanzo	alcanzaré	hube alcanzado
alcanzas	alcanzarás	hubiste alcanzado
alcanza	alcanzará	hubo alcanzado
alcanzamos	alcanzaremos	hubimos alcanzado
alcanzáis	alcanzaréis	hubisteis alcanzado
alcanzan	alcanzarán	hubieron alcanzado
Imperf.	*Pres. Perf.*	*Fut. Perf.*
alcanzaba	he alcanzado	habré alcanzado
alcanzabas	has alcanzado	habrás alcanzado
alcanzaba	ha alcanzado	habrá alcanzado
alcanzábamos	hemos alcanzado	habremos alcanzado
alcanzabais	habéis alcanzado	habréis alcanzado
alcanzaban	han alcanzado	habrán alcanzado
Pret.	*Pluperf.*	
alcancé	había alcanzado	
alcanzaste	habías alcanzado	
alcanzó	había alcanzado	
alcanzamos	habíamos alcanzado	
alcanzasteis	habíais alcanzado	
alcanzaron	habían alcanzado	

SUBJUNCTIVE

Pres.	*Imperf.*	*Pluperf.*
alcance	alcanzase	hubiera alcanzado
alcances	alcanzases	hubieras alcanzado
alcance	alcanzase	hubiera alcanzado
alcancemos	alcanzásemos	hubiéramos alcanzado
alcancéis	alcanzaseis	hubierais alcanzado
alcancen	alcanzasen	hubieran alcanzado
Imperf.	*Pres. Perf.*	*Pluperf.*
alcanzara	haya alcanzado	hubiese alcanzado
alcanzaras	hayas alcanzado	hubieses alcanzado
alcanzara	haya alcanzado	hubiese alcanzado
alcanzáramos	hayamos alcanzado	hubiésemos alcanzado
alcanzarais	hayáis alcanzado	hubieseis alcanzado
alcanzaran	hayan alcanzado	hubiesen alcanzado

CONDITIONAL		IMPERATIVE
Simple	*Cond. Perf.*	
alcanzaría	habría alcanzado	
alcanzarías	habrías alcanzado	alcanza; no alcances
alcanzaría	habría alcanzado	alcance
alcanzaríamos	habríamos alcanzado	alcancemos
alcanzaríais	habríais alcanzado	alcanzad; no alcancéis
alcanzarían	habrían alcanzado	alcancen

Pres. Part.: alquilando
Past Part.: alquilado

alquilar: to rent; to hire

INDICATIVE

Pres.	*Fut.*	*Past Ant.*
alquilo	alquilaré	hube alquilado
alquilas	alquilarás	hubiste alquilado
alquila	alquilará	hubo alquilado
alquilamos	alquilaremos	hubimos alquilado
alquiláis	alquilaréis	hubisteis alquilado
alquilan	alquilarán	hubieron alquilado
Imperf.	*Pres. Perf.*	*Fut. Perf.*
alquilaba	he alquilado	habré alquilado
alquilabas	has alquilado	habrás alquilado
alquilaba	ha alquilado	habrá alquilado
alquilábamos	hemos alquilado	habremos alquilado
alquilabais	habéis alquilado	habréis alquilado
alquilaban	han alquilado	habrán alquilado
Pret.	*Pluperf.*	
alquilé	había alquilado	
alquilaste	habías alquilado	
alquiló	había alquilado	
alquilamos	habíamos alquilado	
alquilasteis	habíais alquilado	
alquilaron	habían alquilado	

SUBJUNCTIVE

Pres.	*Imperf.*	*Pluperf.*
alquile	alquilase	hubiera alquilado
alquiles	alquilases	hubieras alquilado
alquile	alquilase	hubiera alquilado
alquilemos	alquilásemos	hubiéramos alquilado
alquiléis	alquilaseis	hubierais alquilado
alquilen	alquilasen	hubieran alquilado
Imperf.	*Pres. Perf.*	*Pluperf.*
alquilara	haya alquilado	hubiese alquilado
alquilaras	hayas alquilado	hubieses alquilado
alquilara	haya alquilado	hubiese alquilado
alquiláramos	hayamos alquilado	hubiésemos alquilado
alquilarais	hayáis alquilado	hubieseis alquilado
alquilaran	hayan alquilado	hubiesen alquilado

CONDITIONAL		IMPERATIVE
Simple	*Cond. Perf.*	
alquilaría	habría alquilado	
alquilarías	habrías alquilado	alquila; no alquiles
alquilaría	habría alquilado	alquile
alquilaríamos	habríamos alquilado	alquilemos
alquilaríais	habríais alquilado	alquilad; no alquiléis
alquilarían	habrían alquilado	alquilen

CONJUGATED SAME AS ABOVE
desalquilar: to discontinue renting; to give notice to quit a lease

amar

Pres. Part.: amando **amar: to love**
Past Part.: amado

INDICATIVE

Pres.	*Fut.*	*Past Ant.*
amo	amaré	hube amado
amas	amarás	hubiste amado
ama	amará	hubo amado
amamos	amaremos	hubimos amado
amáis	amaréis	hubisteis amado
aman	amarán	hubieron amado
Imperf.	*Pres. Perf.*	*Fut. Perf.*
amaba	he amado	habré amado
amabas	has amado	habrás amado
amaba	ha amado	habrá amado
amábamos	hemos amado	habremos amado
amabais	habéis amado	habréis amado
amaban	han amado	habrán amado
Pret.	*Pluperf.*	
amé	había amado	
amaste	habías amado	
amó	había amado	
amamos	habíamos amado	
amasteis	habíais amado	
amaron	habían amado	

SUBJUNCTIVE

Pres.	*Imperf.*	*Pluperf.*
ame	amase	hubiera amado
ames	amases	hubieras amado
ame	amase	hubiera amado
amemos	amásemos	hubiéramos amado
améis	amaseis	hubierais amado
amen	amasen	hubieran amado
Imperf.	*Pres. Perf.*	*Pluperf.*
amara	haya amado	hubiese amado
amaras	hayas amado	hubieses amado
amara	haya amado	hubiese amado
amáramos	hayamos amado	hubiésemos amado
amarais	hayáis amado	hubieseis amado
amaran	hayan amado	hubiesen amado

CONDITIONAL		IMPERATIVE
Simple	*Cond. Perf.*	
amaría	habría amado	
amarías	habrías amado	ama; no ames
amaría	habría amado	ame
amaríamos	habríamos amado	amemos
amaríais	habríais amado	amad; no améis
amarían	habrían amado	amen

Pres. Part.: andando
Past Part.: andado

andar: to walk

INDICATIVE

Pres.	*Fut.*	*Past Ant.*
ando	andaré	hube andado
andas	andarás	hubiste andado
anda	andará	hubo andado
andamos	andaremos	hubimos andado
andáis	andaréis	hubisteis andado
andan	andarán	hubieron andado
Imperf.	*Pres. Perf.*	*Fut. Perf.*
andaba	he andado	habré andado
andabas	has andado	habrás andado
andaba	ha andado	habrá andado
andábamos	hemos andado	habremos andado
andabais	habéis andado	habréis andado
andaban	han andado	habrán andado
Pret.	*Pluperf.*	
anduve	había andado	
anduviste	habías andado	
anduvo	había andado	
anduvimos	habíamos andado	
anduvisteis	habíais andado	
anduvieron	habían andado	

SUBJUNCTIVE

Pres.	*Imperf.*	*Pluperf.*
ande	anduviese	hubiera andado
andes	anduvieses	hubieras andado
ande	anduviese	hubiera andado
andemos	anduviésemos	hubiéramos andado
andéis	anduvieseis	hubierais andado
anden	anduviesen	hubieran andado
Imperf.	*Pres. Perf.*	*Pluperf.*
anduviera	haya andado	hubiese andado
anduvieras	hayas andado	hubieses andado
anduviera	haya andado	hubiese andado
anduviéramos	hayamos andado	hubiésemos andado
anduvierais	hayáis andado	hubieseis andado
anduvieran	hayan andado	hubiesen andado

CONDITIONAL		IMPERATIVE
Simple	*Cond. Perf.*	
andaría	habría andado	
andarías	habrías andado	anda; no andes
andaría	habría andado	ande
andaríamos	habríamos andado	andemos
andaríais	habríais andado	andad; no andéis
andarían	habrían andado	anden

CONJUGATED SAME AS ABOVE
desandar: to retrace

añadir

Pres. Part.: añadiendo
Past Part.: añadido

añadir: to add

INDICATIVE

Pres.
añado
añades
añade
añadimos
añadís
añaden

Imperf.
añadía
añadías
añadía
añadíamos
añadíais
añadían

Pret.
añadí
añadiste
añadió
añadimos
añadisteis
añadieron

Fut.
añadiré
añadirás
anadirá
añadiremos
añadiréis
añadirán

Pres. Perf.
he añadido
has añadido
ha añadido
hemos añadido
habéis añadido
han añadido

Pluperf.
había añadido
habías añadido
había añadido
habíamos añadido
habíais añadido
habían añadido

Past Ant.
hube añadido
hubiste añadido
hubo añadido
hubimos añadido
hubisteis añadido
hubieron añadido

Fut. Perf.
habré añadido
habrás añadido
habrá añadido
habremos añadido
habréis añadido
habrán añadido

SUBJUNCTIVE

Pres.
añada
añadas
añada
añadamos
añadáis
añadan

Imperf.
añadiera
añadieras
añadiera
añadiéramos
añadierais
añadieran

Imperf.
añadiese
añadieses
añadiese
añadiésemos
añadieseis
añadiesen

Pres. Perf.
haya añadido
hayas añadido
haya añadido
hayamos añadido
hayáis añadido
hayan añadido

Pluperf.
hubiera añadido
hubieras añadido
hubiera añadido
hubiéramos añadido
hubierais añadido
hubieran añadido

Pluperf.
hubiese añadido
hubieses añadido
hubiese añadido
hubiésemos añadido
hubieseis añadido
hubiesen añadido

CONDITIONAL

Simple
añadiría
añadirías
añadiría
añadiríamos
añadiríais
añadirían

Cond. Perf.
habría añadido
habrías añadido
habría añadido
habríamos añadido
habríais añadido
habrían añadido

IMPERATIVE

añade; no añadas
añada
añadamos
añadid; no añadáis
añadan

Pres. Part.: apagando
Past Part.: apagado

apagar: to put out; to turn off

INDICATIVE

Pres.	*Fut.*	*Past Ant.*
apago	apagaré	hube apagado
apagas	apagarás	hubiste apagado
apaga	apagará	hubo apagado
apagamos	apagaremos	hubimos apagado
apagáis	apagaréis	hubisteis apagado
apagan	apagarán	hubieron apagado
Imperf.	*Pres. Perf.*	*Fut. Perf.*
apagaba	he apagado	habré apagado
apagabas	has apagado	habrás apagado
apagaba	ha apagado	habrá apagado
apagábamos	hemos apagado	habremos apagado
apagabais	habéis apagado	habréis apagado
apagaban	han apagado	habrán apagado
Pret.	*Pluperf.*	
apagué	había apagado	
apagaste	habías apagado	
apagó	había apagado	
apagamos	habíamos apagado	
apagasteis	habíais apagado	
apagaron	habían apagado	

SUBJUNCTIVE

Pres.	*Imperf.*	*Pluperf.*
apague	apagase	hubiera apagado
apagues	apagases	hubieras apagado
apague	apagase	hubiera apagado
apaguemos	apagásemos	hubiéramos apagado
apaguéis	apagaseis	hubierais apagado
apaguen	apagasen	hubieran apagado
Imperf.	*Pres. Perf.*	*Pluperf.*
apagara	haya apagado	hubiese apagado
apagaras	hayas apagado	hubieses apagado
apagara	haya apagado	hubiese apagado
apagáramos	hayamos apagado	hubiésemos apagado
apagarais	hayáis apagado	hubieseis apagado
apagaran	hayan apagado	hubiesen apagado

CONDITIONAL		IMPERATIVE
Simple	*Cond. Perf.*	
apagaría	habría apagado	
apagarías	habrías apagado	apaga; no apagues
apagaría	habría apagado	apague
apagaríamos	habríamos apagado	apaguemos
apagaríais	habríais apagado	apagad; no apaguéis
apagarían	habrían apagado	apaguen

aprender

Pres. Part.: aprendiendo
Past Part.: aprendido

aprender: to learn

INDICATIVE

Pres.	*Fut.*	*Past Ant.*
aprendo	aprenderé	hube aprendido
aprendes	aprenderás	hubiste aprendido
aprende	aprenderá	hubo aprendido
aprendemos	aprenderemos	hubimos aprendido
aprendéis	aprenderéis	hubisteis aprendido
aprenden	aprenderán	hubieron aprendido
Imperf.	*Pres. Perf.*	*Fut. Perf.*
aprendía	he aprendido	habré aprendido
aprendías	has aprendido	habrás aprendido
aprendía	ha aprendido	habrá aprendido
aprendíamos	hemos aprendido	habremos aprendido
aprendíais	habéis aprendido	habréis aprendido
aprendían	han aprendido	habrán aprendido
Pret.	*Pluperf.*	
aprendí	había aprendido	
aprendiste	habías aprendido	
aprendió	había aprendido	
aprendimos	habíamos aprendido	
aprendisteis	habíais aprendido	
aprendieron	habían aprendido	

SUBJUNCTIVE

Pres.	*Imperf.*	*Pluperf.*
aprenda	aprendiese	hubiera aprendido
aprendas	aprendieses	hubieras aprendido
aprenda	aprendiese	hubiera aprendido
aprendamos	aprendiésemos	hubiéramos aprendido
aprendáis	aprendieseis	hubierais aprendido
aprendan	aprendiesen	hubieran aprendido
Imperf.	*Pres. Perf.*	*Pluperf.*
aprendiera	haya aprendido	hubiese aprendido
aprendieras	hayas aprendido	hubieses aprendido
aprendiera	haya aprendido	hubiese aprendido
aprendiéramos	hayamos aprendido	hubiésemos aprendido
aprendierais	hayáis aprendido	hubieseis aprendido
aprendieran	hayan aprendido	hubiesen aprendido

CONDITIONAL		IMPERATIVE
Simple	*Cond. Perf.*	
aprendería	habría aprendido	
aprenderías	habrías aprendido	aprende; no aprendas
aprendería	habría aprendido	aprenda
aprenderíamos	habríamos aprendido	aprendamos
aprenderíais	habríais aprendido	aprended; no aprendáis
aprenderían	habrían aprendido	aprendan

CONJUGATED SAME AS ABOVE

desprender: to unfasten, loosen, separate
desprenderse: to give way, to extricate oneself
prender: to catch, seize, imprison
reprender: to scold, censure, reprehend

aprobar

Pres. Part.: aprobando
Past Part.: aprobado

aprobar: to approve; to pass (a test)

INDICATIVE

Pres.	*Fut.*	*Past Ant.*
apruebo	aprobaré	hube aprobado
apruebas	aprobarás	hubiste aprobado
aprueba	aprobará	hubo aprobado
aprobamos	aprobaremos	hubimos aprobado
aprobáis	aprobaréis	hubisteis aprobado
aprueban	aprobarán	hubieron aprobado
Imperf.	*Pres. Perf.*	*Fut. Perf.*
aprobaba	he aprobado	habré aprobado
aprobabas	has aprobado	habrás aprobado
aprobaba	ha aprobado	habrá aprobado
aprobábamos	hemos aprobado	habremos aprobado
aprobabais	habéis aprobado	habréis aprobado
aprobaban	han aprobado	habrán aprobado
Pret.	*Pluperf.*	
aprobé	había aprobado	
aprobaste	habías aprobado	
aprobó	había aprobado	
aprobamos	habíamos aprobado	
aprobasteis	habíais aprobado	
aprobaron	habían aprobado	

SUBJUNCTIVE

Pres.	*Imperf.*	*Pluperf.*
apruebe	aprobase	hubiera aprobado
apruebes	aprobases	hubieras aprobado
apruebe	aprobase	hubiera aprobado
aprobemos	aprobásemos	hubiéramos aprobado
aprobéis	aprobaseis	hubierais aprobado
aprueben	aprobasen	hubieran aprobado
Imperf.	*Pres. Perf.*	*Pluperf.*
aprobara	haya aprobado	hubiese aprobado
aprobaras	hayas aprobado	hubieses aprobado
aprobara	haya aprobado	hubiese aprobado
aprobáramos	hayamos aprobado	hubiésemos aprobado
aprobarais	hayáis aprobado	hubieseis aprobado
aprobaran	hayan aprobado	hubiesen aprobado

CONDITIONAL		IMPERATIVE
Simple	*Cond. Perf.*	
aprobaría	habría aprobado	
aprobarías	habrías aprobado	aprueba; no apruebes
aprobaría	habría aprobado	apruebe
aprobaríamos	habríamos aprobado	aprobemos
aprobaríais	habríais aprobado	aprobad; no aprobéis
aprobarían	habrían aprobado	aprueben

CONJUGATED SAME AS ABOVE
comprobar: to verify, compare
desaprobar: to disapprove, condemn, blame

arrancar

Pres. Part.: arrancando
Past Part.: arrancado

arrancar: to tear off

INDICATIVE

Pres.	*Fut.*	*Past Ant.*
arranco	arrancaré	hube arrancado
arrancas	arrancarás	hubiste arrancado
arranca	arrancará	hubo arrancado
arrancamos	arrancaremos	hubimos arrancado
arrancáis	arrancaréis	hubisteis arrancado
arrancan	arrancarán	hubieron arrancado
Imperf.	*Pres. Perf.*	*Fut. Perf.*
arrancaba	he arrancado	habré arrancado
arrancabas	has arrancado	habrás arrancado
arrancaba	ha arrancado	habrá arrancado
arrancábamos	hemos arrancado	habremos arrancado
arrancabais	habéis arrancado	habréis arrancado
arrancaban	han arrancado	habrán arrancado
Pret.	*Pluperf.*	
arranque	había arrancado	
arrancaste	habías arrancado	
arrancó	había arrancado	
arrancamos	habíamos arrancado	
arrancasteis	habíais arrancado	
arrancaron	habían arrancado	

SUBJUNCTIVE

Pres.	*Imperf.*	*Pluperf.*
arranque	arrancase	hubiera arrancado
arranques	arrancases	hubieras arrancado
arranque	arrancase	hubiera arrancado
arranquemos	arrancásemos	hubiéramos arrancado
arranquéis	arrancaseis	hubierais arrancado
arranquen	arrancasen	hubieran arrancado
Imperf.	*Pres. Perf.*	*Pluperf.*
arrancara	haya arrancado	hubiese arrancado
arrancaras	hayas arrancado	hubieses arrancado
arrancara	haya arrancado	hubiese arrancado
arrancáramos	hayamos arrancado	hubiésemos arrancado
arrancarais	hayáis arrancado	hubieseis arrancado
arrancaran	hayan arrancado	hubiesen arrancado

CONDITIONAL		IMPERATIVE
Simple	*Cond. Perf.*	
arrancaría	habría arrancado	
arrancarías	habrías arrancado	arranca; no arranques
arrancaría	habría arrancado	arranque
arrancaríamos	habríamos arrancado	arranquemos
arrancaríais	habríais arrancado	arrancad; no arranquéis
arrancarían	habrían arrancado	arranquen

Pres. Part.: asistiendo
Past Part.: asistido

asistir: to attend; to be present; to assist

INDICATIVE

Pres.
asisto
asistes
asiste
asistimos
asistís
asisten

Imperf.
asistía
asistías
asistía
asistíamos
asistíais
asistían

Pret.
asistí
asististe
asistió
asistimos
asististeis
asistieron

Fut.
asistiré
asistirás
asistirá
asistiremos
asistiréis
asistirán

Pres. Perf.
he asistido
has asistido
ha asistido
hemos asistido
habéis asistido
han asistido

Pluperf.
había asistido
habías asistido
había asistido
habíamos asistido
habíais asistido
habían asistido

Past Ant.
hube asistido
hubiste asistido
hubo asistido
hubimos asistido
hubisteis asistido
hubieron asistido

Fut. Perf.
habré asistido
habrás asistido
habrá asistido
habremos asistido
habréis asistido
habrán asistido

SUBJUNCTIVE

Pres.
asista
asistas
asista
asistamos
asistáis
asistan

Imperf.
asistiera
asistieras
asistiera
asistiéramos
asistierais
asistieran

Imperf.
asistiese
asistieses
asistiese
asistiésemos
asistieseis
asistiesen

Pres. Perf.
haya asistido
hayas asistido
haya asistido
hayamos asistido
hayáis asistido
hayan asistido

Pluperf.
hubiera asistido
hubieras asistido
hubiera asistido
hubiéramos asistido
hubierais asistido
hubieran asistido

Pluperf.
hubiese asistido
hubieses asistido
hubiese asistido
hubiésemos asistido
hubieseis asistido
hubiesen asistido

CONDITIONAL

Simple
asistiría
asistirías
asistiría
asistiríamos
asistiríais
asistirían

Cond. Perf.
habría asistido
habrías asistido
habría asistido
habríamos asistido
habríais asistido
habrían asistido

IMPERATIVE

asiste; no asistas
asista
asistamos
asistid; no asistáis
asistan

CONJUGATED SAME AS ABOVE

consistir: to consist
insistir: to insist
persistir: to persist

asustarse

Pres. Part.: asustándose
Past Part.: asustado

asustarse: to be frightened

INDICATIVE

Pres.
me asusto
te asustas
se asusta
nos asustamos
os asustáis
se asustan

Imperf.
me asustaba
te asustabas
se asustaba
nos asustábamos
os asustabais
se asustaban

Pret.
me asusté
te asustaste
se asustó
nos asustamos
os asustastéis
se asustaron

Fut.
me asustaré
te asustarás
se asustará
nos asustaremos
os asustaréis
se asustarán

Pres. Perf.
me he asustado
te has asustado
se ha asustado
nos hemos asustado
os habéis asustado
se han asustado

Pluperf.
me había asustado
te habías asustado
se había asustado
nos habíamos asustado
os habíais asustado
se habían asustado

Past Ant.
me hube asustado
te hubiste asustado
se hubo asustado
nos hubimos asustado
os hubisteis asustado
se hubieron asustado

Fut. Perf.
me habré asustado
te habrás asustado
se habrá asustado
nos habremos asustado
os habréis asustado
se habrán asustado

SUBJUNCTIVE

Pres.
me asuste
te asustes
se asuste
nos asustemos
os asustéis
se asusten

Imperf.
me asustara
te asustaras
se asustara
nos asustáramos
os asustarais
se asustaran

Imperf.
me asustase
te asustases
se asustase
nos asustásemos
os asustaseis
se asustasen

Pres. Perf.
me haya asustado
te hayas asustado
se haya asustado
nos hayamos asustado
os hayáis asustado
se hayan asustado

Pluperf.
me hubiera asustado
te hubieras asustado
se hubiera asustado
nos hubiéramos asustado
os hubierais asustado
se hubieran asustado

Pluperf.
me hubiese asustado
te hubieses asustado
se hubiese asustado
nos hubiésemos asustado
os hubieseis asustado
se hubiesen asustado

CONDITIONAL

Simple
me asustaría
te asustarías
se asustaría
nos asustaríamos
os asustaríais
se asustarían

Cond. Perf.
me habría asustado
te habrías asustado
se habría asustado
nos habríamos asustado
os habríais asustado
se habrían asustado

IMPERATIVE

asústate; no te asustes
asústese
asustémonos
asustaos; no os asustéis
asústense

CONJUGATED SAME AS ABOVE
asustar: to frighten

Pres. Part.: ayudando
Past Part.: ayudado

ayudar: to help

INDICATIVE

Pres.	*Fut.*	*Past Ant.*
ayudo	ayudaré	hube ayudado
ayudas	ayudarás	hubiste ayudado
ayuda	ayudará	hubo ayudado
ayudamos	ayudaremos	hubimos ayudado
ayudáis	ayudaréis	hubisteis ayudado
ayudan	ayudarán	hubieron ayudado
Imperf.	*Pres. Perf.*	*Fut. Perf.*
ayudaba	he ayudado	habré ayudado
ayudabas	has ayudado	habrás ayudado
ayudaba	ha ayudado	habrá ayudado
ayudábamos	hemos ayudado	habremos ayudado
ayudabais	habéis ayudado	habréis ayudado
ayudaban	han ayudado	habrán ayudado
Pret.	*Pluperf.*	
ayudé	había ayudado	
ayudaste	habías ayudado	
ayudó	había ayudado	
ayudamos	habíamos ayudado	
ayudasteis	habíais ayudado	
ayudaron	habían ayudado	

SUBJUNCTIVE

Pres.	*Imperf.*	*Pluperf.*
ayude	ayudase	hubiera ayudado
ayudes	ayudases	hubieras ayudado
ayude	ayudase	hubiera ayudado
ayudemos	ayudásemos	hubiéramos ayudado
ayudéis	ayudaseis	hubierais ayudado
ayuden	ayudasen	hubieran ayudado
Imperf.	*Pres. Perf.*	*Pluperf.*
ayudara	haya ayudado	hubiese ayudado
ayudaras	hayas ayudado	hubieses ayudado
ayudara	haya ayudado	hubiese ayudado
ayudáramos	hayamos ayudado	hubiésemos ayudado
ayudarais	hayáis ayudado	hubieseis ayudado
ayudaran	hayan ayudado	hubiesen ayudado

CONDITIONAL		IMPERATIVE
Simple	*Cond. Perf.*	
ayudaría	habría ayudado	
ayudarías	habrías ayudado	ayuda; no ayudes
ayudaría	habría ayudado	ayude
ayudaríamos	habríamos ayudado	ayudemos
ayudaríais	habríais ayudado	ayudad, no ayudéis
ayudarían	habrían ayudado	ayuden

bailar

Pres. Part.: bailando

Past Part.: bailado

bailar: to dance

INDICATIVE

Pres.	*Fut.*	*Past Ant.*
bailo	bailaré	hube bailado
bailas	bailarás	hubiste bailado
baila	bailará	hubo bailado
bailamos	bailaremos	hubimos bailado
bailáis	bailaréis	hubisteis bailado
bailan	bailarán	hubieron bailado
Imperf.	*Pres. Perf.*	*Fut. Perf.*
bailaba	he bailado	habré bailado
bailabas	has bailado	habrás bailado
bailaba	ha bailado	habrá bailado
bailábamos	hemos bailado	habremos bailado
bailabais	habéis bailado	habréis bailado
bailaban	han bailado	habrán bailado
Pret.	*Pluperf.*	
bailé	había bailado	
bailaste	habías bailado	
bailó	había bailado	
bailamos	habíamos bailado	
bailasteis	habíais bailado	
bailaron	habían bailado	

SUBJUNCTIVE

Pres.	*Imperf.*	*Pluperf.*
baile	bailase	hubiera bailado
bailes	bailases	hubieras bailado
baile	bailase	hubiera bailado
bailemos	bailásemos	hubiéramos bailado
bailéis	bailaseis	hubierais bailado
bailen	bailasen	hubieran bailado
Imperf.	*Pres. Perf.*	*Pluperf.*
bailara	haya bailado	hubiese bailado
bailaras	hayas bailado	hubieses bailado
bailara	haya bailado	hubiese bailado
bailáramos	hayamos bailado	hubiésemos bailado
bailarais	hayáis bailado	hubieseis bailado
bailaran	hayan bailado	hubiesen bailado

CONDITIONAL		IMPERATIVE
Simple	*Cond. Perf.*	
bailaría	habría bailado	
bailarías	habrías bailado	baila; no bailes
bailaría	habría bailado	baile
bailaríamos	habríamos bailado	bailemos
bailaríais	habríais bailado	bailad; no bailéis
bailarían	habrían bailado	bailen

Pres. Part.: bajando
Past Part.: bajado

bajar: to come down

INDICATIVE

Pres.	*Fut.*	*Past Ant.*
bajo	bajaré	hube bajado
bajas	bajarás	hubiste bajado
baja	bajará	hubo bajado
bajamos	bajaremos	hubimos bajado
bajáis	bajaréis	hubisteis bajado
bajan	bajarán	hubieron bajado
Imperf.	*Pres. Perf.*	*Fut. Perf.*
bajaba	he bajado	habré bajado
bajabas	has bajado	habrás bajado
bajaba	ha bajado	habrá bajado
bajábamos	hemos bajado	habremos bajado
bajabais	habéis bajado	habréis bajado
bajaban	han bajado	habrán bajado
Pret.	*Pluperf.*	
bajé	había bajado	
bajaste	habías bajado	
bajó	había bajado	
bajamos	habíamos bajado	
bajasteis	habíais bajado	
bajaron	habían bajado	

SUBJUNCTIVE

Pres.	*Imperf.*	*Pluperf.*
baje	bajase	hubiera bajado
bajes	bajases	hubieras bajado
baje	bajase	hubiera bajado
bajemos	bajásemos	hubiéramos bajado
bajéis	bajaseis	hubierais bajado
bajen	bajasen	hubieran bajado
Imperf.	*Pres. Perf.*	*Pluperf.*
bajara	haya bajado	hubiese bajado
bajaras	hayas bajado	hubieses bajado
bajara	haya bajado	hubiese bajado
bajáramos	hayamos bajado	hubiésemos bajado
bajarais	hayáis bajado	hubieseis bajado
bajaran	hayan bajado	hubiesen bajado

CONDITIONAL		IMPERATIVE
Simple	*Cond. Perf.*	
bajaría	habría bajado	
bajarías	habrías bajado	baja; no bajes
bajaría	habría bajado	baje
bajaríamos	habríamos bajado	bajemos
bajaríais	habríais bajado	bajad; no bajéis
bajarían	habrían bajado	bajen

CONJUGATED SAME AS ABOVE
rebajar: to reduce

bañarse

Pres. Part.: bañando
Past Part.: bañado

bañarse: to take a bath

INDICATIVE

Pres.
me baño
te bañas
se baña
nos bañamos
os bañáis
se bañan

Imperf.
me bañaba
te bañabas
se bañaba
nos bañábamos
os bañabais
se bañaban

Pret.
me bañé
te bañaste
se bañó
nos bañamos
os bañasteis
se bañaron

Fut.
me bañaré
te bañarás
se bañará
nos bañaremos
os bañaréis
se bañarán

Pres. Perf.
me he bañado
te has bañado
se ha bañado
nos hemos bañado
os habéis bañado
se han bañado

Pluperf.
me había bañado
te habías bañado
se había bañado
nos habíamos bañado
os habíais bañado
se habían bañado

Past Ant.
me hube bañado
te hubiste bañado
se hubo bañado
nos hubimos bañado
os hubisteis bañado
se hubieron bañado

Fut. Perf.
me habré bañado
te habrás banado
se habrá bañado
nos habremos bañado
os habréis banado
se habrán bañado

SUBJUNCTIVE

Pres.
me bañe
te bañes
se bañe
nos bañemos
os bañéis
se bañen

Imperf.
me bañara
te bañaras
se bañara
nos bañáramos
os bañarais
se bañaran

Imperf.
me bañase
te bañases
se bañase
nos bañásemos
os bañaseis
se bañasen

Pres. Perf.
me haya bañado
te hayas bañado
se haya bañado
nos hayamos bañado
os hayáis bañado
se hayan bañado

Pluperf.
me hubiera bañado
te hubieras bañado
se hubiera bañado
nos hubiéramos bañado
os hubierais bañado
se hubieran bañado

Pluperf.
me hubiese bañado
te hubieses bañado
se hubiese bañado
nos hubiésemos bañado
os hubieseis bañado
se hubiesen bañado

CONDITIONAL

Simple
me bañaría
te bañarías
se bañaría
nos bañaríamos
os bañaríais
se bañarían

Cond. Perf.
me habría bañado
te habrías bañado
se habría bañado
nos habríamos bañado
os habríais bañado
se habrían bañado

IMPERATIVE

bánate; no te bañes
báñese
bañémonos
bañaos; no os bañéis
báñense

CONJUGATED SAME AS ABOVE
bañar: to bathe

Pres. Part.: barriendo

Past Part.: barrido

barrer: to sweep

INDICATIVE

Pres.	*Fut.*	*Past Ant.*
barro	barreré	hube barrido
barres	barrerás	hubiste barrido
barre	barrerá	hubo barrido
barremos	barreremos	hubimos barrido
barréis	barreréis	hubisteis barrido
barren	barrerán	hubieron barrido
Imperf.	*Pres. Perf.*	*Fut. Perf.*
barría	he barrido	habré barrido
barrías	has barrido	habrás barrido
barría	ha barrido	habrá barrido
barríamos	hemos barrido	habremos barrido
barríais	habéis barrido	habréis barrido
barrían	han barrido	habrán barrido
Pret.	*Pluperf.*	
barrí	había barrido	
barriste	habías barrido	
barrió	había barrido	
barrimos	habíamos barrido	
barristeis	habíais barrido	
barrieron	habían barrido	

SUBJUNCTIVE

Pres.	*Imperf.*	*Pluperf.*
barra	barriese	hubiera barrido
barras	barrieses	hubieras barrido
barra	barriese	hubiera barrido
barramos	barriésemos	hubiéramos barrido
barráis	barrieseis	hubierais barrido
barran	barriesen	hubieran barrido
Imperf.	*Pres. Perf.*	*Pluperf.*
barriera	haya barrido	hubiese barrido
barrieras	hayas barrido	hubieses barrido
barriera	haya barrido	hubiese barrido
barriéramos	hayamos barrido	hubiésemos barrido
barrierais	hayáis barrido	hubieseis barrido
barrieran	hayan barrido	hubiesen barrido

CONDITIONAL		IMPERATIVE
Simple	*Cond. Perf.*	
barrería	habría barrido	
barrerías	habrías barrido	barre; no barras
barrería	habría barrido	barra
barreríamos	habríamos barrido	barramos
barreríais	habríais barrido	barred; no barráis
barrerían	habrían barrido	barran

beber

Pres. Part.: bebiendo
Past Part.: bebido

beber: to drink

INDICATIVE

Pres.	*Fut.*	*Past Ant.*
bebo	beberé	hube bebido
bebes	beberás	hubiste bebido
bebe	beberá	hubo bebido
bebemos	beberemos	hubimos bebido
bebéis	beberéis	hubisteis bebido
beben	beberán	hubieron bebido
Imperf.	*Pres. Perf.*	*Fut. Perf.*
bebía	he bebido	habré bebido
bebías	has bebido	habrás bebido
bebía	ha bebido	habrá bebido
bebíamos	hemos bebido	habremos bebido
bebíais	habéis bebido	habréis bebido
bebían	han bebido	habrán bebido
Pret.	*Pluperf.*	
bebí	había bebido	
bebiste	habías bebido	
bebió	había bebido	
bebimos	habíamos bebido	
bebisteis	habíais bebido	
bebieron	habían bebido	

SUBJUNCTIVE

Pres.	*Imperf.*	*Pluperf.*
beba	bebiese	hubiera bebido
bebas	bebieses	hubieras bebido
beba	bebiese	hubiera bebido
bebamos	bebiésemos	hubiéramos bebido
bebáis	bebieseis	hubierais bebido
beban	bebiesen	hubieran bebido
Imperf.	*Pres. Perf.*	*Pluperf.*
bebiera	haya bebido	hubiese bebido
bebieras	hayas bebido	hubieses bebido
bebiera	haya bebido	hubiese bebido
bebiéramos	hayamos bedido	hubiésemos bebido
bebierais	hayáis bebido	hubieseis bebido
bebieran	hayan bebido	hubiesen bebido

CONDITIONAL		IMPERATIVE
Simple	*Cond. Perf.*	
bebería	habría bebido	
beberías	habrías bebido	bebe; no bebas
bebería	habría bebido	beba
beberíamos	habríamos bebido	bebamos
beberíais	habríais bebido	bebed; no bebáis
beberían	habrían bebido	beban

Pres. Part.: borrando
Past Part.: borrado

borrar: to erase

INDICATIVE

Pres.
borro
borras
borra
borramos
borráis
borran

Imperf.
borraba
borrabas
borraba
borrábamos
borrabais
borraban

Pret.
borré
borraste
borró
borramos
borrasteis
borraron

Fut.
borraré
borrarás
borrará
borraremos
borraréis
borrarán

Pres. Perf.
he borrado
has borrado
ha borrado
hemos borrado
habéis borrado
han borrado

Pluperf.
había borrado
habías borrado
había borrado
habíamos borrado
habíais borrado
habían borrado

Past Ant.
hube borrado
hubiste borrado
hubo borrado
hubimos borrado
hubisteis borrado
hubieron borrado

Fut. Perf.
habré borrado
habrás borrado
habrá borrado
habremos borrado
habréis borrado
habrán borrado

SUBJUNCTIVE

Pres.
borre
borres
borre
borremos
borréis
borren

Imperf.
borrara
borraras
borrara
borráramos
borrarais
borraran

Imperf.
borrase
borrases
borrase
borrásemos
borraseis
borrasen

Pres. Perf.
haya borrado
hayas borrado
haya borrado
hayamos borrado
hayáis borrado
hayan borrado

Pluperf.
hubiera borrado
hubieras borrado
hubiera borrado
hubiéramos borrado
hubierais borrado
hubieran borrado

Pluperf.
hubiese borrado
hubieses borrado
hubiese borrado
hubiésemos borrado
hubieseis borrado
hubiesen borrado

CONDITIONAL

Simple
borraría
borrarías
borraría
borraríamos
borraríais
borrarían

Cond. Perf.
habría borrado
habrías borrado
habría borrado
habríamos borrado
habríais borrado
habrían borrado

IMPERATIVE

borra; no borres
borre
borremos
borrad; no borréis
borren

CONJUGATED SAME AS ABOVE
desoborrar: to cut off loose threads
emborrar: to pad, wad, stuff with hair, wool, etc.

botar

Pres. Part.: botando
Past Part.: botado

botar: to cast/throw away

INDICATIVE

Pres.	*Fut.*	*Past Ant.*
boto	botaré	hube botado
botas	botarás	hubiste botado
bota	botará	hubo botado
botamos	botaremos	hubimos botado
botáis	botaréis	hubisteis botado
botan	botarán	hubieron botado
Imperf.	*Pres. Perf.*	*Fut. Perf.*
botaba	he botado	habré botado
botabas	has botado	habrás botado
botaba	ha botado	habrá botado
botábamos	hemos botado	habremos botado
botabais	habéis botado	habréis botado
botaban	han botado	habrán botado
Pret.	*Pluperf.*	
boté	había botado	
botaste	habías botado	
botó	había botado	
botamos	habíamos botado	
botasteis	habíais botado	
botaron	habían botado	

SUBJUNCTIVE

Pres.	*Imperf.*	*Pluperf.*
bote	botase	hubiera botado
botes	botases	hubieras botado
bote	botase	hubiera botado
botemos	botásemos	hubiéramos botado
botéis	botaseis	hubierais botado
boten	botasen	hubieran botado
Imperf.	*Pres. Perf.*	*Pluperf.*
botara	haya botado	hubiese botado
botaras	hayas botado	hubieses botado
botara	haya botado	hubiese botado
botáramos	hayamos botado	hubiésemos botado
botarais	hayáis botado	hubieseis botado
botaran	hayan botado	hubiesen botado

CONDITIONAL		IMPERATIVE
Simple	*Cond. Perf.*	
botaría	habría botado	
botarías	habrías botado	bota; no botes
botaría	habría botado	bote
botaríamos	habríamos botado	botemos
botaríais	habríais botado	botad; no botéis
botarían	habrían botado	boten

CONJUGATED SAME AS ABOVE
rebotar: to rebound

Pres. Part.: bronceando
Past Part.: bronceado

broncearse: to suntan oneself; to become tanned

INDICATIVE

Pres.
me bronceo
te bronceas
se broncea
nos bronceamos
os bronceáis
se broncean

Imperf.
me bronceaba
te bronceabas
se bronceaba
nos bronceabamos
os bronceabais
se bronceaban

Pret.
me bronceé
te bronceaste
se bronceó
nos bronceamos
os bronceasteis
se broncearon

Fut.
me broncearé
te broncearás
se bronceará
nos broncearemos
os broncearéis
se broncearán

Pres. Perf.
me he bronceado
te has bronceado
se ha bronceado
nos hemos bronceado
os habéis bronceado
se han bronceado

Pluperf.
me había bronceado
te habías bronceado
se había bronceado
nos habíamos bronceado
os habíais bronceado
se habían bronceado

Past Ant.
me hube bronceado
te hubiste bronceado
se hubo bronceado
nos hubimos bronceado
os hubisteis bronceado
se hubieron bronceado

Fut. Perf.
me habré bronceado
te habrás bronceado
se habrá bronceado
nos habremos bronceado
os habréis bronceado
se habrán bronceado

SUBJUNCTIVE

Pres.
me broncee
te broncees
se broncee
nos bronceemos
os bronceéis
se bronceen

Imperf.
me bronceara
te broncéaras
se broncéara
nos broncearamos
os broncearais
se broncearan

Imperf.
me broncease
te bronceases
se broncease
nos bronceásemos
os bronceaseis
se bronceasen

Pres. Perf.
me haya bronceado
te hayas bronceado
se haya bronceado
nos hayamos bronceado
os hayáis bronceado
se hayan bronceado

Pluperf.
me hubiera bronceado
te hubieras bronceado
se hubiera bronceado
nos hubiéramos bronceado
os hubierais bronceado
se hubieran bronceado

Pluperf.
me hubiese bronceado
te hubieses bronceado
se hubiese bronceado
nos hubiésemos bronceado
os hubieseis bronceado
se hubiesen bronceado

CONDITIONAL

Simple
me broncearía
te broncearías
se broncearía
nos broncearíamos
os broncearíais
se broncearían

Cond. Perf.
me habría bronceado
te habrías bronceado
se habría bronceado
nos habríamos bronceado
os habríais bronceado
se habrían bronceado

IMPERATIVE

broncéate; no te broncees
broncéese
bronceémonos
bronceaos; no os bronceéis
broncéense

CONJUGATED SAME AS ABOVE
broncear: to bronze

buscar

Pres. Part.: buscando
Past Part.: buscado

buscar: to look for

INDICATIVE

Pres.
busco
buscas
busca
buscamos
buscáis
buscan

Imperf.
buscaba
buscabas
buscaba
buscábamos
buscabais
buscaban

Pret.
busqué
buscaste
buscó
buscamos
buscasteis
buscaron

Fut.
buscaré
buscarás
buscará
buscaremos
buscaréis
buscarán

Pres. Perf.
he buscado
has buscado
ha buscado
hemos buscado
habéis buscado
han buscado

Pluperf.
había buscado
habías buscado
había buscado
habíamos buscado
habíais buscado
habían buscado

Past Ant.
hube buscado
hubiste buscado
hubo buscado
hubimos buscado
hubisteis buscado
hubieron buscado

Fut. Perf.
habré buscado
habrás buscado
habrá buscado
habremos buscado
habréis buscado
habrán buscado

SUBJUNCTIVE

Pres.
busque
busques
busque
busquemos
busquéis
busquen

Imperf.
buscara
buscaras
buscara
buscáramos
buscarais
buscaran

Imperf.
buscase
buscases
buscase
buscásemos
buscaseis
buscasen

Pres. Perf.
haya buscado
hayas buscado
haya buscado
hayamos buscado
hayáis buscado
hayan buscado

Pluperf.
hubiera buscado
hubieras buscado
hubiera buscado
hubiéramos buscado
hubierais buscado
hubieran buscado

Pluperf.
hubiese buscado
hubieses buscado
hubiese buscado
hubiésemos buscado
hubieseis buscado
hubiesen buscado

CONDITIONAL

Simple
buscaría
buscarías
buscaría
buscaríamos
buscaríais
buscarían

Cond. Perf.
habría buscado
habrías buscado
habría buscado
habríamos buscado
habríais buscado
habrían buscado

IMPERATIVE

busca; no busques
busque
busquemos
buscad; no busquéis
busquen

CONJUGATED SAME AS ABOVE
rebuscar: to search

Pres. Part.: cayéndose
Past Part.: caído

caerse: to fall

INDICATIVE

Pres.	*Fut.*	*Past Ant.*
me caigo	me caeré	me hube caído
te caes	te caerás	te hubiste caído
se cae	se caerá	se hubo caído
nos caemos	nos caeremos	nos hubimos caído
os caéis	os caeréis	os hubisteis caído
se caen	se caerán	se hubieron caído
Imperf.	*Pres. Perf.*	*Fut. Perf.*
me caía	me he caído	me habré caído
te caías	te has caído	te habrás caído
se caía	se ha caído	se habrá caído
nos caíamos	nos hemos caído	nos habremos caído
os caíais	os habéis caído	os habréis caído
se caían	se han caído	se habrán caído
Pret.	*Pluperf.*	
me caí	me había caído	
te caíste	te habías caído	
se cayó	se había caído	
nos caímos	nos habíamos caído	
os caísteis	os habíais caído	
se cayeron	se habían caído	

SUBJUNCTIVE

Pres.	*Imperf.*	*Pluperf.*
me caiga	me cayese	me hubiera caído
te caigas	te cayeses	te hubieras caído
se caiga	se cayese	se hubiera caído
nos caigamos	nos cayésemos	nos hubiéramos caído
os caigáis	os cayeseis	os hubierais caído
se caigan	se cayesen	se hubieran caído
Imperf.	*Pres. Perf.*	*Pluperf.*
me cayera	me haya caído	me hubiese caído
te cayeras	te hayas caído	te hubieses caído
se cayera	se haya caído	se hubiese caído
nos cayéramos	nos hayamos caído	nos hubiésemos caído
os cayerais	os hayáis caído	os hubieseis caído
se cayeran	se hayan caído	se hubiesen caído

CONDITIONAL		IMPERATIVE
Simple	*Cond. Perf.*	
me caería	me habría caído	
te caerías	te habrías caído	cáete; no te caigas
se caería	se habría caído	cáigase
nos caeríamos	nos habríamos caído	caigámonos
os caeríais	os habríais caído	caeos; no os caigáis
se caerían	se habrían caído	cáiganse

CONJUGATED SAME AS ABOVE

caer: to fall, drop; to fall due
decaer: to decay
recaer: to relapse

calentar

Pres. Part.: calentando
Past Part.: calentado

calentar: to heat; to warm

INDICATIVE

Pres.	*Fut.*	*Past Ant.*
caliento	calentaré	hube calentado
calientas	calentarás	hubiste calentado
calienta	calentará	hubo calentado
calentamos	calentaremos	hubimos calentado
calentáis	calentaréis	hubisteis calentado
calientan	calentarán	hubieron calentado
Imperf.	*Pres. Perf.*	*Fut. Perf.*
calentaba	he calentado	habré calentado
calentabas	has calentado	habrás calentado
calentaba	ha calentado	habrá calentado
calentábamos	hemos calentado	habremos calentado
calentabais	habéis calentado	habréis calentado
calentaban	han calentado	habrán calentado
Pret.	*Pluperf.*	
calenté	había calentado	
calentaste	habías calentado	
calentó	había calentado	
calentamos	habíamos calentado	
calentasteis	habíais calentado	
calentaron	habían calentado	

SUBJUNCTIVE

Pres.	*Imperf.*	*Pluperf.*
caliente	calentase	hubiera calentado
calientes	calentases	hubieras calentado
caliente	calentase	hubiera calentado
calentemos	calentásemos	hubiéramos calentado
calentéis	calentaseis	hubierais calentado
calienten	calentasen	hubieran calentado
Imperf.	*Pres. Perf.*	*Pluperf.*
calentara	haya calentado	hubiese calentado
calentaras	hayas calentado	hubieses calentado
calentara	haya calentado	hubiese calentado
calentáramos	hayamos calentado	hubiésemos calentado
calentarais	hayáis calentado	hubieseis calentado
calentaran	hayan calentado	hubiesen calentado

CONDITIONAL

IMPERATIVE

Simple	*Cond. Perf.*	
calentaría	habría calentado	
calentarías	habrías calentado	calienta; no calientes
calentaría	habría calentado	caliente
calentaríamos	habríamos calentado	calentemos
calentaríais	habríais calentado	calentad; no calentéis
calentarían	habrían calentado	calienten

CONJUGATED SAME AS ABOVE
recalentar: to reheat

Pres. Part.: cansándose
Past Part.: cansado

cansarse: to grow tired

INDICATIVE

Pres.
me canso
te cansas
se cansa
nos cansamos
os cansáis
se cansan

Imperf.
me cansaba
te cansabas
se cansaba
nos cansábamos
os cansabais
se cansaban

Pret.
me cansé
te cansaste
se cansó
nos cansamos
os cansasteis
se cansaron

Fut.
me cansaré
te cansarás
se cansará
nos cansaremos
os cansaréis
se cansarán

Pres. Perf.
me he cansado
te has cansado
se ha cansado
nos hemos cansado
os habéis cansado
se han cansado

Pluperf.
me había cansado
te habías cansado
se había cansado
nos habíamos cansado
os habíais cansado
se habían cansado

Past Ant.
me hube cansado
te hubiste cansado
se hubo cansado
nos hubimos cansado
os hubisteis cansado
se hubieron cansado

Fut. Perf.
me habré cansado
te habrás cansado
se habrá cansado
nos habremos cansado
os habréis cansado
se habrán cansado

SUBJUNCTIVE

Pres.
me canse
te canses
se canse
nos cansemos
os canséis
se cansen

Imperf.
me cansara
te cansaras
se cansara
nos cansáramos
os cansarais
se cansaran

Imperf.
me cansase
te cansases
se cansase
nos cansásemos
os cansaseis
se cansasen

Pres. Perf.
me haya cansado
te hayas cansado
se haya cansado
nos hayamos cansado
os hayáis cansado
se hayan cansado

Pluperf.
me hubiera cansado
te hubieras cansado
se hubiera cansado
nos hubiéramos cansado
os hubierais cansado
se hubieran cansado

Pluperf.
me hubiese cansado
te hubieses cansado
se hubiese cansado
nos hubiésemos cansado
os hubieseis cansado
se hubiesen cansado

CONDITIONAL

Simple
me cansaría
te cansarías
se cansaría
nos cansaríamos
os cansaríais
se cansarían

Cond. Perf.
me habría cansado
te habrías cansado
se habría cansado
nos habríamos cansado
os habríais cansado
se habrían cansado

IMPERATIVE

cánsate; no te canses
cánsese
cansémonos
cansaos; no os canséis
cánsense

CONJUGATED SAME AS ABOVE
cansar: to weary, tire

cantar

Pres. Part.: cantando
Past Part.: cantado

cantar: to sing

INDICATIVE

Pres.	*Fut.*	*Past Ant.*
canto	cantaré	hube cantado
cantas	cantarás	hubiste cantado
canta	cantará	hubo cantado
cantamos	cantaremos	hubimos cantado
cantáis	cantaréis	hubisteis cantado
cantan	cantarán	hubieron cantado
Imperf.	*Pres. Perf.*	*Fut. Perf.*
cantaba	he cantado	habré cantado
cantabas	has cantado	habrás cantado
cantaba	ha cantado	habrá cantado
cantábamos	hemos cantado	habremos cantado
cantabais	habéis cantado	habréis cantado
cantaban	han cantado	habrán cantado
Pret.	*Pluperf.*	
canté	había cantado	
cantaste	habías cantado	
cantó	había cantado	
cantamos	habíamos cantado	
cantasteis	habíais cantado	
cantaron	habían cantado	

SUBJUNCTIVE

Pres.	*Imperf.*	*Pluperf.*
cante	cantase	hubiera cantado
cantes	cantases	hubieras cantado
cante	cantase	hubiera cantado
cantemos	cantásemos	hubiéramos cantado
cantéis	cantaseis	hubierais cantado
canten	cantasen	hubieran cantado
Imperf.	*Pres. Perf.*	*Pluperf.*
cantara	haya cantado	hubiese cantado
cantaras	hayas cantado	hubieses cantado
cantara	haya cantado	hubiese cantado
cantáramos	hayamos cantado	hubiésemos cantado
cantarais	hayáis cantado	hubieseis cantado
cantaran	hayan cantado	hubiesen cantado

CONDITIONAL		IMPERATIVE
Simple	*Cond. Perf.*	
cantaría	habría cantado	
cantarías	habrías cantado	canta; no cantes
cantaría	habría cantado	cante
cantaríamos	habríamos cantado	cantemos
cantaríais	habríais cantado	cantad; no cantéis
cantarían	habrían cantado	canten

CONJUGATED SAME AS ABOVE
descantar: to clear of stones
encantar: to enchant

Pres. Part.: cenando
Past Part.: cenado

cenar: to eat supper

INDICATIVE

Pres.
ceno
cenas
cena
cenamos
cenáis
cenan

Imperf.
cenaba
cenabas
cenaba
cenábamos
cenabais
cenaban

Pret.
cené
cenaste
cenó
cenamos
cenasteis
cenaron

Fut.
cenaré
cenarás
cenará
cenaremos
cenaréis
cenarán

Pres. Perf.
he cenado
has cenado
ha cenado
hemos cenado
habéis cenado
han cenado

Pluperf.
había cenado
habías cenado
había cenado
habíamos cenado
habíais cenado
habían cenado

Past Ant.
hube cenado
hubiste cenado
hubo cenado
hubimos cenado
hubisteis cenado
hubieron cenado

Fut. Perf.
habré cenado
habrás cenado
habrá cenado
habremos cenado
habréis cenado
habrán cenado

SUBJUNCTIVE

Pres.
cene
cenes
cene
cenemos
cenéis
cenen

Imperf.
cenara
cenaras
cenara
cenáramos
cenarais
cenaran

Imperf.
cenase
cenases
cenase
cenásemos
cenaseis
cenasen

Pres. Perf.
haya cenado
hayas cenado
haya cenado
hayamos cenado
hayáis cenado
hayan cenado

Pluperf.
hubiera cenado
hubieras cenado
hubiera cenado
hubiéramos cenado
hubierais cenado
hubieran cenado

Pluperf.
hubiese cenado
hubieses cenado
hubiese cenado
hubiésemos cenado
hubieseis cenado
hubiesen cenado

CONDITIONAL

Simple
cenaría
cenarías
cenaría
cenaríamos
cenaríais
cenarían

Cond. Perf.
habría cenado
habrías cenado
habría cenado
habríamos cenado
habríais cenado
habrían cenado

IMPERATIVE

cena; no cenes
cene
cenemos
cenad; no cenéis
cenen

cerrar

Pres. Part.: cerrando
Past Part.: cerrado

cerrar: to close; to lock

INDICATIVE

Pres.
cierro
cierras
cierra
cerramos
cerráis
cierran

Imperf.
cerraba
cerrabas
cerraba
cerrábamos
cerrabais
cerraban

Pret.
cerré
cerraste
cerró
cerramos
cerrasteis
cerraron

Fut.
cerraré
cerrarás
cerrará
cerraremos
cerraréis
cerrarán

Pres. Perf.
he cerrado
has cerrado
ha cerrado
hemos cerrado
habéis cerrado
han cerrado

Pluperf.
había cerrado
habías cerrado
había cerrado
habíamos cerrado
habíais cerrado
habían cerrado

Past Ant.
hube cerrado
hubiste cerrado
hubo cerrado
hubimos cerrado
hubisteis cerrado
hubieron cerrado

Fut. Perf.
habré cerrado
habrás cerrado
hubrá cerrado
habremos cerrado
habréis cerrado
habrán cerrado

SUBJUNCTIVE

Pres.
cierre
cierres
cierre
cerremos
cerréis
cierren

Imperf.
cerrara
cerraras
cerrara
cerráramos
cerrarais
cerraran

Imperf.
cerrase
cerrases
cerrase
cerrásemos
cerraseis
cerrasen

Pres. Perf.
haya cerrado
hayas cerrado
haya cerrado
hayamos cerrado
hayáis cerrado
hayan cerrado

Pluperf.
hubiera cerrado
hubieras cerrado
hubiera cerrado
hubiéramos cerrado
hubierais cerrado
hubieran cerrado

Pluperf.
hubiese cerrado
hubieses cerrado
hubiese cerrado
hubiésemos cerrado
hubieseis cerrado
hubiesen cerrado

CONDITIONAL

Simple
cerraría
cerrarías
cerraría
cerraríamos
cerraríais
cerrarían

Cond. Perf.
habría cerrado
habrías cerrado
habría cerrado
habríamos cerrado
habríais cerrado
habrían cerrado

IMPERATIVE

cierra; no cierres
cierre
cerremos
cerrad; no cerréis
cierren

CONJUGATED SAME AS ABOVE
encerrar: to lock up
encerrarse: to live in seclusion; to be locked up alone

Pres. Part.: charlando
Past Part.: charlado

charlar: to chat

INDICATIVE

Pres.	*Fut.*	*Past Ant.*
charlo	charlaré	hube charlado
charlas	charlarás	hubiste charlado
charla	charlará	hubo charlado
charlamos	charlaremos	hubimos charlado
charláis	charlaréis	hubisteis charlado
charlan	charlarán	hubieron charlado
Imperf.	*Pres. Perf.*	*Fut. Perf.*
charlaba	he charlado	habré charlado
charlabas	has charlado	habrás charlado
charlaba	ha charlado	habrá charlado
charlábamos	hemos charlado	habremos charlado
charlabais	habéis charlado	habréis charlado
charlaban	han charlado	habrán charlado
Pret.	*Pluperf.*	
charlé	había charlado	
charlaste	habías charlado	
charló	había charlado	
charlamos	habíamos charlado	
charlasteis	habíais charlado	
charlaron	habían charlado	

SUBJUNCTIVE

Pres.	*Imperf.*	*Pluperf.*
charle	charlase	hubiera charlado
charles	charlases	hubieras charlado
charle	charlase	hubiera charlado
charlemos	charlásemos	hubiéramos charlado
charléis	charlaseis	hubierais charlado
charlen	charlasen	hubieran charlado
Imperf.	*Pres. Perf.*	*Pluperf.*
charlara	haya charlado	hubiese charlado
charlaras	hayas charlado	hubieses charlado
charlara	haya charlado	hubiese charlado
charláramos	hayamos charlado	hubiésemos charlado
charlarais	hayáis charlado	hubieseis charlado
charlaran	hayan charlado	hubiesen charlado

CONDITIONAL		IMPERATIVE
Simple	*Cond. Perf.*	
charlaría	habría charlado	
charlarías	habrías charlado	charla; no charles
charlaría	habría charlado	charle
charlaríamos	habríamos charlado	charlemos
charlaríais	habríais charlado	charlad; no charléis
charlarían	habrían charlado	charlen

cocinar

Pres. Part.: cocinando **cocinar: to cook**
Past Part.: cocinado

INDICATIVE

Pres.	*Fut.*	*Past Ant.*
cocino	cocinaré	hube cocinado
cocinas	cocinarás	hubiste cocinado
cocina	cocinará	hubo cocinado
cocinamos	cocinaremos	hubimos cocinado
cocináis	cocinaréis	hubisteis cocinado
cocinan	cocinarán	hubieron cocinado
Imperf.	*Pres. Perf.*	*Fut. Perf.*
cocinaba	he cocinado	habré cocinado
cocinabas	has cocinado	habrás cocinado
cocinaba	ha cocinado	habrá cocinado
cocinábamos	hemos cocinado	habremos cocinado
cocinabais	habéis cocinado	habréis cocinado
cocinaban	han cocinado	habrán cocinado
Pret.	*Pluperf.*	
cociné	había cocinado	
cocinaste	habías cocinado	
cocinó	había cocinado	
cocinamos	habíamos cocinado	
cocinasteis	habíais cocinado	
cocinaron	habían cocinado	

SUBJUNCTIVE

Pres.	*Imperf.*	*Pluperf.*
cocine	cocinase	hubiera cocinado
cocines	cocinases	hubieras cocinado
cocine	cocinase	hubiera cocinado
cocinemos	cocinásemos	hubiéramos cocinado
cocinéis	cocinaseis	hubierais cocinado
cocinen	cocinasen	hubieran cocinado
Imperf.	*Pres. Perf.*	*Pluperf.*
cocinara	haya cocinado	hubiese cocinado
cocinaras	hayas cocinado	hubieses cocinado
cocinara	haya cocinado	hubiese cocinado
cocináramos	hayamos cocinado	hubiésemos cocinado
cocinarais	hayáis cocinado	hubieseis cocinado
cocinaran	hayan cocinado	hubiesen cocinado

CONDITIONAL / IMPERATIVE

CONDITIONAL *Simple*	*Cond. Perf.*	IMPERATIVE
cocinaría	habría cocinado	
cocinarías	habrías cocinado	cocina; no cocines
cocinaría	habría cocinado	cocine
cocinaríamos	habríamos cocinado	cocinemos
cocinaríais	habríais cocinado	cocinad; no cocinéis
cocinarían	habrían cocinado	cocinen

coger

Pres. Part.: cogiendo
Past Part.: cogido

coger: to get; to catch

INDICATIVE

Pres.
cojo
coges
coge
cogemos
cogéis
cogen

Imperf.
cogía
cogías
cogía
cogíamos
cogíais
cogían

Pret.
cogí
cogiste
cogió
cogimos
cogisteis
cogieron

Fut.
cogeré
cogerás
cogerá
cogeremos
cogeréis
cogerán

Pres. Perf.
he cogido
has cogido
ha cogido
hemos cogido
habéis cogido
han cogido

Pluperf.
había cogido
habías cogido
había cogido
habíamos cogido
habíais cogido
habían cogido

Past Ant.
hube cogido
hubiste cogido
hubo cogido
hubimos cogido
hubisteis cogido
hubieron cogido

Fut. Perf.
habré cogido
habrás cogido
habrá cogido
habremos cogido
habréis cogido
habrán cogido

SUBJUNCTIVE

Pres.
coja
cojas
coja
cojamos
cojáis
cojan

Imperf.
cogiera
cogieras
cogiera
cogiéramos
cogierais
cogieran

Imperf.
cogiese
cogieses
cogiese
cogiésemos
cogieseis
cogiesen

Pres. Perf.
haya cogido
hayas cogido
haya cogido
hayamos cogido
hayáis cogido
hayan cogido

Pluperf.
hubiera cogido
hubieras cogido
hubiera cogido
hubiéramos cogido
hubierais cogido
hubieran cogido

Pluperf.
hubiese cogido
hubieses cogido
hubiese cogido
hubiésemos cogido
hubieseis cogido
hubiesen cogido

CONDITIONAL

Simple
cogería
cogerías
cogería
cogeríamos
cogeríais
cogerían

Cond. Perf.
habría cogido
habrías cogido
habría cogido
habríamos cogido
habríais cogido
habrían cogido

IMPERATIVE

coge; no cojas
coja
cojamos
coged; no cojáis
cojan

CONJUGATED SAME AS ABOVE

acoger: to welcome, greet; to protect, shelter
descoger: to spend, extend, expend
encoger: to shrink
escoger: to choose

comenzar

Pres. Part.: comenzando
Past Part.: comenzado

comenzar: to begin

INDICATIVE

Pres.	*Fut.*	*Past Ant.*
comienzo	comenzaré	hube comenzado
comienzas	comenzarás	hubiste comenzado
comienza	comenzará	hubo comenzado
comenzamos	comenzaremos	hubimos comenzado
comenzáis	comenzaréis	hubisteis comenzado
comienzan	comenzarán	hubieron comenzado
Imperf.	*Pres. Perf.*	*Fut. Perf.*
comenzaba	he comenzado	habré comenzado
comenzabas	has comenzado	habrás comenzado
comenzaba	ha comenzado	habrá comenzado
comenzábamos	hemos comenzado	habremos comenzado
comenzabais	habéis comenzado	habréis comenzado
comenzaban	han comenzado	habrán comenzado
Pret.	*Pluperf.*	
comencé	había comenzado	
comenzaste	habías comenzado	
comenzó	había comenzado	
comenzamos	habíamos comenzado	
comenzasteis	habíais comenzado	
comenzaron	habían comenzado	

SUBJUNCTIVE

Pres.	*Imperf.*	*Pluperf.*
comience	comenzase	hubiera comenzado
comiences	comenzases	hubieras comenzado
comience	comenzase	hubiera comenzado
comencemos	comenzásemos	hubiéramos comenzado
comencéis	comenzaseis	hubierais comenzado
comiencen	comenzasen	hubieran comenzado
Imperf.	*Pres. Perf.*	*Pluperf.*
comenzara	haya comenzado	hubiese comenzado
comenzaras	hayas cotmenzado	hubieses comenzado
comenzara	haya comenzado	hubiese comenzado
comenzáramos	hayamos comenzado	hubiésemos comenzado
comenzarais	hayáis comenzado	hubieseis comenzado
comenzaran	hayan comenzado	hubiesen comenzado

CONDITIONAL		IMPERATIVE
Simple	*Cond. Perf.*	
comenzaría	habría comenzado	
comenzarías	habrías comenzado	comienza; no comiences
comenzaría	habría comenzado	comience
comenzaríamos	habríamos comenzado	comencemos
comenzaríais	habríais comenzado	comenzad; no comencéis
comenzarían	habrían comenzado	comiencen

Pres. Part.: comiendo **comer: to eat**
Past Part.: comido

INDICATIVE

Pres.	*Fut.*	*Past Ant.*
como	comeré	hube comido
comes	comerás	hubiste comido
come	comerá	hubo comido
comemos	comeremos	hubimos comido
coméis	comeréis	hubisteis comido
comen	comerán	hubieron comido
Imperf.	*Pres. Perf.*	*Fut. Perf.*
comía	he comido	habré comido
comías	has comido	habrás comido
comía	ha comido	habrá comido
comíamos	hemos comido	habremos comido
comíais	habéis comido	habréis comido
comían	han comido	habrán comido
Pret.	*Pluperf.*	
comí	había comido	
comiste	habías comido	
comió	había comido	
comimos	habíamos comido	
comisteis	habíais comido	
comieron	habían comido	

SUBJUNCTIVE

Pres.	*Imperf.*	*Pluperf.*
coma	comiese	hubiera comido
comas	comieses	hubieras comido
coma	comiese	hubiera comido
comamos	comiésemos	hubiéramos comido
comáis	comieseis	hubierais comido
coman	comiesen	hubieran comido
Imperf.	*Pres. Perf.*	*Pluperf.*
comiera	haya comido	hubiese comido
comieras	hayas comido	hubieses comido
comiera	haya comido	hubiese comido
comiéramos	hayamos comido	hubiésemos comido
comierais	hayáis comido	hubieseis comido
comieran	hayan comido	hubiesen comido

CONDITIONAL		IMPERATIVE
Simple	*Cond. Perf.*	
comería	habría comido	
comerías	habrías comido	come; no comas
comería	habría comido	coma
comeríamos	habríamos comido	comamos
comeríais	habríais comido	comed; no comáis
comerían	habrían comido	coman

CONJUGATED SAME AS ABOVE
comerse: to skip, omit, leave out; to eat up

comprar

Pres. Part.: comprando **comprar: to buy**
Past Part.: comprado

INDICATIVE

Pres.	*Fut.*	*Past Ant.*
compro	compraré	hube comprado
compras	comprarás	hubiste comprado
compra	comprará	hubo comprado
compramos	compraremos	hubimos comprado
compráis	compraréis	hubisteis comprado
compran	comprarán	hubieron comprado
Imperf.	*Pres. Perf.*	*Fut. Perf.*
compraba	he comprado	habré comprado
comprabas	has comprado	habrás comprado
compraba	ha comprado	habrá comprado
comprábamos	hemos comprado	habremos comprado
comprabais	habéis comprado	habréis comprado
compraban	han comprado	habrán comprado
Pret.	*Pluperf.*	
compré	había comprado	
compraste	habías comprado	
compró	había comprado	
compramos	habíamos comprado	
comprasteis	habíais comprado	
compraron	habían comprado	

SUBJUNCTIVE

Pres.	*Imperf.*	*Pluperf.*
compre	comprase	hubiera comprado
compres	comprases	hubieras comprado
compre	comprase	hubiera comprado
compremos	comprásemos	hubiéramos comprado
compréis	compraseis	hubierais comprado
compren	comprasen	hubieran comprado
Imperf.	*Pres. Perf.*	*Pluperf.*
comprara	haya comprado	hubiese comprado
compraras	hayas comprado	hubieses comprado
comprara	haya comprado	hubiese comprado
compráramos	hayamos comprado	hubiésemos comprado
comprarais	hayáis comprado	hubieseis comprado
compraran	hayan comprado	hubiesen comprado

CONDITIONAL		IMPERATIVE
Simple	*Cond. Perf.*	
compraría	habría comprado	
comprarías	habrías comprado	compra; no compres
compraría	habría comprado	compre
compraríamos	habríamos comprado	compremos
compraríais	habríais comprado	comprad; no compréis
comprarían	habrían comprado	compren

comprender

Pres. Part.: comprendiendo
Past Part.: comprendido

comprender: to understand

INDICATIVE

Pres.
comprendo
comprendes
comprende
comprendemos
comprendéis
comprenden

Imperf.
comprendía
comprendías
comprendía
comprendíamos
comprendíais
comprendían

Pret.
comprendí
comprendiste
comprendió
comprendimos
comprendisteis
comprendieron

Fut.
comprenderé
comprenderás
comprenderá
comprenderemos
comprendereis
comprenderán

Pres. Perf.
he comprendido
has comprendido
ha comprendido
hemos comprendido
habéis comprendido
han comprendido

Pluperf.
había comprendido
habías comprendido
había comprendido
habíamos comprendido
habíais comprendido
habían comprendido

Past Ant.
hube comprendido
hubiste comprendido
hubo comprendido
hubimos comprendido
hubisteis comprendido
hubieron comprendido

Fut. Perf.
habré comprendido
habrás comprendido
habrá comprendido
habremos comprendido
habréis comprendido
habrán comprendido

SUBJUNCTIVE

Pres.
comprenda
comprendas
comprenda
comprendamos
comprendáis
comprendan

Imperf.
comprendiera
comprendieras
comprendiera
comprendiéramos
comprendierais
comprendieran

Imperf.
comprendiese
comprendieses
comprendiese
comprendiésemos
comprendieseis
comprendiesen

Pres. Perf.
haya comprendido
hayas comprendido
haya comprendido
hayamos comprendido
hayáis comprendido
hayan comprendido

Pluperf.
hubiera comprendido
hubieras comprendido
hubiera comprendido
hubiéramos comprendido
hubierais comprendido
hubieran comprendido

Pluperf.
hubiese compendido
hubieses comprendido
hubiese comprendido
hubiésemos comprendido
hubieseis comprendido
hubiesen comprendido

CONDITIONAL

Simple
comprendería
comprenderías
comprendería
comprenderíamos
comprenderíais
comprenderían

Cond. Perf.
habría comprendido
habrías comprendido
habría comprendido
habríamos comprendido
habríais comprendido
habrían comprendido

IMPERATIVE

comprende; no comprendas
comprenda
comprendamos
comprended; no comprendáis
comprendan

conducir

Pres. Part.: conduciendo **conducir: to drive; to transport**
Past Part.: conducido

INDICATIVE

Pres.
conduzco
conduces
conduce
conducimos
conducís
conducen

Imperf.
conducía
conducías
conducía
conducíamos
conducíais
conducían

Pret.
conduje
condujiste
condujo
condujimos
condujisteis
condujeron

Fut.
conduciré
conducirás
conducirá
conduciremos
conduciréis
conducirán

Pres. Perf.
he conducido
has conducido
ha conducido
hemos conducido
habéis conducido
han conducido

Pluperf.
había conducido
habías conducido
había conducido
habíamos conducido
habíais conducido
habían conducido

Past Ant.
hube conducido
hubiste conducido
hubo conducido
hubimos conducido
hubisteis conducido
hubieron conducido

Fut. Perf.
habré conducido
habrás conducido
habrá conducido
habremos conducido
habréis conducido
habrán conducido

SUBJUNCTIVE

Pres.
conduzca
conduzcas
conduzca
conduzcamos
conduzcáis
conduzcan

Imperf.
condujera
condujeras
condujera
condujéramos
condujerais
condujeran

Imperf.
condujese
condujeses
condujese
condujésemos
condujeseis
condujesen

Pres. Perf.
haya conducido
hayas conducido
haya conducido
hayamos conducido
hayáis conducido
hayan conducido

Pluperf.
hubiera conducido
hubieras conducido
hubiera conducido
hubiéramos conducido
hubierais conducido
hubieran conducido

Pluperf.
hubiese conducido
hubieses conducido
hubiese conducido
hubiésemos conducido
hubieseis conducido
hubiesen conducido

CONDITIONAL

Simple
conduciría
conducirías
conduciría
conduciríamos
conduciríais
conducirían

Cond. Perf.
habría conducido
habrías conducido
habría conducido
habríamos conducido
habríais conducido
habrían conducido

IMPERATIVE

conduce; no conduzcas
conduzca
conduzcamos
conducid; no conduzcáis
conduzcan

CONJUGATED SAME AS ABOVE
reducir: to reduce, diminish
seducir: to seduce

Pres. Part.: conociendo
Past Part.: conocido

conocer: to know

INDICATIVE

Pres.	*Fut.*	*Past Ant.*
conozco	conoceré	hube conocido
conoces	conocerás	hubiste conocido
conoce	conocerá	hubo conocido
conocemos	conoceremos	hubimos conocido
conocéis	conoceréis	hubisteis conocido
conocen	conocerán	hubieron conocido
Imperf.	*Pres. Perf.*	*Fut. Perf.*
conocía	he conocido	habré conocido
conocías	has conocido	habrás conocido
conocía	ha conocido	habrá conocido
conocíamos	hemos conocido	habremos conocido
conocíais	habéis conocido	habréis conocido
conocían	han conocido	habrán conocido
Pret.	*Pluperf.*	
conocí	había conocido	
conociste	habías conocido	
conoció	había conocido	
conocimos	habíamos conocido	
conocisteis	habíais conocido	
conocieron	habían conocido	

SUBJUNCTIVE

Pres.	*Imperf.*	*Pluperf.*
conozca	conociese	hubiera conocido
conozcas	conocieses	hubieras conocido
conozca	conociese	hubiera conocido
conozcamos	conociésemos	hubiéramos conocido
conozcáis	conocieseis	hubierais conocido
conozcan	conociesen	hubieran conocido
Imperf.	*Pres. Perf.*	*Pluperf.*
conociera	haya conocido	hubiese conocido
conocieras	hayas conocido	hubieses conocido
conociera	haya conocido	hubiese conocido
conociéramos	hayamos conocido	hubiésemos conocido
conocierais	hayáis conocido	hubieseis conocido
conocieran	hayan conocido	hubiesen conocido

CONDITIONAL		IMPERATIVE
Simple	*Cond. Perf.*	
conocería	habría conocido	
conocerías	habrías conocido	conoce; no conozcas
conocería	habría conocido	conozca
conoceríamos	habríamos conocido	conozcamos
conoceríais	habríais conocido	conoced, no conozcáis
conocerían	habrían conocido	conozcan

CONJUGATED SAME AS ABOVE
desconocer: to be ignorant of
reconocer: to admit

conseguir

Pres. Part.: consiguiendo
Past Part.: conseguido

conseguir: to achieve; to attain

INDICATIVE

Pres.
consigo
consigues
consigue
conseguimos
conseguís
consiguen

Fut.
conseguiré
conseguirás
conseguirá
conseguiremos
conseguiréis
conseguirán

Past Ant.
hube conseguido
hubiste conseguido
hubo conseguido
hubimos conseguido
hubisteis conseguido
hubieron conseguido

Imperf.
conseguía
conseguías
conseguía
conseguíamos
conseguíais
conseguían

Pres. Perf.
he conseguido
has conseguido
ha conseguido
hemos conseguido
habéis conseguido
han conseguido

Fut. Perf.
habré conseguido
habrás conseguido
habrá conseguido
habremos conseguido
habréis conseguido
habrán conseguido

Pret.
conseguí
conseguiste
consiguió
conseguimos
conseguisteis
consiguieron

Pluperf.
había conseguido
habías conseguido
había conseguido
habíamos conseguido
habíais conseguido
habían conseguido

SUBJUNCTIVE

Pres.
consiga
consigas
consiga
consigamos
consigáis
consigan

Imperf.
consiguiese
consiguieses
consiguiese
consiguiésemos
consiguieseis
consiguiesen

Pluperf.
hubiera conseguido
hubieras conseguido
hubiera conseguido
hubiéramos conseguido
hubierais conseguido
hubieran conseguido

Imperf.
consiguiera
consiguieras
consiguiera
consiguiéramos
consiguierais
consiguiera

Pres. Perf.
haya conseguido
hayas conseguido
haya conseguido
hayamos conseguido
hayáis conseguido
hayan conseguido

Pluperf.
hubiese conseguido
hubieses conseguido
hubiese conseguido
hubiésemos conseguido
hubieseis conseguido
hubiesen conseguido

CONDITIONAL

Simple
conseguiría
conseguirías
conseguiría
conseguiríamos
conseguiríais
conseguirían

Cond. Perf.
habría conseguido
habrías conseguido
habría conseguido
habríamos conseguido
habríais conseguido
habrían conseguido

IMPERATIVE

consigue; no consigas
consiga
consigamos
conseguid; no consigáis
consigan

CONJUGATED SAME AS ABOVE
proseguir: to pursue, prosecute

Pres. Part.: construyendo
Past Part.: construido

construir: to build

INDICATIVE

Pres.	*Fut.*	*Past Ant.*
construyo	construiré	hube construido
construyes	construirás	hubiste construido
construye	construirá	hubo construido
construimos	construiremos	hubimos construido
construís	construiréis	hubisteis construido
construyen	construirán	hubieron construido
Imperf.	*Pres. Perf.*	*Fut. Perf.*
construía	he construido	habré construido
construías	has construido	habrás construido
construía	ha construido	habrá construido
construíamos	hemos construido	habremos construido
construíais	habéis construido	habréis construido
construían	han construido	habrán construido
Pret.	*Pluperf.*	
construí	había construido	
construiste	habías construido	
construyó	había construido	
construimos	habíamos construido	
construisteis	habíais construido	
construyeron	habían construido	

SUBJUNCTIVE

Pres.	*Imperf.*	*Pluperf.*
construya	construyese	hubiera construido
construyas	construyeses	hubieras construido
construyas	construyese	hubiera construido
construyamos	construyésemos	hubiéramos construido
construyáis	construyeseis	hubierais construido
construyan	construyesen	hubieran construido
Imperf.	*Pres. Perf.*	*Pluperf.*
construyera	haya construido	hubiese construido
construyeras	hayas construido	hubieses construido
construyera	haya construido	hubiese construido
construyéramos	hayamos construido	hubiésemos construido
construyerais	hayáis construido	hubieseis construido
construyeran	hayan construido	hubiesen construido

CONDITIONAL

Simple	*Cond. Perf.*
construiría	habría construido
construirías	habrías construido
construiría	habría construido
construiríamos	habríamos construido
construiríais	habríais construido
construirían	habrían construido

IMPERATIVE

construye; no construyas
construya
construyamos
construid; no construyáis
construyan

CONJUGATED SAME AS ABOVE

atribuir: to attribute
instituir: to instruct, establish
reconstruir: to reconstruct
restituir: to give back, restore

contar

Pres. Part.: contando **contar: to relate/tell/count**
Past Part.: contado

INDICATIVE

Pres.	*Fut.*	*Past Ant.*
cuento	contaré	hube contado
cuentas	contarás	hubiste contado
cuenta	contará	hubo contado
contamos	contaremos	hubimos contado
contáis	contaréis	hubisteis contado
cuentan	contarán	hubieron contado
Imperf.	*Pres. Perf.*	*Fut. Perf.*
contaba	he contado	habré contado
contabas	has contado	habrás contado
contaba	ha contado	habrá contado
contábamos	hemos contado	habremos contado
contabais	habéis contado	habréis contado
contaban	han contado	habrán contado
Pret.	*Pluperf.*	
conté	había contado	
contaste	habías contado	
contó	había contado	
contamos	habíamos contado	
contasteis	habíais contado	
contaron	habían contado	

SUBJUNCTIVE

Pres.	*Imperf.*	*Pluperf.*
cuente	contase	hubiera contado
cuentes	contases	hubieras contado
cuente	contase	hubiera contado
contemos	contásemos	hubiéramos contado
contéis	contaseis	hubierais contado
cuenten	contasen	hubieran contado
Imperf.	*Pres. Perf.*	*Pluperf.*
contara	haya contado	hubiese contado
contaras	hayas contado	hubieses contado
contaras	haya contado	hubiese contado
contáramos	hayamos contado	hubiésemos contado
contarais	hayáis contado	hubieseis contado
contaran	hayan contado	hubiesen contado

CONDITIONAL		IMPERATIVE
Simple	*Cond. Perf.*	
contaría	habría contado	
contarías	habrías contado	cuenta; no cuentes
contaría	habría contado	cuente
contaríamos	habríamos contado	contemos
contaríais	habríais contado	contad; no contéis
contarían	habrían contado	cuenten

CONJUGATED SAME AS ABOVE
descontar: to discount
recontar: to recount

Pres. Part.: contestando
Past Part.: contestado

contestar: to answer

INDICATIVE

Pres.	*Fut.*	*Past Ant.*
contesto	contestaré	hube contestado
contestas	contestarás	hubiste contestado
contesta	contestará	hubo contestado
contestamos	contestaremos	hubimos contestado
contestáis	contestaréis	hubisteis contestado
contestan	contestarán	hubieron contestado
Imperf.	*Pres. Perf.*	*Fut. Perf.*
contestaba	he contestado	habré contestado
contestabas	has contestado	habrás contestado
contestaba	ha contestado	habrá contestado
contestábamos	hemos contestado	habremos contestado
contestabais	habéis contestado	habréis contestado
contestaban	han contestado	habrán contestado
Pret.	*Pluperf.*	
contesté	había contestado	
contestaste	habías contestado	
contestó	había contestado	
contestamos	habíamos contestado	
contestasteis	habíais contestado	
contestaron	habían contestado	

SUBJUNCTIVE

Pres.	*Imperf.*	*Pluperf.*
conteste	contestase	hubiera contestado
contestes	contestases	hubieras contestado
conteste	contestase	hubiera contestado
contestemos	contestásemos	hubiéramos contestado
contestéis	contestaseis	hubierais contestado
contesten	contestasen	hubieran contestado
Imperf.	*Pres. Perf.*	*Pluperf.*
contestara	haya contestado	hubiese contestado
contestaras	hayas contestado	hubieses contestado
contestara	haya contestado	hubiese contestado
contestáramos	hayamos contestado	hubiésemos contestado
contestarais	hayáis contestado	hubieseis contestado
contestaran	hayan contestado	hubiesen contestado

CONDITIONAL		IMPERATIVE
Simple	*Cond. Perf.*	
contestaría	habría contestado	
contestarías	habrías contestado	contesta; no contestes
contestaría	habría contestado	conteste
contestaríamos	habríamos contestado	contestemos
contestaríais	habríais contestado	contestad; no contestéis
contestarían	habrían contestado	contesten

CONJUGATED SAME AS ABOVE
protestar: to protest

continuar

Past Part.: continuado
Past Part.: continuado

continuar: to continue

INDICATIVE

Pres.
continúo
continúas
continúa
continuamos
continuáis
continúan

Imperf.
continuaba
continuabas
continuaba
continuábamos
continuabais
continuaban

Pret.
continué
continuaste
continuó
continuamos
continuasteis
continuaron

Fut.
continuaré
continuarás
continuará
continuaremos
continuaréis
continuarán

Pres. Perf.
he continuado
has continuado
ha continuado
hemos continuado
habéis continuado
han continuado

Pluperf.
había continuado
habías continuado
había continuado
habíamos continuado
habíais continuado
habían continuado

Past Ant.
hube continuado
hubiste continuado
hubo continuado
hubimos continuado
hubisteis continuado
hubieron continuado

Fut. Perf.
habré continuado
habrás continuado
habrá continuado
habremos continuado
habréis continuado
habrán continuado

SUBJUNCTIVE

Pres.
continúe
continúes
continúe
continuemos
continuéis
continúen

Imperf.
continuara
continuaras
continuara
continuáramos
continuarais
continuaran

Imperf.
continuase
continuases
continuase
continuásemos
continuaseis
continuasen

Pres. Perf.
haya continuado
hayas continuado
haya continuado
hayamos continuado
hayáis continuado
hayan continuado

Pluperf.
hubiera continuado
hubieras continuado
hubiera continuado
hubiéramos continuado
hubierais continuado
hubieran continuado

Pluperf.
hubiese continuado
hubieses continuado
hubiese continuado
hubiésemos continuado
hubieseis continuado
hubiesen continuado

CONDITIONAL

Simple
continuaría
continuarías
continuaría
continuaríamos
continuaríais
continuarían

Cond. Perf.
habría continuado
habrías continuado
habría continuado
habríamos continuado
habríais continuado
habrían continuado

IMPERATIVE

continúa; no continúes
continúe
continuemos
continuad; no continuéis
continúen

CONJUGATED SAME AS ABOVE
descontinuar: to discontinue

convencer

convencer: to convince

Pres. Part.: convenciendo
Past Part.: convencido

INDICATIVE

Pres.
convenzo
convences
convence
convencemos
convencéis
convencen

Imperf.
convencía
convencías
convencía
convencíamos
convencíais
convencían

Pret.
convencí
convenciste
convenció
convecimos
convencisteis
convencieron

Fut.
convenceré
convencerás
convencerá
convenceremos
convenceréis
convencerán

Pres. Perf.
he convencido
has convencido
ha convencido
hemos convencido
habéis convencido
han convencido

Pluperf.
había convencido
habías convencido
había convencido
habíamos convencido
habíais convencido
habían convencido

Past Ant.
hube convencido
hubiste convencido
hubo convencido
hubimos convencido
hubisteis convencido
hubieron convencido

Fut. Perf.
habré convencido
habrás convencido
habrá convencido
habremos convencido
habréis convencido
habrán convencido

SUBJUNCTIVE

Pres.
convenza
convenzas
convenza
convenzamos
convenzáis
convenzan

Imperf.
convenciera
convencieras
convenciera
convenciéramos
convencierais
convencieran

Imperf.
convenciese
convencieses
convenciese
convenciésemos
convencieseis
convenciesen

Pres. Perf.
haya convencido
hayas convencido
haya convencido
hayamos convencido
hayáis convencido
hayan convencido

Pluperf.
hubiera convencido
hubieras convencido
hubiera convencido
hubiéramos convencido
hubierais convencido
hubieran convencido

Pluperf.
hubiese convencido
hubieses convencido
hubiese convencido
hubiésemos convencido
hubieseis convencido
hubiesen convencido

CONDITIONAL

Simple
convencería
convencerías
convencería
convenceríamos
convenceríais
convencerían

Cond. Perf.
habría convencido
habrías convencido
habría convencido
habríamos convencido
habríais convencido
habrían convencido

IMPERATIVE

convence; no convenzas
convenza
convenzamos
convenced; no convenzáis
convenzan

CONJUGATED SAME AS ABOVE
vencer: to defeat, vanquish

correr

Pres. Part.: corriendo **correr: to run**
Past Part.: corrido

INDICATIVE

Pres.	*Fut.*	*Past Ant.*
corro	correré	hube corrido
corres	correrás	hubiste corrido
corre	correrá	hubo corrido
corremos	correremos	hubimos corrido
corréis	correréis	hubisteis corrido
corren	correrán	hubieron corrido
Imperf.	*Pres. Perf.*	*Fut. Perf.*
corría	he corrido	habré corrido
corrías	has corrido	habrás corrido
corría	ha corrido	habrá corrido
corríamos	hemos corrido	habremos corrido
corríais	habéis corrido	habréis corrido
corrían	han corrido	habrán corrido
Pret.	*Pluperf.*	
corrí	había corrido	
corriste	habías corrido	
corrió	había corrido	
corrimos	habíamos corrido	
corristeis	habíais corrido	
corrieron	habían corrido	

SUBJUNCTIVE

Pres.	*Imperf.*	*Pluperf.*
corra	corriese	hubiera corrido
corras	corrieses	hubieras corrido
corra	corriese	hubiera corrido
corramos	corriesen	hubiéramos corrido
corráis	corriésemos	hubierais corrido
corran	corrieseis	hubieran corrido
Imperf.	*Pres. Perf.*	*Pluperf.*
corriera	haya corrido	hubiese corrido
corrieras	hayas corrido	hubieses corrido
corriera	haya corrido	hubiese corrido
corriéramos	hayamos corrido	hubiésemos corrido
corrierais	hayáis corrido	hubieseis corrido
corrieran	hayan corrido	hubiesen corrido

CONDITIONAL		IMPERATIVE
Simple	*Cond. Perf.*	
correría	habría corrido	
correrías	habrías corrido	corre; no corras
correría	habría corrido	corra
correríamos	habríamos corrido	corramos
correríais	habríais corrido	corred; no corráis
correrían	habrían corrido	corran

CONJUGATED SAME AS ABOVE
descorrer: to move backwards, to flow (as liquids)
recorrer: to pass through

Pres. Part.: cortando
Past Part.: cortado

cortar: to cut out; to cut off

INDICATIVE

Pres.
corto
cortas
corta
cortamos
cortáis
cortan

Imperf.
cortaba
cortabas
cortaba
cortábamos
cortabais
cortaban

Pret.
corté
cortaste
cortó
cortamos
cortasteis
cortaron

Fut.
cortaré
cortarás
cortará
cortaremos
cortaréis
cortarán

Pres. Perf.
he cortado
has cortado
ha cortado
hemos cortado
habéis cortado
han cortado

Pluperf.
había cortado
habías cortado
había cortado
habíamos cortado
habíais cortado
habían cortado

Past Ant.
hube cortado
hubiste cortado
hubo cortado
hubimos cortado
hubisteis cortado
hubieron cortado

Fut. Perf.
habré cortado
habrás cortado
habrá cortado
habremos cortado
habréis cortado
habrán cortado

SUBJUNCTIVE

Pres.
corte
cortes
corte
cortemos
cortéis
corten

Imperf.
cortara
cortaras
cortara
cortáramos
cortarais
cortaran

Imperf.
cortase
cortases
cortase
cortásemos
cortaseis
cortasen

Pres. Perf.
haya cortado
hayas cortado
haya cortado
hayamos cortado
hayáis cortado
hayan cortado

Pluperf.
hubiera cortado
hubieras cortado
hubiera cortado
hubiéramos cortado
hubierais cortado
hubieran cortado

Pluperf.
hubiese cortado
hubieses cortado
hubiese cortado
hubiésemos cortado
hubieseis cortado
hubiesen cortado

CONDITIONAL

Simple
cortaría
cortarías
cortaría
cortaríamos
cortaríais
cortarían

Cond. Perf.
habría cortado
habrías cortado
habría cortado
habríamos cortado
habríais cortado
habrían cortado

IMPERATIVE

corta; no cortes
corte
cortemos
cortad; no cortéis
corten

CONJUGATED SAME AS ABOVE
recortar: to cut away

costar

Pres. Part.: costando
Past Part.: costado

costar: to cost

INDICATIVE

Pres.	*Fut.*	*Past Ant.*
cuesta	costará	hubo costado
cuestan	costarán	hubieron costado
Imperf.	*Pres. Perf.*	*Fut. Perf.*
costaba	ha costado	habrá costado
costaban	han costado	habrán costado
Pret.	*Pluperf.*	
costó	había costado	
costaron	habían costado	

SUBJUNCTIVE

Pres.	*Imperf.*	*Pluperf.*
cueste	costase	hubiera costado
cuesten	costasen	hubieran costado
Imperf.	*Pres. Perf.*	*Pluperf.*
costara	haya costado	hubiese costado
costaran	hayan costado	hubiesen costado

CONDITIONAL

Simple	*Cond. Perf.*	IMPERATIVE
costaría	habría costado	que cueste
costarían	habrían costado	que cuesten

NOTE: This verb can be conjugated only in the third person.

Pres. Part.: creyendo
Past Part.: creído

creer: to believe

INDICATIVE

Pres.	*Fut.*	*Past Ant.*
creo	creeré	hube creído
crees	creerás	hubiste creído
cree	creerá	hubo creído
creemos	creeremos	hubimos creído
creéis	creeréis	hubisteis creído
creen	creerán	hubieron creído
Imperf.	*Pres. Perf.*	*Fut. Perf.*
creía	he creído	habré creído
creías	has creído	habrás creído
creía	ha creído	habrá creído
creíamos	hemos creído	habremos creído
creíais	habéis creído	habréis creído
creían	han creído	habrán creído
Pret.	*Pluperf.*	
creí	había creído	
creíste	habías creído	
creyó	había creído	
creímos	habíamos creído	
creísteis	habíais creído	
creyeron	habían creído	

SUBJUNCTIVE

Pres.	*Imperf.*	*Pluperf.*
crea	creyese	hubiera creído
creas	creyeses	hubieras creído
crea	creyese	hubiera creído
creamos	creyésemos	hubiéramos creído
creáis	creyeseis	hubierais creído
crean	creyesen	hubieran creído
Imperf.	*Pres. Perf.*	*Pluperf.*
creyera	haya creído	hubiese creído
creyeras	hayas creído	hubieses creído
creyera	haya creído	hubiese creído
creyéramos	hayamos creído	hubiésemos creído
creyerais	hayáis creído	hubieseis creído
creyeran	hayan creído	hubiesen creído

CONDITIONAL		IMPERATIVE
Simple	*Cond. Perf.*	
creería	habría creído	
creerías	habrías creído	cree; no creas
creería	habría creído	crea
creeríamos	habríamos creído	creamos
creeríais	habríais creído	creed; no creáis
creerían	habrían creído	crean

CONJUGATED SAME AS ABOVE
descreer: to disbelieve

cruzar

Pres. Part.: cruzando **cruzar: to cross**
Past Part.: cruzado

INDICATIVE

Pres.	*Fut.*	*Past Ant.*
cruzo	cruzaré	hube cruzado
cruzas	cruzarás	hubiste cruzado
cruza	cruzará	hubo cruzado
cruzamos	cruzaremos	hubimos cruzado
cruzáis	cruzaréis	hubisteis cruzado
cruzan	cruzarán	hubieron cruzado
Imperf.	*Pres. Perf.*	*Fut. Perf.*
cruzaba	he cruzado	habré cruzado
cruzabas	has cruzado	habrás cruzado
cruzaba	ha cruzado	habrá cruzado
cruzábamos	hemos cruzado	habremos cruzado
cruzabais	habéis cruzado	habréis cruzado
cruzaban	han cruzado	habrán cruzado
Pret.	*Pluperf.*	
crucé	había cruzado	
cruzaste	habías cruzado	
cruzó	había cruzado	
cruzamos	habíamos cruzado	
cruzasteis	habíais cruzado	
cruzaron	habían cruzado	

SUBJUNCTIVE

Pres.	*Imperf.*	*Pluperf.*
cruce	cruzase	hubiera cruzado
cruces	cruzases	hubieras cruzado
cruce	cruzase	hubiera cruzado
crucemos	cruzásemos	hubiéramos cruzado
crucéis	cruzaseis	hubierais cruzado
crucen	cruzasen	hubieran cruzado
Imperf.	*Pres. Perf.*	*Pluperf.*
cruzara	haya cruzado	hubiese cruzado
cruzaras	hayas cruzado	hubieses cruzado
cruzara	haya cruzado	hubiese cruzado
cruzáramos	hayamos cruzado	hubiésemos cruzado
cruzarais	hayáis cruzado	hubieseis cruzado
cruzaran	hayan cruzado	hubiesen cruzado

CONDITIONAL		IMPERATIVE
Simple	*Cond. Perf.*	
cruzaría	habría cruzado	
cruzarías	habrías cruzado	cruza; no cruces
cruzaría	habría cruzado	cruce
cruzaríamos	habríamos cruzado	crucemos
cruzaríais	habríais cruzado	cruzad; no crucéis
cruzarían	habrían cruzado	crucen

CONJUGATED SAME AS ABOVE
aguzar: to whet, sharpen; to stimulate, excite

cubrir

Pres. Part.: cubriendo
Past Part.: cubierto

cubrir: to cover

INDICATIVE

Pres.	*Fut.*	*Past Ant.*
cubro	cubriré	hube cubierto
cubres	cubrirás	hubiste cubierto
cubre	cubrirá	hubo cubierto
cubrimos	cubriremos	hubimos cubierto
cubrís	cubriréis	hubisteis cubierto
cubren	cubrirán	hubieron cubierto
Imperf.	*Pres. Perf.*	*Fut. Perf.*
cubría	he cubierto	habré cubierto
cubrías	has cubierto	habrás cubierto
cubría	ha cubierto	habrá cubierto
cubríamos	hemos cubierto	habremos cubierto
cubríais	habéis cubierto	habréis cubierto
cubrían	han cubierto	habrán cubierto
Pret.	*Pluperf.*	
cubrí	había cubierto	
cubriste	habías cubierto	
cubrió	había cubierto	
cubrimos	habíamos cubierto	
cubristeis	habíais cubierto	
cubrieron	habían cubierto	

SUBJUNCTIVE

Pres.	*Imperf.*	*Pluperf.*
cubra	cubriese	hubiera cubierto
cubras	cubrieses	hubieras cubierto
cubra	cubriese	hubiera cubierto
cubramos	cubriésemos	hubiéramos cubierto
cubráis	cubrieseis	hubierais cubierto
cubran	cubriesen	hubieran cubierto
Imperf.	*Pres. Perf.*	*Pluperf.*
cubriera	haya cubierto	hubiese cubierto
cubrieras	hayas cubierto	hubieses cubierto
cubriera	haya cubierto	hubiese cubierto
cubriéramos	hayamos cubierto	hubiésemos cubierto
cubrierais	hayáis cubierto	hubieseis cubierto
cubrieran	hayan cubierto	hubiesen cubierto

CONDITIONAL		IMPERATIVE
Simple	*Cond. Perf.*	
cubriría	habría cubierto	
cubrirías	habrías cubierto	cubre; no cubras
cubriría	habría cubierto	cubra
cubriríamos	habríamos cubierto	cubramos
cubriríais	habríais cubierto	cubrid; no cubráis
cubririán	habrían cubierto	cubran

CONJUGATED SAME AS ABOVE
descubrir: to discover

cuidarse

Pres. Part.: cuidándose
Past Part.: cuidado

cuidarse: to look after oneself

INDICATIVE

Pres.
me cuido
te cuidas
se cuida
nos cuidamos
os cuidáis
se cuidan

Imperf.
me cuidaba
te cuidabas
se cuidaba
nos cuidábamos
os cuidabais
se cuidaban

Pret.
me cuidé
te cuidaste
se cuidó
nos cuidamos
os cuidasteis
se cuidaron

Fut.
me cuidaré
te cuidarás
se cuidará
nos cuidaremos
os cuidaréis
se cuidarán

Pres. Perf.
me he cuidado
te has cuidado
se ha cuidado
nos hemos cuidado
os habéis cuidado
se han cuidado

Pluperf.
me había cuidado
te habías cuidado
se había cuidado
nos habíamos cuidado
os habíais cuidado
se habían cuidado

Past Ant.
me hube cuidado
te hubiste cuidaddo
se hubo cuidado
nos hubimos cuidado
os hubisteis cuidado
se hubieron cuidado

Fut. Perf.
me habré cuidado
te habrás cuidado
se habrá cuidado
nos habremos cuidado
os habréis cuidado
se habrán cuidado

SUBJUNCTIVE

Pres.
me cuide
te cuides
se cuide
nos cuidemos
os cuidéis
se cuiden

Imperf.
me cuidara
te cuidaras
se cuidara
nos cuidáramos
os cuidarais
se cuidaran

Imperf.
me cuidase
te cuidases
se cuidase
nos cuidásemos
os cuidaseis
se cuidasen

Pres. Perf.
me haya cuidado
te hayas cuidado
se haya cuidado
nos hayamos cuidado
os hayáis cuidado
se hayan cuidado

Pluperf.
me hubiera cuidado
te hubieras cuidado
se hubiera cuidado
nos hubiéramos cuidado
os hubierais cuidado
se hubieran cuidado

Pluperf.
me hubiese cuidado
te hubieses cuidado
se hubiese cuidado
nos hubiésemos cuidado
os hubieseis cuidado
se hubiesen cuidado

CONDITIONAL

Simple
me cuidaría
te cuidarías
se cuidaría
nos cuidaríamos
os cuidaríais
se cuidarían

Cond. Perf.
me habría cuidado
te habrías cuidado
se habría cuidado
nos habríamos cuidado
os habríais cuidado
se habrían cuidado

IMPERATIVE

cuídate; no te cuides
cuídese
cuidémonos
cuidaos; no os cuidéis
cuídense

CONJUGATED SAME AS ABOVE
cuidar: to care; to look after
descuidar: to overlook

Pres. Part.: cumpliendo
Past Part.: cumplido

cumplir: to accomplish

INDICATIVE

Pres.
cumplo
cumples
cumple
cumplimos
cumplís
cumplen

Imperf.
cumplía
cumplías
cumplía
cumplíamos
cumplíais
cumplían

Pret.
cumplí
cumpliste
cumplió
cumplimos
cumplisteis
cumplieron

Fut.
cumpliré
complirás
cumplirá
cumpliremos
cumpliréis
complirán

Pres. Perf.
he cumplido
has cumplido
ha cumplido
hemos cumplido
habéis cumplido
han cumplido

Pluperf.
había cumplido
habías cumplido
había cumplido
habíamos cumplido
habíais cumplido
habían cumplido

Past Ant.
hube cumplido
hubiste cumplido
hubo cumplido
hubimos cumplido
hubisteis cumplido
hubieron cumplido

Fut. Perf.
habré cumplido
habrás cumplido
habrá cumplido
habremos cumplido
habréis cumplido
habrán cumplido

SUBJUNCTIVE

Pres.
cumpla
cumplas
cumpla
cumplamos
cumpláis
cumplan

Imperf.
cumpliera
cumplieras
cumpliera
cumpliéramos
cumplierais
cumplieran

Imperf.
cumpliese
cumplieses
cumpliese
cumpliésemos
cumplieseis
cumpliesen

Pres. Perf.
haya cumplido
hayas cumplido
haya cumplido
hayamos cumplido
hayáis cumplido
hayan cumplido

Pluperf.
hubiera cumplido
hubieras cumplido
hubiera cumplido
hubiéramos cumplido
hubierais cumplido
hubieran cumplido

Pluperf.
hubiese cumplido
hubieses cumplido
hubiese cumplido
hubiésemos cumplido
hubieseis cumplido
hubiesen cumplido

CONDITIONAL

Simple
cumpliría
cumplirías
cumpliría
cumpliríamos
cumpliríais
cumplirían

Cond. Perf.
habría cumplido
habrías cumplido
habría cumplido
habríamos cumplido
habríais cumplido
habrían cumplido

IMPERATIVE

cumple; no cumplas
cumpla
cumplamos
cumplid; no cumpláis
cumplan

dar

Pres. Part.: dando
Past Part.: dado

dar: to give; to supply; to grant

INDICATIVE

Pres.	*Fut.*	*Past Ant.*
doy	daré	hube dado
das	darás	hubiste dado
da	dará	hubo dado
damos	daremos	hubimos dado
dais	daréis	hubisteis dado
dan	darán	hubieron dado
Imperf.	***Pres. Perf.***	***Fut. Perf.***
daba	he dado	habré dado
dabas	has dado	habrás dado
daba	ha dado	habrá dado
dábamos	hemos dado	habremos dado
dabais	habéis dado	habréis dado
daban	han dado	habrán dado
Pret.	***Pluperf.***	
di	había dado	
diste	habías dado	
dio	había dado	
dimos	habíamos dado	
disteis	habíais dado	
dieron	habían dado	

SUBJUNCTIVE

Pres.	*Imperf.*	*Pluperf.*
dé	diese	hubiera dado
des	dieses	hubieras dado
dé	diese	hubiera dado
demos	diésemos	hubiéramos dado
deis	dieseis	hubierais dado
den	diesen	hubieran dado
Imperf.	***Pres. Perf.***	***Pluperf.***
diera	haya dado	hubiese dado
dieras	hayas dado	hubieses dado
diera	haya dado	hubiese dado
diéramos	hayamos dado	hubiésemos dado
dierais	hayáis dado	hubieseis dado
dieran	hayan dado	hubiesen dado

CONDITIONAL / IMPERATIVE

Simple	*Cond. Perf.*	IMPERATIVE
daría	habría dado	
darías	habrías dado	da; no des
daría	habría dado	de
daríamos	habríamos dado	demos
daríais	habríais dado	dad; no deis
darían	habrían dado	den

CONJUGATED SAME AS ABOVE
darse: to give in; to yield

Pres. Part.: debiendo
Past Part.: debido

deber: to owe, ought, must

INDICATIVE

Pres.	*Fut.*	*Past Ant.*
debo	deberé	hube debido
debes	deberás	hubiste debido
debe	deberá	hubo debido
debemos	deberemos	hubimos debido
debéis	deberéis	hubisteis debido
deben	deberán	hubieron debido
Imperf.	*Pres. Perf.*	*Fut. Perf.*
debía	he debido	habré debido
debías	has debido	habrás debido
debía	ha debido	habrá debido
debíamos	hemos debido	habremos debido
debíais	habéis debido	habréis debido
debían	han debido	habrán debido
Pret.	*Pluperf.*	
debí	había debido	
debiste	habías debido	
debió	había debido	
debimos	habíamos debido	
debisteis	habíais debido	
debieron	habían debido	

SUBJUNCTIVE

Pres.	*Imperf.*	*Pluperf.*
deba	debiese	hubiera debido
debas	debieses	hubieras debido
deba	debiese	hubiera debido
debamos	debiésemos	hubiéramos debido
debáis	debieseis	hubierais debido
deban	debiesen	hubieran debido
Imperf.	*Pres. Perf.*	*Pluperf.*
debiera	haya debido	hubiese debido
debieras	hayas debido	hubieses debido
debiera	haya debido	hubiese debido
debiéramos	hayamos debido	hubiésemos debido
debierais	hayáis debido	hubieseis debido
debieran	hayan debido	hubiesen debido

CONDITIONAL		IMPERATIVE
Simple	*Cond. Perf.*	
debería	habría debido	
deberías	habrías debido	debe; no debas
debería	habría debido	deba
deberíamos	habríamos debido	debamos
deberíais	habríais debido	debed; no debáis
deberían	habrían debido	deban

decidir

Pres. Part.: decidiendo
Past Part.: decidido

decidir: to decide; to resolve

INDICATIVE

Pres.
decido
decides
decide
decidimos
decidís
deciden

Imperf.
decidía
decidías
decidía
decidíamos
decidíais
decidían

Pret.
decidí
decidiste
decidió
decidímos
decidisteis
decidieron

Fut.
decidiré
decidirás
decidirá
decidiremos
decidiréis
decidirán

Pres. Perf.
he decidido
has decidido
ha decidido
hemos decidido
habéis decidido
han decidido

Pluperf.
había decidido
habías decidido
había decidido
habíamos decidido
habíais decidido
habían decidido

Past Ant.
hube decidido
hubiste decidido
hubo decidido
hubimos decidido
hubisteis decidido
hubieron decidido

Fut. Perf.
habré decidido
habrás decidido
habrá decidido
habremos decidido
habréis decidido
habrán decidido

SUBJUNCTIVE

Pres.
decida
decidas
decida
decidamos
decidáis
decidan

Imperf.
decidiera
decidieras
decidiera
decidiéramos
decidierais
decidieran

Imperf.
decidiese
decidieses
decidiese
decidiésemos
decidieseis
decidiesen

Pres. Perf.
haya decidido
hayas decidido
haya decidido
hayamos decidido
hayáis decidido
hayan decidido

Pluperf.
hubiera decidido
hubieras decidido
hubiera decidido
hubiéramos decidido
hubierais decidido
hubieran decidido

Pluperf.
hubiese decidido
hubieses decidido
hubiese decidido
hubiésemos decidido
hubieseis decidido
hubiesen decidido

CONDITIONAL

Simple
decidiría
decidirías
decidiría
decidiríamos
decidiríais
decidirían

Cond. Perf.
habría decidido
habrías decidido
habría decidido
habríamos decidido
habríais decidido
habrían decidido

IMPERATIVE

decide; no decidas
decida
decidamos
decidid; no decidáis
decidan

Pres. Part.: diciendo
Past Part.: dicho

decir: to tell; to say

INDICATIVE

Pres.	*Fut.*	*Past Ant.*
digo	diré	hube dicho
dices	dirás	hubiste dicho
dice	dirá	hubo dicho
decimos	diremos	hubimos dicho
decís	diréis	hubisteis dicho
dicen	dirán	hubieron dicho
Imperf.	*Pres. Perf.*	*Fut. Perf.*
decía	he dicho	habré dicho
decías	has dicho	habrás dicho
decía	ha dicho	habrá dicho
decíamos	hemos dicho	habremos dicho
decíais	habéis dicho	habréis dicho
decían	han dicho	habrán dicho
Pret.	*Pluperf.*	
dije	había dicho	
dijiste	habías dicho	
dijo	había dicho	
dijimos	habíamos dicho	
dijisteis	habíais dicho	
dijeron	habían dicho	

SUBJUNCTIVE

Pres.	*Imperf.*	*Pluperf.*
diga	dijese	hubiera dicho
digas	dijeses	hubieras dicho
diga	dijese	hubiera dicho
digamos	dijésemos	hubiéramos dicho
digáis	dijeseis	hubierais dicho
digan	dijesen	hubieran dicho
Imperf.	*Pres. Perf.*	*Pluperf.*
dijera	haya dicho	hubiese dicho
dijeras	hayas dicho	hubieses dicho
dijera	haya dicho	hubiese dicho
dijéramos	hayamos dicho	hubiésemos dicho
dijerais	hayáis dicho	hubieseis dicho
dijeran	hayan dicho	hubiesen dicho

CONDITIONAL		IMPERATIVE
Simple	*Cond. Perf.*	
diría	habría dicho	
dirías	habrías dicho	di; no digas
diría	habría dicho	diga
diríamos	habríamos dicho	digamos
diríais	habríais dicho	decid; no digáis
dirían	habrían dicho	digan

CONJUGATED SAME AS ABOVE

desdecir: to detract
desdecirse: to retract
entredecir: to interdict, prohibit
predecir: to predict, foretell

declarar

Pres. Part.: declarando **declarar: to declare**
Past Part.: declarado

INDICATIVE

Pres.	*Fut.*	*Past Ant.*
declaro	declararé	hube declarado
declaras	declararás	hubiste declarado
declara	declarará	hubo declarado
declaramos	declararemos	hubimos declarado
declaráis	declararéis	hubisteis declarado
declaran	declararán	hubieron declarado
Imperf.	***Pres. Perf.***	***Fut. Perf.***
declaraba	he declarado	habré declarado
declarabas	has declarado	habrás declarado
declaraba	ha declarado	habrá declarado
declarábamos	hemos declarado	habremos declarado
declarabais	habéis declarado	habréis declarado
declaraban	han declarado	habrán declarado
Pret.	***Pluperf.***	
declaré	había declarado	
declaraste	habías declarado	
declaró	había declarado	
declaramos	habíamos declarado	
declarasteis	habíais declarado	
declararon	habían declarado	

SUBJUNCTIVE

Pres.	*Imperf.*	*Pluperf.*
declare	declarase	hubiera declarado
declares	declarases	hubieras declarado
declare	declarase	hubiera declarado
declaremos	declarásemos	hubiéramos declarado
declaréis	declaraseis	hubierais declarado
declaren	declarasen	hubieran declarado
Imperf.	***Pres. Perf.***	***Pluperf.***
declarara	haya declarado	hubiese declarado
declararas	hayas declarado	hubieses declarado
declarara	haya declarado	hubiese declarado
declaráramos	hayamos declarado	hubiésemos declarado
declararais	hayáis declarado	hubieseis declarado
declararan	hayan declarado	hubiesen declarado

CONDITIONAL

Simple	*Cond. Perf.*
declararía	habría declarado
declararías	habrías declarado
declararía	habría declarado
declarariamos	habríamos declarado
declararíais	habríais declarado
declararían	habrían declarado

IMPERATIVE

declara; no declares
declare
declaremos
declarad; no declaréis
declaren

dedicarse

Pres. Part.: dedicándose
Past Part.: dedicado

dedicarse: to devote oneself

INDICATIVE

Pres.
me dedico
te dedicas
se dedica
nos dedicamos
os dedicáis
se dedican

Imperf.
me dedicaba
te dedicabas
se dedicaba
nos dedicábamos
os dedicabais
se dedicaban

Pret.
me dediqué
te dedicaste
se dedicó
nos dedicamos
os dedicasteis
se dedicaron

Fut.
me dedicaré
te dedicarás
se dedicará
nos dedicaremos
os dedicaréis
se dedicarán

Pres. Perf.
me he dedicado
te has dedicado
se ha dedicado
nos hemos dedicado
os habéis dedicado
se han dedicado

Pluperf.
me había dedicado
te habías dedicado
se había dedicado
nos habíamos dedicado
os habíais dedicado
se habían dedicado

Past Ant.
me hube dedicado
te hubiste dedicado
se hubo dedicado
nos hubimos dedicado
os hubisteis dedicado
se hubieron dedicado

Fut. Perf.
me habré dedicado
te habrás dedicado
se habrá dedicado
nos habremos dedicado
os habréis dedicado
se habrán dedicado

SUBJUNCTIVE

Pres.
me dedique
te dediques
se dedique
nos dediquemos
os dediquéis
se dediquen

Imperf.
me dedicara
te dedicaras
se dedicara
nos dedicáramos
os dedicarais
se dedicaran

Imperf.
me dedicase
te dedicases
se dedicase
nos dedicásemos
se dedicaseis
os dedicasen

Pres. Perf.
me haya dedicado
te hayas dedicado
se haya dedicado
nos hayamos dedicado
os hayáis dedicado
se hayan dedicado

Pluperf.
me hubiera dedicado
te hubieras dedicado
se hubiera dedicado
nos hubiéramos dedicado
os hubierais dedicado
se hubieran dedicado

Pluperf.
me hubiese dedicado
te hubieses dedicado
se hubiese dedicado
nos hubiésemos dedicado
os hubieseis dedicado
se hubiesen dedicado

CONDITIONAL

Simple
me dedicaría
te dedicarías
se dedicaría
nos dedicaríamos
os dedicaríais
se dedicarían

Cond. Perf.
me habría dedicado
te habrías dedicado
se habría dedicado
nos habríamos dedicado
os habríais dedicado
se habrían dedicado

IMPERATIVE

dedícate; no te dediques
dedíquese
dediquémonos
dedicaos; no os dediquéis
dedíquense

CONJUGATED SAME AS ABOVE

dedicar: to dedicate, consecrate
predicar: to preach

dejar

Pres. Part.: dejando
Past Part.: dejado

dejar: to leave

INDICATIVE

Pres.	*Fut.*	*Past Ant.*
dejo	dejaré	hube dejado
dejas	dejarás	hubiste dejado
deja	dejará	hubo dejado
dejamos	dejaremos	hubimos dejado
dejáis	dejaréis	hubisteis dejado
dejan	dejarán	hubieron dejado
Imperf.	*Pres. Perf.*	*Fut. Perf.*
dejaba	he dejado	habré dejado
dejabas	has dejado	habrás dejado
dejaba	ha dejado	habrá dejado
dejábamos	hemos dejado	habremos dejado
dejabais	habéis dejado	habréis dejado
dejaban	han dejado	habrán dejado
Pret.	*Pluperf.*	
dejé	había dejado	
dejaste	habías dejado	
dejó	había dejado	
dejamos	habíamos dejado	
dejasteis	habíais dejado	
dejaron	habían dejado	

SUBJUNCTIVE

Pres.	*Imperf.*	*Pluperf.*
deje	dejase	hubiera dejado
dejes	dejases	hubieras dejado
deje	dejase	hubiera dejado
dejemos	dejásemos	hubiéramos dejado
dejéis	dejaseis	hubierais dejado
dejen	dejasen	hubieran dejado
Imperf.	*Pres. Perf.*	*Pluperf.*
dejara	haya dejado	hubiese dejado
dejaras	hayas dejado	hubieses dejado
dejara	haya dejado	hubiese dejado
dejáramos	hayamos dejado	hubiésemos dejado
dejarais	hayáis dejado	hubieseis dejado
dejaran	hayan dejado	hubiesen dejado

CONDITIONAL

Simple	*Cond. Perf.*	IMPERATIVE
dejaría	habría dejado	
dejarías	habrías dejado	deja; no dejes
dejaría	habría dejado	deje
dejaríamos	habríamos dejado	dejemos
dejaríais	habríais dejado	dejad; no dejéis
dejarían	habrían dejado	dejen

CONJUGATED SAME AS ABOVE

deparse: to abandon, neglect oneself; to give oneself up to

Pres. Part.: dependiendo
Past Part.: dependido

depender: to depend

INDICATIVE

Pres.	*Fut.*	*Past Ant.*
dependo	dependeré	hube dependido
dependes	dependerás	hubiste dependido
depende	dependerá	hubo dependido
dependemos	dependeremos	hubimos dependido
dependéis	dependeréis	hubisteis dependido
dependen	dependerán	hubieron dependido
Imperf.	*Pres. Perf.*	*Fut. Perf.*
dependía	he dependido	habré dependido
dependías	has dependido	habrás dependido
dependía	ha dependido	habrá dependido
dependíamos	hemos dependido	habremos dependido
dependíais	habéis dependido	habréis dependido
dependían	han dependido	habrán dependido
Pret.	*Pluperf.*	
dependí	había dependido	
dependiste	habías dependido	
dependió	había dependido	
dependimos	habíamos dependido	
dependisteis	habíais dependido	
dependieron	habían dependido	

SUBJUNCTIVE

Pres.	*Imperf.*	*Pluperf.*
dependa	dependiese	hubiera dependido
dependas	dependieses	hubieras dependido
dependa	dependiese	hubiera dependido
dependamos	dependiésemos	hubiéramos dependido
dependáis	dependieseis	hubierais dependido
dependan	dependiesen	hubieran dependido
Imperf.	*Past Perf.*	*Pluperf.*
dependiera	haya dependido	hubiese dependido
dependieras	hayas dependido	hubieses dependido
dependiera	haya dependido	hubiese dependido
dependiéramos	hayamos dependido	hubiésemos dependido
dependierais	hayáis dependido	hubieseis dependido
dependieran	hayan dependido	hubiesen dependido

CONDITIONAL		IMPERATIVE
Simple	*Cond. Perf.*	
dependería	habría dependido	
dependerías	habrías dependido	depende; no dependas
dependería	habría dependido	dependa
dependeríamos	habríamos dependido	dependamos
dependeríais	habríais dependido	depended; no dependáis
dependerían	habrían dependido	dependan

CONJUGATED SAME AS ABOVE

pender: to hang, to dangle, to be pending
suspender: to suspend, hang up, delay, interrupt

desayunarse

Pres. Part.: desayunándo
Past Part.: desayunado

desayunarse: to have breakfast

INDICATIVE

Pres.
me desayuno
te desayunas
se desayuna
nos desayunamos
os desayunáis
se desayunan

Imperf.
me desayunaba
te desayunabas
se desayunaba
nos desayunábamos
os desayunabais
se desayunaban

Pret.
me desayuná
te desayunaste
se desayunó
nos desayunamos
os desayunasteis
se desayunaron

Fut.
me desayunaré
te desayunarás
se desayunará
nos desayunaremos
os desayunaréis
se desayunarán

Pres. Perf.
me he desayunado
te has desayunado
se ha desayunado
nos hemos desayunado
os habéis desayunado
se han desayunado

Pluperf.
me había desayunado
te habías desayunado
se había desayunado
nos habíamos desayunado
os habíais desayunado
se habían desayunado

Past Ant.
me hube desayunado
te hubiste desayunado
se hubo desayunado
nos hubimos desayunado
os hubisteis desayunado
se hubieron desayunado

Fut. Perf.
me habré desayunado
te habrás desayunado
se habrá desayunado
nos habremos desayunado
os habréis desayunado
se habrán desayunado

SUBJUNCTIVE

Pres.
me desayune
te desayunes
se desayune
nos desayunemos
os desayunéis
se desayunen

Imperf.
me desayunara
te desayunaras
se desayunara
nos desayunáramos
os desayunarais
se desayunaran

Imperf.
me desayunase
te desayunases
se desayunase
nos desayunásemos
os desayunaseis
se desayunasen

Pres. Perf.
me haya desayunado
te hayas desayunado
se haya desayunado
nos hayamos desayunado
os hayáis desayunado
se hayan desayunado

Pluperf.
me hubiera desayunado
te hubieras desayunado
se hubiera desayunado
nos hubiéramos desayunado
os hubierais desayunado
se hubieran desayunado

Pluperf.
me hubiese desayunado
te hubieses desayunado
se hubiese desayunado
nos hubiésemos desayunado
os hubieseis desayunado
se hubiesen desayunado

CONDITIONAL

Simple
me desayunaría
te desayunarías
se desayunaría
nos desayunaríamos
os desayunaríais
se desayunarían

Cond. Perf.
me habría desayunado
te habrías desayunado
se habría desayunado
nos habríamos desayunado
os habríais desayunado
se habrían desayunado

IMPERATIVE

desayúnate; no te desayunes
desayúnese
desayunémonos
desayunaos; no os desayunéis
desayúnense

CONJUGATED SAME AS ABOVE
ayunar: to fast

Pres. Part.: descansando
Past Part.: descansado

descansar: to rest; to relax

INDICATIVE

Pres.
descanso
descansas
descansa
descansamos
descansáis
descansan

Imperf.
descansaba
descansabas
descansaba
descansábamos
descansabais
descansaban

Pret.
descansé
descansaste
descansó
descansamos
descansasteis
descansaron

Fut.
descansaré
descansarás
descansará
descansaremos
descansaréis
descansarán

Pres. Perf.
he descansado
has descansado
ha descansado
hemos descansado
habéis descansado
han descansado

Pluperf.
había descansado
habías descansado
había descansado
habíamos descansado
habíais descansado
habían descansado

Past Ant.
hube descansado
hubiste descansado
hubo descansado
hubimos descansado
hubisteis descansado
hubieron descansado

Fut. Perf.
habré descansado
habrás descansado
habrá descansado
habremos descansado
habréis descansado
habrán descansado

SUBJUNCTIVE

Pres.
descanse
descanses
descanse
descansemos
descanséis
descansen

Imperf.
descansara
descansaras
descansara
descansáramos
descansarais
descansaran

Imperf.
descansase
descansases
descansase
descansásemos
descansaseis
descansasen

Pres. Perf.
haya descansado
hayas descansado
haya descansado
hayamos descansado
hayáis descansado
hayan descansado

Pluperf.
hubiera descansado
hubieras descansado
hubiera descansado
hubiéramos descansado
hubierais descansado
hubieran descansado

Pluperf.
hubiese descansado
hubieses descansado
hubiese descansado
hubiésemos descansado
hubieseis descansado
hubiesen descansado

CONDITIONAL

Simple
descansaría
descansarías
descansaría
descansaríamos
descansaríais
descansarían

Cond. Perf.
habría descansado
habrías descansado
habría descansado
habríamos descansado
habríais descansado
habrían descansado

IMPERATIVE

descansa; no descanses
descanse
descansemos
descansad; no descanséis
descansen

desear

Pres. Part.: deseando **desear: to desire; to crave**
Past Part.: deseado

INDICATIVE

Pres.	*Fut.*	*Past Ant.*
deseo	desearé	hube deseado
deseas	desearás	hubiste deseado
desea	deseará	hubo deseado
deseamos	desearemos	hubimos deseado
deseáis	desearéis	hubisteis deseado
desean	desearán	hubieron deseado
Imperf.	*Pres. Perf.*	*Fut. Perf.*
deseaba	he deseado	habré deseado
deseabas	has deseado	habrás deseado
deseaba	ha deseado	habrá deseado
deseábamos	hemos deseado	habremos deseado
deseabais	habéis deseado	habréis deseado
deseaban	han deseado	habrán deseado
Pret.	*Pluperf.*	
deseé	había deseado	
deseaste	habías deseado	
deseó	había deseado	
deseamos	habíamos deseado	
deseasteis	habíais deseado	
desearon	habían deseado	

SUBJUNCTIVE

Pres.	*Imperf.*	*Pluperf.*
desee	desease	hubiera deseado
desees	deseases	hubieras deseado
desee	desease	hubiera deseado
deseemos	deseásemos	hubiéramos deseado
deseéis	deseaseis	hubierais deseado
deseen	deseasen	hubieran deseado
Imperf.	*Pres. Perf.*	*Pluperf.*
deseara	haya deseado	hubiese deseado
desearas	hayas deseado	hubieses deseado
deseara	haya deseado	hubiese deseado
deseáramos	hayamos deseado	hubiésemos deseado
desearais	hayáis deseado	hubieseis deseado
desearan	hayan deseado	hubiesen deseado

CONDITIONAL		IMPERATIVE
Simple	*Cond. Perf.*	
desearía	habría deseado	
desearías	habrías deseado	desea; no desees
desearía	habría deseado	desee
desearíamos	habríamos deseado	deseemos
desearíais	habríais deseado	desead; no deseéis
desearían	habrían deseado	deseen

Pres. Part.: deshaciendo
Past Part.: deshecho

deshacer: to take apart; to destroy

INDICATIVE

Pres.	*Fut.*	*Past Ant.*
deshago	desharé	hube deshecho
deshaces	desharás	hubiste deshecho
deshace	deshará	hubo deshecho
deshacemos	desharemos	hubimos deshecho
deshacéis	desharéis	hubisteis deshecho
deshacen	desharán	hubieron deshecho
Imperf.	*Pres. Perf.*	*Fut. Perf.*
deshacía	he deshecho	habré deshecho
deshacías	has deshecho	habrás deshecho
deshacía	ha deshecho	habrá deshecho
deshacíamos	hemos deshecho	habremos deshecho
deshacíais	habéis deshecho	habréis deshecho
deshacían	han deshecho	habrán deshecho
Pret.	*Pluperf.*	
deshice	había deshecho	
deshiciste	habías deshecho	
deshizo	había deshecho	
deshicimos	habíamos deshecho	
deshicisteis	habíais deshecho	
deshicieron	habían deshecho	

SUBJUNCTIVE

Pres.	*Imperf.*	*Pluperf.*
deshaga	deshiciese	hubiera deshecho
deshagas	deshicieses	hubieras deshecho
deshaga	deshiciese	hubiera deshecho
deshagamos	deshiciésemos	hubiéramos deshecho
deshagáis	deshicieseis	hubierais deshecho
deshagan	deshiciesen	hubieran deshecho
Imperf.	*Pres. Perf.*	*Pluperf.*
deshiciera	haya deshecho	hubiese deshecho
deshicieras	hayas deshecho	hubieses deshecho
deshiciera	haya deshecho	hubiese deshecho
deshiciéramos	hayamos deshecho	hubiésemos deshecho
deshicierais	hayáis deshecho	hubieseis deshecho
deshicieran	hayan deshecho	hubiesen deshecho

CONDITIONAL		IMPERATIVE
Simple	*Cond. Perf.*	
desharía	habría deshecho	
desharías	habrías deshecho	deshaz; no deshagas
desharía	habría deshecho	deshaga
desharíamos	habríamos deshecho	deshagamos
desharíais	habríais deshecho	deshaced; no deshagáis
desharían	habrían deshecho	deshagan

despedirse

Pres. Part.: despidiéndose **despedirse: to say goodbye; to take one's leave**
Past Part.: despedido

INDICATIVE

Pres.	*Fut.*	*Past Ant.*
me despido	me despediré	me hube despedido
te despides	te despedirás	te hubiste despedido
se despide	se despedirá	se hubo despedido
nos despedimos	nos despediremos	nos hubimos despedido
os despedís	os despediréis	os hubisteis despedido
se despiden	se despedirán	se hubieron despedido
Imperf.	*Pres. Perf.*	*Fut. Perf.*
me despedía	me he despedido	me habré despedido
te despedías	te has despedido	te habrás despedido
se despedía	se ha despedido	se habrá despedido
nos despedíamos	nos hemos despedido	nos habremos despedido
os despedíais	os habéis despedido	os habréis despedido
se despedían	se han despedido	se habrán despedido
Pret.	*Pluperf.*	
me despedí	me había despedido	
te despediste	te habías despedido	
se despidió	se había despedido	
nos despedimos	nos habíamos despedido	
os despedisteis	os habíais despedido	
se despidieron	se habían despedido	

SUBJUNCTIVE

Pres.	*Imperf.*	*Pluperf.*
me despida	me despidiese	me hubiera despedido
te despidas	te despidieses	te hubieras despedido
se despida	se despidiese	se hubiera despedido
nos despidamos	nos despidiésemos	nos hubiéramos despedido
os despidáis	os despidieseis	os hubierais despedido
se despidan	se despidiesen	se hubieran despedido
Imperf.	*Pres. Perf.*	*Pluperf.*
me despidiera	me haya despedido	me hubiese despedido
te despidieras	te hayas despedido	te hubieses despedido
se despidiera	se haya despedido	se hubiese despedido
nos despidiéramos	nos hayamos despedido	nos hubiésemos despedido
os despidierais	os hayáis despedido	os hubieseis despedido
se despidieran	se hayan despedido	se hubiesen despedido

CONDITIONAL / IMPERATIVE

Simple	*Cond. Perf.*	IMPERATIVE
me despediría	me habría despedido	
te despedirías	te habrías despedido	despídete; no te despidas
se despediría	se habría despedido	despídase
nos despediríamos	nos habríamos despedido	despidámonos
os despediríais	os habríais despedido	despedíos; no os despidáis
se despedirían	se habrían despedido	despídanse

CONJUGATED SAME AS ABOVE
despedir: to discharge, emit, dismiss from an office

Pres. Part.: despegando
Past Part.: despegado

despegar: to detach; to take off

INDICATIVE

Pres.	*Fut.*	*Past Ant.*
despego	despegaré	hube despegado
despegas	despegarás	hubiste despegado
despega	despegará	hubo despegado
despegamos	despegaremos	hubimos despegado
despegáis	despegaréis	hubisteis despegado
despegan	despegarán	hubieron despegado
Imperf.	*Pres. Perf.*	*Fut. Perf.*
despegaba	he despegado	habré despegado
despegabas	has despegado	habrás despegado
despegaba	ha despegado	habrá despegado
despegábamos	hemos despegado	habremos despegado
despegabais	habéis despegado	habréis despegado
despegaban	han despegado	habrán despegado
Pret.	*Pluperf.*	
despegué	había despegado	
despegaste	habías despegado	
despegó	había despegado	
despegamos	habíamos despegado	
despegasteis	habíais despegado	
despegaron	habían despegado	

SUBJUNCTIVE

Pres.	*Imperf.*	*Pluperf.*
despegue	despegase	hubiera despegado
despegues	despegases	hubieras despegado
despegue	despegase	hubiera despegado
despeguemos	despegásemos	hubiéramos despegado
despeguéis	despegaseis	hubierais despegado
despeguen	despegasen	hubieran despegado
Imperf.	*Pres. Perf.*	*Pluperf.*
despegara	haya despegado	hubiese despegado
despegaras	hayas despegado	hubieses despegado
despegara	haya despegado	hubiese despegado
despegáramos	hayamos despegado	hubiésemos despegado
despegarais	hayáis despegado	hubieseis despegado
despegaran	hayan despegado	hubiesen despegado

CONDITIONAL		IMPERATIVE
Simple	*Cond. Perf.*	
despegaría	habría despegado	
despegarías	habrías despegado	despega; no despegues
despegaría	habría despegado	despegue
despegaríamos	habríamos despegado	despeguemos
despegaríais	habríais despegado	despegad; no despeguéis
despegarían	habrían despegado	despeguen

CONJUGATED SAME AS ABOVE
despegarse: to grow displeased, to withdraw one's affection
pegar: to join, close, clap on; to chastise, beat

despertar

Pres. Part.: despertando
Past Part.: despertado

despertar: to wake up (someone)

INDICATIVE

Pres.	*Fut.*	*Past Ant.*
despierto	despertaré	hube despertado
despiertas	despertarás	hubiste despertado
despierta	despertará	hubo despertado
despertamos	despertaremos	hubimos despertado
despertáis	despertaréis	hubisteis despertado
despiertan	despertarán	hubieron despertado
Imperf.	*Pres. Perf.*	*Fut. Perf.*
despertaba	he despertado	habré despertado
despertabas	has despertado	habrás despertado
despertaba	ha despertado	habrá despertado
despertábamos	hemos despertado	habremos despertado
despertabais	habéis despertado	habréis despertado
despertaban	han despertado	habrán despertado
Pret.	*Pluperf.*	
desperté	había despertado	
despertaste	habías despertado	
despertó	había despertado	
despertamos	habíamos despertado	
despertasteis	habías despertado	
despertaron	habían despertado	

SUBJUNCTIVE

Pres.	*Imperf.*	*Pluperf.*
despierte	despertase	hubiera despertado
despiertes	despertases	hubieras despertado
despierte	despertase	hubiera despertado
despertemos	despertásemos	hubiéramos despertado
despertéis	despertaseis	hubierais despertado
despierten	despertasen	hubieran despertado
Imperf.	*Pres. Perf.*	*Pluperf.*
despertara	haya despertado	hubiese despertado
despertaras	hayas despertado	hubieses despertado
despertara	haya despertado	hubiese despertado
despertáramos	hayamos despertado	hubiésemos despertado
despertarais	hayáis despertado	hubieseis despertado
despertaran	hayan despertado	hubiesen despertado

CONDITIONAL		IMPERATIVE
Simple	*Cond. Perf.*	
despertaría	habría despertado	
despertarías	habrías despertado	despierta; no despiertes
despertaría	habría despertado	despierte
despertaríamos	habríamos despertado	despertemos
despertaríais	habríais despertado	despertad; no despertéis
despertarían	habrían despertado	despierten

CONJUGATED SAME AS ABOVE
despertarse: to wake (oneself) up; to awaken

Pres. Part.: deteniéndose
Past Part.: detenido

detenerse: to stop oneself; to linger

INDICATIVE

Pres.
me detengo
te detienes
se detiene
nos detenemos
os detenéis
se detienen

Imperf.
me detenía
te detenías
se detenía
nos deteníamos
os deteníais
se detenían

Pret.
me detuve
te detuviste
se detuvo
nos detuvimos
os detuvisteis
se detuvieron

Fut.
me detendré
te detendrás
se detendrá
nos detendremos
os detendréis
se detendrán

Pres. Perf.
me he detenido
te has detenido
se ha detenido
nos hemos detenido
os habéis detenido
se han detenido

Pluperf.
me había detenido
te habías detenido
se había detenido
nos habíamos detenido
os habíais detenido
se habían detenido

Past Ant.
me hube detenido
te hubiste detenido
se hubo detenido
nos hubimos detenido
os hubisteis detenido
se hubieron detenido

Fut. Perf.
me habré detenido
te habrás detenido
se habrá detenido
nos habremos detenido
os habréis detenido
se habrán detenido

SUBJUNCTIVE

Pres.
me detenga
te detengas
se detenga
nos detengamos
os detengáis
se detengan

Imperf.
me detuviera
te detuvieras
se detuviera
nos detuviéramos
os detuvierais
se detuvieran

Imperf.
me detuviese
te detuvieses
se detuviese
nos detuviésemos
os detuvieseis
se detuviesen

Pres. Perf.
me haya detenido
te hayas detenido
se haya detenido
nos hayamos detenido
os hayáis detenido
se hayan detenido

Pluperf.
me hubiera detenido
te hubieras detenido
se hubiera detenido
nos hubiéramos detenido
os hubierais detenido
se hubieran detenido

Pluperf.
me hubiese detenido
te hubieses detenido
se hubiese detenido
nos hubiésemos detenido
os hubieseis detenido
se hubiesen detenido

CONDITIONAL

Simple
me detendría
te detendrías
se detendría
nos detendríamos
os detendríais
se detendrían

Cond. Perf.
me habría detenido
te habrías detenido
se habría detenido
nos habríamos detenido
os habríais detenido
se habrían detenido

IMPERATIVE

detente; no te detengas
deténgase
detengámonos
deteneos; no os detengáis
deténganse

CONJUGATED SAME AS ABOVE
detener: to detain, stop, arrest, put in jail
sostener: to sustain, support

disculparse

Pres. Part.: disculpandose
Past Part.: disculpado

disculparse: to excuse (oneself), apologize

INDICATIVE

Pres.
me disculpo
te disculpas
se disculpa
nos disculpamos
os disculpáis
se disculpan

Imperf.
me disculpaba
te disculpabas
se disculpaba
nos disculpábamos
os disculpabais
se disculpaban

Pret.
me disculpé
te disculpaste
se disculpó
nos disculpamos
os disculpasteis
se disculparon

Fut.
me disculparé
te disculparás
se disculpará
nos disculparemos
os disculparéis
se disculparán

Pres. Perf.
me he disculpado
te has disculpado
se ha disculpado
nos hemos disculpado
os habéis disculpado
se han disculpado

Pluperf.
me había disculpado
te habías disculpado
se había disculpado
nos habíamos disculpado
os habíais disculpado
se habían disculpado

Past Ant.
me hube disculpado
te hubiste disculpado
se hubo disculpado
nos hubimos disculpado
os hubisteis disculpado
se hubieron disculpado

Fut. Perf.
me habré disculpado
te habrás disculpado
se habrá disculpado
nos habremos disculpado
os habréis disculpado
se habrán disculpado

SUBJUNCTIVE

Pres.
me disculpe
te disculpes
se disculpe
nos disculpemos
os disculpéis
se disculpen

Imperf.
me disculpara
te disculparas
se disculpara
nos disculpáramos
os disculparais
se disculparan

Imperf.
me disculpase
te disculpases
se disculpase
nos disculpásemos
os disculpaseis
se disculpasen

Pres. Perf.
me haya disculpado
te hayas disculpado
se haya disculpado
nos hayamos disculpado
os hayáis disculpado
se hayan disculpado

Pluperf.
me hubiera disculpado
te hubieras disculpado
se hubiera disculpado
nos hubiéramos disculpado
os hubierais disculpado
se hubieran disculpado

Pluperf.
me hubiese disculpado
te hubieses disculpado
se hubiese disculpado
nos hubiésemos disculpado
os hubieseis disculpado
se hubiesen disculpado

CONDITIONAL

Simple
me disculparía
te disculparías
se disculparía
nos disculparíamos
os disculparíais
se disculparían

Cond. Perf.
me habría disculpado
te habrías disculpado
se habría disculpado
nos habríamos disculpado
os habríais disculpado
se habrían disculpado

IMPERATIVE

discúlpate; no te disculpes
discúlpese
disculpémonos
disculpaos; no os disculpéis
discúlpense

CONJUGATED SAME AS ABOVE

culpar: to blame, impeach, accuse
culparse: to blame oneself
disculpar: to excuse (someone)

Pres. Part.: discutiendo
Past Part.: discutido

discutir: to discuss

INDICATIVE

Pres.	*Fut.*	*Past Ant.*
discuto	discutiré	hube discutido
discutes	discutirás	hubiste discutido
discute	discutirá	hubo discutido
discutimos	discutiremos	hubimos discutido
discutís	discutiréis	hubisteis discutido
discuten	discutirán	hubieron discutido
Imperf.	*Pres. Perf.*	*Fut. Perf.*
discutía	he discutido	habré discutido
discutías	has discutido	habrás discutido
discutía	ha discutido	habrá discutido
discutíamos	hemos discutido	habremos discutido
discutíais	habéis discutido	habréis discutido
discutían	han discutido	habrán discutido
Pret.	*Pluperf.*	
discutí	había discutido	
discutiste	habías discutido	
discutió	había discutido	
discutimos	habíamos discutido	
discutisteis	habíais discutido	
discutieron	habían discutido	

SUBJUNCTIVE

Pres.	*Imperf.*	*Pluperf.*
discuta	discutiese	hubiera discutido
discutas	discutieses	hubieras discutido
discuta	discutiese	hubiera discutido
discutamos	discutiésemos	hubiéramos discutido
discutáis	discutieseis	hubierais discutido
discutan	discutiesen	hubieran discutido
Imperf.	*Pres. Perf.*	*Pluperf.*
discutiera	haya discutido	hubiese discutido
discutieras	hayas discutido	hubieses discutido
discutiera	haya discutido	hubiese discutido
discutiéramos	hayamos discutido	hubiésemos discutido
discutierais	hayáis discutido	hubieseis discutido
discutieran	hayan discutido	hubiesen discutido

CONDITIONAL		IMPERATIVE
Simple	*Cond. Perf.*	
discutiría	habría discutido	
discutirías	habrías discutido	discute; no discutas
discutiría	habría discutido	discuta
discutiríamos	habríamos discutido	discutamos
discutiríais	habríais discutido	discutid; no discutáis
discutirían	habrían discutido	discutan

divertirse

Pres. Part.: divirtiéndose

Past Part.: divertido

divertirse: to have a good time

INDICATIVE

Pres.	*Fut.*	*Past Ant.*
me divierto	me divertiré	me hube divertido
te diviertes	te divertirás	te hubiste divertido
se divierte	se divertirá	se hubo divertido
nos divertimos	nos divertiremos	nos hubimos divertido
os divertís	os divertiréis	os hubisteis divertido
se divierten	se divertirán	se hubieron divertido
Imperf.	*Pres. Perf.*	*Fut. Perf.*
me divertía	me he divertido	me habré divertido
te divertías	te has divertido	te habrás divertido
se divertía	se ha divertido	se habrá divertido
nos divertíamos	nos hemos divertido	nos habremos divertido
os divertíais	os habéis divertido	os habréis divertido
se divertían	se han divertido	se habrán divertido
Pret.	*Pluperf.*	
me divertí	me había divertido	
te divertiste	te habías divertido	
se divirtió	se había diveritdo	
nos divertimos	nos habíamos divertido	
os divertisteis	os habíais divertido	
se divertieron	se habían divertido	

SUBJUNCTIVE

Pres.	*Imperf.*	*Pluperf.*
me divierta	me divirtiese	me hubiera divertido
te diviertas	te divirtieses	te hubieras divertido
se divierta	se divirtiese	se hubiera divertido
nos divirtamos	nos divirtiésemos	nos hubiéramos divertido
os divirtáis	os divirtieseis	os hubierais divertido
se diviertan	se divirtiesen	se hubieran divertido
Imperf.	*Pres. Perf.*	*Pluperf.*
me divirtiera	me haya divertido	me hubiese divertido
te divirtieras	te hayas divertido	te hubieses divertido
se divirtiera	se haya divertido	se hubiese divertido
nos divirtiéramos	nos hayamos divertido	nos hubiésemos divertido
os divirtierais	os hayáis divertido	os hubieseis divertido
se divirtieran	se hayan divertido	se hubiesen divertido

CONDITIONAL		IMPERATIVE
Simple	*Cond. Perf.*	
me divertiría	me habría divertido	
te divertirías	te habrías divertido	diviértete; no te diviertas
se divertiría	se habría divertido	diviértase
nos divertiríamos	nos habríamos divertido	divirtámonos
os divertiríais	os habríais divertido	divertíos; no os divirtáis
se divertirían	se habrían divertido	diviértanse

CONJUGATED SAME AS ABOVE

divertir: to entertain

Pres. Part.: divorciándose
Past Part.: divorciado

divorciarse: to get divorced

INDICATIVE

Pres.	*Fut.*	*Past Ant.*
me divorcio	me divorciaré	me hube divorciado
te divorcias	te divorciarás	te hubiste divorciado
se divorcia	se divorciará	se hubo divorciado
nos divorciamos	nos divorciaremos	nos hubimos divorciado
os divorciáis	os divorciaréis	os hubisteis divorciado
se divorcian	se divorciarán	se hubieron divorciado
Imperf.	*Pres. Perf.*	*Fut. Perf.*
me divorciaba	me he divorciado	me habré divorciado
te divorciabas	te has divorciado	te habrás divorciado
se divorciaba	se ha divorciado	se habrá divorciado
nos divorciábamos	nos hemos divorciado	nos habremos divorciado
os divorciabais	os habéis divorciado	os habréis divorciado
se divorciaban	se han divorciado	se habrán divorciado
Pret.	*Pluperf.*	
me divorcié	me había divorciado	
te divorciaste	te habías divorciado	
se divorció	se había divorciado	
nos divorciamos	nos habíamos divorciado	
os divorciasteis	os habíais divorciado	
se divorciaron	se habían divorciado	

SUBJUNCTIVE

Pres.	*Imperf.*	*Pluperf.*
me divorcie	me divorciase	me hubiera divorciado
te divorcies	te divorciases	te hubieras divorciado
se divorcie	se divorciase	se hubiera divorciado
nos divorciemos	nos divorciásemos	nos hubiéramos divorciado
os divorciéis	os divorciaseis	os hubierais divorciado
se divorcien	se divorciasen	se hubieran divorciado
Imperf.	*Pres. Perf.*	*Pluperf.*
me divorciara	me haya divorciado	me hubiese divorciado
te divorciaras	te hayas divorciado	te hubiese divorciado
se divorciara	se haya divorciado	se hubiese divorciado
nos divorciáramos	nos hayamos divorciado	nos hubiésemos divorciado
os divorciarais	os hayáis divorciado	os hubieseis divorciado
se divorciaran	se hayan divorciado	se hubiesen divorciado

CONDITIONAL		IMPERATIVE
Simple	*Cond. Perf.*	
me divorciaría	me habría divorciado	
te divorciarías	te habrías divorciado	divórciate; no te divorcies
se divorciaría	se habría divorciado	divórciese
nos divorciaríamos	nos habríamos divorciado	divorciémonos
os divorciaríais	os habríais divorciado	divorciaos; no os divorciéis
se divorciarían	se habrían divorciado	divórciense

CONJUGATED SAME AS ABOVE
divorciar: to divorce, separate, part, divide

dormir

Pres. Part.: durmiendo **dormir: to sleep**
Past Part.: dormido

INDICATIVE

Pres.	*Fut.*	*Past Ant.*
duermo	dormiré	hube dormido
duermes	dormirás	hubiste dormido
duerme	dormirá	hubo dormido
dormimos	dormiremos	hubimos dormido
dormís	dormiréis	hubisteis dormido
duermen	dormirán	hubieron dormido
Imperf.	*Pres. Perf.*	*Fut. Perf.*
dormía	he dormido	habré dormido
dormías	has dormido	habrás dormido
dormía	ha dormido	habrá dormido
dormíamos	hemos dormido	habremos dormido
dormíais	habéis dormido	habréis dormido
dormían	han dormido	habrán dormido
Pret.	*Pluperf.*	
dormí	había dormido	
dormiste	habías dormido	
durmió	había dormido	
dormimos	habíamos dormido	
dormisteis	habíais dormido	
durmieron	habían dormido	

SUBJUNCTIVE

Pres.	*Imperf.*	*Pluperf.*
duerma	durmiese	hubiera dormido
duermas	durmieses	hubieras dormido
duerma	durmiese	hubiera dormido
durmamos	durmiésemos	hubiéramos dormido
durmáis	durmieseis	hubierais dormido
duerman	durmiesen	hubieran dormido
Imperf.	*Pres. Perf.*	*Pluperf.*
durmiera	haya dormido	hubiese dormido
durmieras	hayas dormido	hubieses dormido
durmiera	haya dormido	hubiese dormido
durmiéramos	hayamos dormido	hubiésemos dormido
durmierais	hayáis dormido	hubieseis dormido
durmieran	hayan dormido	hubiesen dormido

CONDITIONAL / IMPERATIVE

Simple	*Cond. Perf.*	IMPERATIVE
dormiría	habría dormido	
dormirías	habrías dormido	duerme; no duermas
dormiría	habría dormido	duerma
dormiríamos	habríamos dormido	durmamos
dormiríais	habríais dormido	dormid; no durmáis
dormirían	habrían dormido	duerman

CONJUGATED SAME AS ABOVE
dormise: to fall asleep

Pres. Part.: duchándose
Past Part.: duchado

ducharse: to take a shower

INDICATIVE

Pres.	*Fut.*	*Past Ant.*
me ducho	me ducharé	me hube duchado
te duchas	te ducharás	te hubiste duchado
se ducha	se duchará	se hubo duchado
nos duchamos	nos ducharemos	nos hubimos duchado
os ducháis	os ducharéis	os hubisteis duchado
se duchan	se ducharán	se hubieron duchado
Imperf.	*Pres. Perf.*	*Fut. Perf.*
me duchaba	me he duchado	me habré duchado
te duchabas	te has duchado	te habrás duchado
se duchaba	se ha duchado	se habrá duchado
nos duchábamos	nos hemos duchado	nos habremos duchado
os duchabais	os habéis duchado	os habréis duchado
se duchaban	se han duchado	se habrán duchado
Pret.	*Pluperf.*	
me duché	me había duchado	
te duchaste	te habías duchado	
se duchó	se había duchado	
nos duchamos	nos habíamos duchado	
os duchasteis	os habíais duchado	
se ducharon	se habían duchado	

SUBJUNCTIVE

Pres.	*Imperf.*	*Pluperf.*
me duche	me duchase	me hubiera duchado
te duches	te duchases	te hubieras duchado
se duche	se duchase	se hubiera duchado
nos duchemos	nos duchásemos	nos hubiéramos duchado
os duchéis	os duchaseis	os hubierais duchado
se duchen	se duchasen	se hubieran duchado
Imperf.	*Pres. Perf.*	*Pluperf.*
me duchara	me haya duchado	me hubiese duchado
te ducharas	te hayas duchado	te hubieses duchado
se duchara	se haya duchado	se hubiese duchado
nos ducháramos	nos hayamos duchado	nos hubiésemos duchado
os ducharais	os hayáis duchado	os hubieseis duchado
se ducharan	se hayan duchado	se hubiesen duchado

CONDITIONAL		IMPERATIVE
Simple	*Cond. Perf.*	
me ducharía	me habría duchado	
te ducharías	te habrías duchado	dúchate; no te duches
se ducharía	se habría duchado	dúchese
nos ducharíamos	nos habríamos duchado	duchémonos
os ducharíais	os habríais duchado	duchaos; no os duchéis
se ducharían	se habrían duchado	dúchense

dudar

Pres. Part.: dudando
Past Part.: dudado

dudar: to doubt

INDICATIVE

Pres.	*Fut.*	*Past Ant.*
dudo	dudaré	hube dudado
dudas	dudarás	hubiste dudado
duda	dudará	hubo dudado
dudamos	dudaremos	hubimos dudado
dudáis	dudaréis	hubisteis dudado
dudan	dudarán	hubieron dudado
Imperf.	*Pres. Perf.*	*Fut. Perf.*
dudaba	he dudado	habré dudado
dudabas	has dudado	habrás dudado
dudaba	ha dudado	habrá dudado
dudábamos	hemos dudado	habremos dudado
dudabais	habéis dudado	habréis dudado
dudaban	han dudado	habrán dudado
Pret.	*Pluperf.*	
dudé	había dudado	
dudaste	habías dudado	
dudó	había dudado	
dudamos	habíamos dudado	
dudasteis	habíais dudado	
dudaron	habían dudado	

SUBJUNCTIVE

Pres.	*Imperf.*	*Pluperf.*
dude	dudase	hubiera dudado
dudes	dudases	hubieras dudado
dude	dudase	hubiera dudado
dudemos	dudásemos	hubiéramos dudado
dudéis	dudaseis	hubierais dudado
duden	dudasen	hubieran dudado
Imperf.	*Pres. Perf.*	*Pluperf.*
dudara	haya dudado	hubiese dudado
dudaras	hayas dudado	hubieses dudado
dudara	haya dudado	hubiese dudado
dudáramos	hayamos dudado	hubiésemos dudado
dudarais	hayáis dudado	hubieseis dudado
dudaran	hayan dudado	hubiesen dudado

CONDITIONAL		IMPERATIVE
Simple	*Cond. Perf.*	
dudaría	habría dudado	
dudarías	habrías dudado	duda; no dudes
dudaría	habría dudado	dude
dudaríamos	habríamos dudado	dudemos
dudaríais	habríais dudado	dudad; no dudéis
dudarían	habrían dudado	duden

Pres. Part.: echando
Past Part.: echado

echar: to throw out; (colloq.) to serve (food or beverage)

INDICATIVE

Pres.	*Fut.*	*Past. Ant.*
echo	echaré	hube echado
echas	echarás	hubiste echado
echa	echará	hubo echado
echamos	echaremos	hubimos echado
echáis	echaréis	hubisteis echado
echan	echarán	hubieron echado
Imperf.	*Pres. Perf.*	*Fut. Perf.*
echaba	he echado	habré echado
echabas	has echado	habrás echado
echaba	ha echado	habrá echado
echábamos	hemos echado	habremos echado
echabais	habéis echado	habréis echado
echaban	han echado	habrán echado
Pret.	*Pluperf.*	
eché	había echado	
echaste	habías echado	
echó	había echado	
echamos	habíamos echado	
echasteis	habíais echado	
echaron	habían echado	

SUBJUNCTIVE

Pres.	*Imperf.*	*Pluperf.*
eche	echase	hubiera echado
eches	echases	hubieras echado
eche	echase	hubiera echado
echemos	echásemos	hubiéramos echado
echéis	echaseis	hubierais echado
echen	echasen	hubieran echado
Imperf.	*Pres. Perf.*	*Pluperf.*
echara	haya echado	hubiese echado
echaras	hayas echado	hubieses echado
echara	haya echado	hubiese echado
echáramos	hayamos echado	hubiésemos echado
echarais	hayáis echado	hubieseis echado
echaran	hayan echado	hubiesen echado

CONDITIONAL		IMPERATIVE
Simple	*Cond. Perf.*	
echaría	habría echado	
echarías	habrías echado	echa; no eches
echaría	habría echado	eche
echaríamos	habríamos echado	echemos
echaríais	habríais echado	echad; no echéis
echarían	habrían echado	echen

CONJUGATED SAME AS ABOVE

desechar: to reject
echarse: to lie, rest, to stretch oneself

elegir

Pres. Part.: eligiendo
Past Part.: elegido

elegir: to elect; to choose

INDICATIVE

Pres.	*Fut.*	*Past Ant.*
elijo	elegiré	hube elegido
elijes	elegirás	hubiste elegido
elije	elegirá	hubo elegido
elejimos	elegiremos	hubimos elegido
elejís	elegiréis	hubisteis elegido
eligen	elegirán	hubieron elegido

Imperf.	*Pres. Perf.*	*Fut. Perf.*
elegía	he elegido	habré elegido
elegías	has elegido	habrás elegido
elegía	ha elegido	habrá elegido
elegíamos	hemos elegido	habremos elegido
elegíais	habéis elegido	habréis elegido
elegían	han elegido	habrán elegido

Pret.	*Pluperf.*
elegí	había elegido
elegiste	habías elegido
eligió	había elegido
elegimos	habíamos elegido
elegisteis	habíais elegido
eligieron	habían elegido

SUBJUNCTIVE

Pres.	*Imperf.*	*Pluperf.*
elija	eligiese	hubiera elegido
elijas	eligieses	hubieras elegido
elija	eligiese	hubiera elegido
elijamos	eligiésemos	hubiéramos elegido
elijáis	eligieseis	hubierais elegido
elijan	eligiesen	hubieran elegido

Imperf.	*Pres. Perf.*	*Pluperf.*
eligiera	haya elegido	hubiese elegido
eligieras	hayas elegido	hubieses elegido
eligiera	haya elegido	hubiese elegido
eligiéramos	hayamos elegido	hubiésemos elegido
eligierais	hayáis elegido	hubieseis elegido
eligieran	hayan elegido	hubiesen elegido

CONDITIONAL		IMPERATIVE
Simple	*Cond. Perf.*	
elegiría	habría elegido	
elegirías	habrías elegido	elige; no elijas
elegiría	habría elegido	elija
elegiríamos	habríamos elegido	elijamos
elegiríais	habríais elegido	elegid; no elijáis
elegirían	habrían elegido	elijan

CONJUGATED SAME AS ABOVE
corregir: to correct
reelegir: to re-elect
regir: to rule, govern, direct, manage

empezar

Pres. Part.: empezando **empezar: to begin**
Past Part.: empezado

INDICATIVE

Pres.	*Fut.*	*Past Ant.*
empiezo	empezaré	hube empezado
empiezas	empezarás	hubiste empezado
empieza	empezará	hubo empezado
empezamos	empezaremos	hubimos empezado
empezáis	empezaréis	hubisteis empezado
empiezan	empezarán	hubieron empezado
Imperf.	*Pres. Perf.*	*Fut. Perf.*
empezaba	he empezado	habré empezado
empezabas	has empezado	habrás empezado
empezaba	ha empezado	habrá empezado
empezábamos	hemos empezado	habremos empezado
empezabais	habeís empezado	habréis empezado
empezaban	han empezado	habrán empezado
Pret.	*Pluperf.*	
empecé	había empezado	
empezaste	habías empezado	
empezó	había empezado	
empezamos	habíamos empezado	
empezasteis	habíais empezado	
empezaron	habían empezado	

SUBJUNCTIVE

Pres.	*Imperf.*	*Pluperf.*
empiece	empezase	hubiera empezado
empieces	empezases	hubieras empezado
empiece	empezase	hubiera empezado
empecemos	empezásemos	hubiéramos empezado
empecéis	empezaseis	hubierais empezado
empiecen	empezasen	hubieran empezado
Imperf.	*Pres. Perf.*	*Pluperf.*
empezara	haya empezado	hubiese empezado
empezaras	hayas empezado	hubieses empezado
empezara	haya empezado	hubiese empezado
empezáramos	hayamos empezado	hubiésemos empezado
empezarais	hayáis empezado	hubieseis empezado
empezaran	hayan empezado	hubiesen empezado

CONDITIONAL / IMPERATIVE

Simple	*Cond. Perf.*	IMPERATIVE
empezaría	habría empezado	
empezarías	habrías empezado	empieza; no empieces
empezaría	habría empezado	empiece
empezaríamos	habríamos empezado	empecemos
empezaríais	habríais empezado	empezad; no empecéis
empezarían	habrían empezado	empiecen

emplear

Pres. Part.: empleando **emplear: to employ**
Past Part.: empleado

INDICATIVE

Pres.	*Fut.*	*Past Ant.*
empleo	emplearé	hube empleado
empleas	emplearás	hubiste empleado
emplea	empleará	hubo empleado
empleamos	emplearemos	hubimos empleado
empleáis	emplearéis	hubisteis empleado
emplean	emplearán	hubieron empleado
Imperf.	*Pres. Perf.*	*Fut. Perf.*
empleaba	he empleado	habré empleado
empleabas	has empleado	habrás empleado
empleaba	ha empleado	habrá empleado
empleábamos	hemos empleado	habremos empleado
empleabais	habéis empleado	habréis empleado
empleaban	han empleado	habrán empleado
Pret.	*Plurperf.*	
empleé	había empleado	
empleaste	habías empleado	
empleó	había empleado	
empleamos	habíamos empleado	
empleasteis	habíais empleado	
emplearon	habían empleado	

SUBJUNCTIVE

Pres.	*Imperf.*	*Pluperf.*
emplee	emplease	hubiera empleado
emplees	empleases	hubieras empleado
emplee	emplease	hubiera empleado
empleemos	empleásemos	hubiéramos empleado
empleéis	empleaseis	hubierais empleado
empleen	empleasen	hubieran empleado
Imperf.	*Pres. Perf.*	*Pluperf.*
empleara	haya empleado	hubiese empleado
emplearas	hayas empleado	hubieses empleado
empleara	haya empleado	hubiese empleado
empleáramos	hayamos empleado	hubiésemos empleado
emplearais	hayáis empleado	hubieseis empleado
emplearan	hayan empleado	hubiesen empleado

CONDITIONAL		IMPERATIVE
Simple	*Cond. Perf.*	
emplearía	habría empleado	
emplearías	habrías empleado	emplea; no emplees
emplearía	habría empleado	emplee
emplearíamos	habríamos empleado	empleemos
emplearíais	habríais empleado	emplead; no empleéis
emplearían	habrían empleado	empleen

Pres. Part.: encendiendo
Past Part.: encendido

encender: to light

INDICATIVE

Pres.	*Fut.*	*Past Ant.*
enciendo	encenderé	hube encendido
enciendes	encenderás	hubiste encendido
enciende	encenderá	hubo encendido
encendemos	encenderemos	hubimos encendido
encendéis	encenderéis	hubisteis encendido
encienden	encenderán	hubieron encendido
Imperf.	*Pres. Perf.*	*Fut. Perf.*
encendía	he encendido	habré encendido
encendías	has encendido	habrás encendido
encendía	ha encendido	habrá encendido
encendíamos	hemos encendido	habremos encendido
encendíais	habéis encendido	habréis encendido
encendían	han encendido	habrán encendido
Pret.	*Pluperf.*	
encendí	había encendido	
encendiste	habías encendido	
encendió	había encendido	
encendimos	habíamos encendido	
encendisteis	habíais encendido	
encendieron	habían encendido	

SUBJUNCTIVE

Pres.	*Imperf.*	*Pluperf.*
encienda	encendiese	hubiera encendido
enciendas	encendieses	hubieras encendido
encienda	encendiese	hubiera encendido
encendamos	encendiésemos	hubiéramos encendido
encendáis	encendieseis	hubierais encendido
enciendan	encendiesen	hubieran encendido
Imperf.	*Pres. Perf.*	*Pluperf.*
encendiera	haya encendido	hubiese encendido
encendieras	hayas encendido	hubieses encendido
encendiera	haya encendido	hubiese encendido
encendiéramos	hayamos encendido	hubiésemos encendido
encendierais	hayáis encendido	hubieseis encendido
encendieran	hayan encendido	hubiesen encendido

CONDITIONAL		IMPERATIVE
Simple	*Cond. Perf.*	
encendería	habría encendido	
encenderías	habrías encendido	enciende; no enciendas
encendería	habría encendido	encienda
encenderíamos	habríamos encendido	encendamos
encenderíais	habríais encendido	encended; no encendáis
encenderían	habrían encendido	enciendan

encontrarse

Pres. Part.: encontrándose **encontrarse: to meet; to find oneself**
Past Part.: encontrado

INDICATIVE

Pres.
me encuentro
te encuentras
se encuentra
nos encontramos
os encontráis
se encuentran

Imperf.
me encontraba
te encontrabas
se encontraba
nos encontrábamos
os encontrabais
se encontraban

Pret.
me encontré
te encontraste
se encontró
nos encontramos
os encontrasteis
se encontraron

Fut.
me encontraré
te encontrarás
se encontrará
nos encontraremos
os encontraréis
se encontrarán

Pres. Perf.
me he encontrado
te has encontrado
se ha encontrado
nos hemos encontrado
os habéis encontrado
se han encontrado

Pluperf.
me había encontrado
te habías encontrado
se había encontrado
nos habíamos encontrado
os habíais encontrado
se habían encontrado

Past Ant.
me hube encontrado
te hubiste encontrado
se hubo encontrado
nos hubimos encontrado
os hubisteis encontrado
se hubieron encontrado

Fut. Perf.
me habré encontrado
te habrás encontrado
se habrá encontrado
nos habremos encontrado
os habréis encontrado
se habrán encontrado

SUBJUNCTIVE

Pres.
me encuentre
te encuentres
se encuentre
nos encontremos
os encontréis
se encuentren

Imperf.
me encontrara
te encontraras
se encontrara
nos encontráramos
os encontrarais
se encontraran

Imperf.
me encontrase
te encontrases
se encontrase
nos encontrásemos
os encontraseis
se encontrasen

Pres. Perf.
me haya encontrado
te hayas encontrado
se haya encontrado
nos hayamos encontrado
os hayáis encontrado
se hayan encontrado

Pluperf.
me hubiera encontrado
te hubieras encontrado
se hubiera encontrado
nos hubiéramos encontrado
os hubierais encontrado
se hubieran encontrado

Pluperf.
me hubiese encontrado
te hubieses encontrado
se hubiese encontrado
nos hubiésemos encontrado
os hubieseis encontrado
se hubiesen encontrado

CONDITIONAL

Simple
me encontraría
te encontrarías
se encontraría
nos encontraríamos
os encontraríais
se encontrarían

Cond. Perf.
me habría encontrado
te habrías encontrado
se habría encontrado
nos habríamos encontrado
os habríais encontrado
se habrían encontrado

IMPERATIVE

encuéntrate; no te encuentres
encuéntrese
encontrémonos
encontraos; no os encontréis
encuéntrense

CONJUGATED SAME AS ABOVE
encontrar: to encounter

Pres. Part.: enfermándose
Past Part.: enfermado

enfermarse: to get sick; to weaken

INDICATIVE

Pres.	*Fut.*	*Past Ant.*
me enfermo	me enfermaré	me hube enfermado
te enfermas	te enfermarás	te hubiste enfermado
se enferma	se enfermará	se hubo enfermado
nos enfermamos	nos enfermaremos	nos hubimos enfermado
os enfermáis	os enfermaréis	os hubisteis enfermado
se enferman	se enfermarán	se hubieron enfermado
Imperf.	*Pres. Perf.*	*Fut. Perf.*
me enfermaba	me he enfermado	me habré enfermado
te enfermabas	te has enfermado	te habrás enfermado
se enfermaba	se ha enfermado	se habrá enfermado
nos enfermabamos	nos hemos enfermado	nos habremos enfermado
os enfermabais	os habéis enfermado	os habréis enfermado
se enfermaban	se han enfermado	se habrán enfermado
Pret.	*Pluperf.*	
me enfermé	me había enfermado	
te enfermaste	te habías enfermado	
se enfermó	se había enfermado	
nos enfermamos	nos habíamos enfermado	
os enfermasteis	os habíais enfermado	
se enfermaron	se habían enfermado	

SUBJUNCTIVE

Pres.	*Imperf.*	*Pluperf.*
me enferme	me enfermase	me hubiera enfermado
te enfermes	te enfermases	te hubieras enfermado
se enferme	se enfermase	se hubiera enfermado
nos enfermemos	nos enfermásemos	nos hubiéramos enfermado
os enferméis	os enfermaseis	os hubierais enfermado
se enfermen	se enfermasen	se hubieran enfermado
Imperf.	*Pres. Perf.*	*Pluperf.*
me enfermara	me haya enfermado	me hubiese enfermado
te enfermaras	te hayas enfermado	te hubieses enfermado
se enfermara	se haya enfermado	se hubiese enfermado
nos enfermáramos	nos hayamos enfermado	nos hubiésemos enfermado
os enfermarais	os hayáis enfermado	os hubieseis enfermado
se enfermaran	se hayan enfermado	se hubiesen enfermado

CONDITIONAL		IMPERATIVE
Simple	*Cond. Perf.*	
me enfermaría	me habría enfermado	
te enfermarías	te habrías enfermado	enférmate; no te enfermes
se enfermaría	se habría enfermado	enférmese
nos enfermaríamos	nos habríamos enfermado	enfermémonos
os enfermaríais	os habríais enfermado	enfermaos; no os enferméis
se enfermarían	se habrían enfermado	enférmense

CONJUGATED SAME AS ABOVE
enfermar: to fall ill

enseñar

Pres. Part.: enseñando **enseñar: to teach; to show**
Past Part.: enseñado

INDICATIVE

Pres.	*Fut.*	*Past Ant.*
enseño	enseñaré	hube enseñado
enseñas	enseñarás	hubiste enseñado
enseña	enseñará	hubo enseñado
enseñamos	enseñaremos	hubimos enseñado
enseñáis	enseñaréis	hubisteis enseñado
enseñan	enseñarán	hubieron enseñado
Imperf.	*Pres. Perf.*	*Fut. Perf.*
enseñaba	he enseñado	habré enseñado
enseñabas	has enseñado	habrás enseñado
enseñaba	ha enseñado	habrá enseñado
enseñábamos	hemos enseñado	habremos enseñado
enseñabais	habéis enseñado	habréis enseñado
enseñaban	han enseñado	habrán enseñado
Pret.	*Pluperf.*	
enseñé	había enseñado	
enseñaste	habías enseñado	
enseñó	había enseñado	
enseñamos	habíamos enseñado	
enseñasteis	habíais enseñado	
enseñaron	habían enseñado	

SUBJUNCTIVE

Pres.	*Imperf.*	*Pluperf.*
enseñe	enseñase	hubiera enseñado
enseñes	enseñases	hubieras enseñado
enseñe	enseñase	hubiera enseñado
enseñemos	ensenasen	hubiéramos enseñado
enseñéis	enseñásemos	hubierais enseñado
enseñen	enseñaseis	hubieran enseñado
Imperf.	*Pres. Perf.*	*Pluperf.*
enseñara	haya enseñado	hubiese enseñado
enseñaras	hayas enseñado	hubieses enseñado
enseñara	haya enseñado	hubiese enseñado
enseñáramos	hayamos enseñado	hubiésemos enseñado
enseñarais	hayáis enseñado	hubieseis enseñado
enseñaran	hayan enseñado	hubiesen enseñado

CONDITIONAL		IMPERATIVE
Simple	*Cond. Perf.*	
enseñaría	habría enseñado	
enseñarías	habrías enseñado	enseña; no enseñes
enseñaría	habría enseñado	enseñe
enseñaríamos	habríamos enseñado	enseñemos
enseñaríais	habríais enseñado	enseñad; no enseñéis
enseñarían	habrían enseñado	enseñen

CONJUGATED SAME AS ABOVE
diseñar: to draw, design; to sketch

Pres. Part.: entendiendo
Past Part.: entendido

entender: to understand

INDICATIVE

Pres.	*Fut.*	*Past Ant.*
entiendo	entenderé	hube entendido
entiendes	entenderás	hubiste entendido
entiende	entenderá	hubo entendido
entendemos	entenderemos	hubimos entendido
entendéis	entenderéis	hubisteis entendido
entienden	entenderán	hubieron entendido
Imperf.	*Pres. Perf.*	*Fut. Perf.*
entendía	he entendido	habré entendido
entendías	has entendido	habrás entendido
entendía	ha entendido	habrá entendido
entendíamos	hemos entendido	habremos entendido
entendíais	habéis entendido	habréis entendido
entendían	han entendido	habrán entendido
Pret.	*Pluperf.*	
entendí	había entendido	
entendiste	habías entendido	
entendió	había entendido	
entendimos	habíamos entendido	
entendisteis	habíais entendido	
entendieron	habían entendido	

SUBJUNCTIVE

Pres.	*Imperf.*	*Pluperf.*
entienda	entendiese	hubiera entendido
entiendas	entendieses	hubieras entendido
entienda	entendiese	hubiera entendido
entendamos	entendiésemos	hubiéramos entendido
entendáis	entendieseis	hubierais entendido
entiendan	entendiesen	hubieran entendido
Imperf.	*Pres. Perf.*	*Pluperf.*
entendiera	haya entendido	hubiese entendido
entendieras	hayas entendido	hubieses entendido
entendiera	haya entendido	hubiese entendido
entendiéramos	hayamos entendido	hubiésemos entendido
entendierais	hayáis entendido	hubieseis entendido
entendieran	hayan entendido	hubiesen entendido

CONDITIONAL / IMPERATIVE

Simple	*Cond. Perf.*	IMPERATIVE
entendería	habría entendido	
entenderías	habrías entendido	entiende; no entiendas
entendería	habría entendido	entienda
entenderíamos	habríamos entendido	entendamos
entenderíais	habríais entendido	entended; no entiendáis
entenderían	habrían entendido	entiendan

CONJUGATED SAME AS ABOVE

desentenderse: to ignore

entrar

Pres. Part.: entrando **entrar: to come in**
Past Part.: entrado

INDICATIVE

Pres.	*Fut.*	*Past Ant.*
entro	entraré	hube entrado
entras	entrarás	hubiste entrado
entra	entrará	hubo entrado
entramos	entraremos	hubimos entrado
entráis	entraréis	hubisteis entrado
entran	entrarán	hubieron entrado
Imperf.	*Pres. Perf.*	*Fut. Perf.*
entraba	he entrado	habré entrado
entrabas	has entrado	habrás entrado
entraba	ha entrado	habrá entrado
entrábamos	hemos entrado	habremos entrado
entrabais	habéis entrado	habréis entrado
entraban	han entrado	habrán entrado
Pret.	*Pluperf.*	
entré	había entrado	
entraste	habías entrado	
entró	había entrado	
entramos	habíamos entrado	
entrasteis	habíais entrado	
entraron	habían entrado	

SUBJUNCTIVE

Pres.	*Imperf.*	*Pluperf.*
entre	entrase	hubiera entrado
entres	entrases	hubieras entrado
entre	entrase	hubiera entrado
entremos	entrásemos	hubiéramos entrado
entréis	entraseis	hubierais entrado
entren	entrasen	hubieran entrado
Imperf.	*Pres. Perf.*	*Pluperf.*
entrara	haya entrado	hubiese entrado
entraras	hayas entrado	hubieses entrado
entrara	haya entrado	hubiese entrado
entráramos	hayamos entrado	hubiésemos entrado
entrarais	hayáis entrado	hubieseis entrado
entraran	hayan entrado	hubiesen entrado

CONDITIONAL		IMPERATIVE
Simple	*Cond. Perf.*	
entraría	habría entrado	
entrarías	habrías entrado	entra; no entres
entraría	habría entrado	entre
entraríamos	habríamos entrado	entremos
entraríais	habríais entrado	entrad; no entréis
entrarían	habrían entrado	entren

Pres. Part.: enviando
Past Part.: enviado

enviar: to send

INDICATIVE

Pres.	*Fut.*	*Past Ant.*
envío	enviaré	hube enviado
envías	enviarás	hubiste enviado
envía	enviará	hubo enviado
enviamos	enviaremos	hubimos enviado
enviáis	enviaréis	hubisteis enviado
envían	enviarán	hubieron enviado
Imperf.	*Pres. Perf.*	*Fut. Perf.*
enviaba	he enviado	habré enviado
enviabas	has enviado	habrás enviado
enviaba	ha enviado	habrá enviado
enviábamos	hemos enviado	habremos enviado
enviabais	habéis enviado	habréis enviado
enviaban	han enviado	habrán enviado
Pret.	*Pluperf.*	
envié	había enviado	
enviaste	habías enviado	
envió	había enviado	
enviamos	habíamos enviado	
enviasteis	habíais enviado	
enviaron	habían enviado	

SUBJUNCTIVE

Pres.	*Imperf.*	*Pluperf.*
envíe	enviase	hubiera enviado
envíes	enviases	hubieras enviado
envíe	enviase	hubiera enviado
enviemos	enviásemos	hubiéramos enviado
enviéis	enviaseis	hubierais enviado
envíen	enviasen	hubieran enviado
Imperf.	*Pres. Perf.*	*Pluperf.*
enviara	haya enviado	hubiese enviado
enviaras	hayas enviado	hubieses enviado
enviara	haya enviado	hubiese enviado
enviáramos	hayamos enviado	hubiésemos enviado
enviarais	hayáis enviado	hubieseis enviado
enviaran	hayan enviado	hubiesen enviado

CONDITIONAL		IMPERATIVE
Simple	*Cond. Perf.*	
enviaría	habría enviado	
enviarías	habrías enviado	envía; no envies
enviaría	habría enviado	envíe
enviaríamos	habríamos enviado	enviemos
enviaríais	habríais enviado	enviad; no enviéis
enviarían	habrían enviado	envíen

CONJUGATED SAME AS ABOVE

criar: to create, procreate, breed; to suckle, raise (children, animals)
desafiar: to dare, defy, challenge; to compete
desviar: to divert, deflect, lead off, avert
reenviar: to forward

escribir

Pres. Part.: escribiendo
Past Part.: escrito

escribir: to write

INDICATIVE

Pres.	*Fut.*	*Past Ant.*
escribo	escribiré	hube escrito
escribes	escribirás	hubiste escrito
escribe	escribirá	hubo escrito
escribimos	escribiremos	hubimos escrito
escribís	escribiréis	hubisteis escrito
escriben	escribirán	hubieron escrito
Imperf.	*Pres. Perf.*	*Fut. Perf.*
escribía	he escrito	habré escrito
escribías	has escrito	habrás escrito
escribía	ha escrito	habrá escrito
escribíamos	hemos escrito	habremos escrito
escribíais	habéis escrito	habréis escrito
escribían	han escrito	habrán escrito
Pret.	*Pluperf.*	
escribí	había escrito	
escribiste	habías escrito	
escribió	había escrito	
escribimos	habíamos escrito	
escribisteis	habíais escrito	
escribieron	habían escrito	

SUBJUNCTIVE

Pres.	*Imperf.*	*Pluperf.*
escriba	escribiese	hubiera escrito
escribas	escribieses	hubieras escrito
escriba	escribiese	hubiera escrito
escribamos	escribiésemos	hubiéramos escrito
escribáis	escribieseis	hubierais escrito
escriban	escribiesen	hubieran escrito
Imperf.	*Pres. Perf.*	*Pluperf.*
escribiera	haya escrito	hubiese escrito
escribieras	hayas escrito	hubieses escrito
escribiera	haya escrito	hubiese escrito
escribiéramos	hayamos escrito	hubiésemos escrito
escribierais	hayáis escrito	hubieseis escrito
escribieran	hayan escrito	hubiesen escrito

CONDITIONAL		IMPERATIVE
Simple	*Cond. Perf.*	
escribiría	habría escrito	
escribirías	habrías escrito	escribe; no escribas
escribiría	habría escrito	escriba
escribiríamos	habríamos escrito	escribamos
escribiríais	habríais escrito	escribid; no escribáis
escribirían	habrían escrito	escriban

CONJUGATED SAME AS ABOVE

prescribir: to prescribe, determine
proscribir: to outlaw, proscribe
sobrescribir: to superscribe; to direct, address (a letter)

Pres. Part.: escuchando
Past Part.: escuchado

escuchar: to listen

INDICATIVE

Pres.
escucho
escuchas
escucha
escuchamos
escucháis
escuchan

Imperf.
escuchaba
escuchabas
escuchaba
escuchábamos
escuchabais
escuchaban

Pres.
escuché
escuchaste
escuchó
escuchamos
escuchasteis
escucharon

Fut.
escucharé
escucharás
escuchará
escucharemos
escucharéis
escucharán

Pres. Perf.
he escuchado
has escuchado
ha escuchado
hemos escuchado
habéis escuchado
han escuchado

Pluperf.
había escuchado
habías escuchado
había escuchado
habíamos escuchado
habíais escuchado
habían escuchado

Past Ant.
hube escuchado
hubiste escuchado
hubo escuchado
hubimos escuchado
hubisteis escuchado
hubieron escuchado

Fut. Perf.
habré escuchado
habrás escuchado
habrá escuchado
habremos escuchado
habréis escuchado
habrán escuchado

SUBJUNCTIVE

Pres.
escuche
escuches
escuche
escuchemos
escuchéis
escuchen

Imperf.
escuchara
escucharas
escuchara
escucháramos
escucharais
escucharan

Imperf.
escuchase
escuchases
escuchase
escuchásemos
escuchaseis
escuchasen

Pres. Perf.
haya escuchado
hayas escuchado
haya escuchado
hayamos escuchado
hayáis escuchado
hayan escuchado

Pluperf.
hubiera escuchado
hubieras escuchado
hubiera escuchado
hubiéramos escuchado
hubierais escuchado
hubieran escuchado

Pluperf.
hubiese escuchado
hubieses escuchado
hubiese escuchado
hubiésemos escuchado
hubieseis escuchado
hubiesen escuchado

CONDITIONAL

Simple
escucharía
escucharías
escucharía
escucharíamos
escucharíais
escucharían

Cond. Perf.
habría escuchado
habrías escuchado
habría escuchado
habríamos escuchado
habríais escuchado
habrían escuchado

IMPERATIVE

escucha; no escuches
escuche
escuchemos
escuchad; no escuchéis
escuchen

esperar

Pres. Part.: esperando
Past Part.: esperado

esperar: to await; to hope for

INDICATIVE

Pres.	*Fut.*	*Past Ant.*
espero	esperaré	hube esperado
esperas	esperarás	hubiste esperado
espera	esperará	hubo esperado
esperamos	esperaremos	hubimos esperado
esperáis	esperaréis	hubisteis esperado
esperan	esperarán	hubieron esperado
Imperf.	*Pres. Perf.*	*Fut. Perf.*
esperaba	he esperado	habré esperado
esperabas	has esperado	habrás esperado
esperaba	ha esperado	habrá esperado
esperábamos	hemos esperado	habremos esperado
esperabais	habéis esperado	habréis esperado
esperaban	han esperado	habrán esperado
Pret.	*Pluperf.*	
esperé	había esperado	
esperaste	habías esperado	
esperó	había esperado	
esperamos	habíamos esperado	
esperasteis	habíais esperado	
esperaron	habían esperado	

SUBJUNCTIVE

Pres.	*Imperf.*	*Pluperf.*
espere	esperase	hubiera esperado
esperes	esperases	hubieras esperado
espere	esperase	hubiera esperado
esperemos	esperásemos	hubiéramos esperado
esperéis	esperaseis	hubierais esperado
esperen	esperasen	hubieran esperado
Imperf.	*Pres. Perf.*	*Pluperf.*
esperara	haya esperado	hubiese esperado
esperaras	hayas esperado	hubieses esperado
esperara	haya esperado	hubiese esperado
esperáramos	hayamos esperado	hubiésemos esperado
esperarais	hayáis esperado	hubieseis esperado
esperaran	hayan esperado	hubiesen esperado

CONDITIONAL		IMPERATIVE
Simple	*Cond. Perf.*	
esperaría	habría esperado	
esperarías	habrías esperado	espera; no esperes
esperaría	habría esperado	espere
esperaríamos	habríamos esperado	esperemos
esperaríais	habríais esperado	esperad; no esperéis
esperarían	habrían esperado	esperen

CONJUGATED SAME AS ABOVE
desesperar: to despair, lose hope

Pres. Part.: esquiando
Past Part.: esquiado

esquiar: to ski

INDICATIVE

Pres.	*Fut.*	*Past Ant.*
esquío	esquiaré	hube esquiado
esquías	esquiarás	hubiste esquiado
esquía	esquiará	hubo esquiado
esquiamos	esquiaremos	hubimos esquiado
esquiáis	esquiaréis	hubisteis esquiado
esquían	esquiarán	hubieron esquiado
Imperf.	*Pres. Perf.*	*Fut. Perf.*
esquiaba	he esquiado	habré esquiado
esquiabas	has esquiado	habrás esquiado
esquiaba	ha esquiado	habrá esquiado
esquiábamos	hemos esquiado	habremos esquiado
esquiabais	habéis esquiado	habréis esquiado
esquiaban	han esquiado	habrán esquiado
Pret.	*Pluperf.*	
esquié	había esquiado	
esquiaste	habías esquiado	
esquió	había esquiado	
esquiamos	habíamos esquiado	
esquiasteis	habíais esquiado	
esquiaron	habían esquiado	

SUBJUNCTIVE

Pres.	*Imperf.*	*Pluperf.*
esquíe	esquiase	hubiera esquiado
esquíes	esquiases	hubieras esquiado
esquíe	esquiase	hubiera esquiado
esquiemos	esquiásemos	hubiéramos esquiado
esquiéis	esquiaseis	hubierais esquiado
esquíen	esquiasen	hubieran esquiado
Imperf.	*Pres. Perf.*	*Pluperf.*
esquiara	haya esquiado	hubiese esquiado
esquiaras	hayas esquiado	hubieses esquiado
esquiara	haya esquiado	hubiese esquiado
esquiáramos	hayamos esquiado	hubiésemos esquiado
esquiarais	hayáis esquiado	hubieseis esquiado
esquiaran	hayan esquiado	hubiesen esquiado

CONDITIONAL		IMPERATIVE
Simple	*Cond. Perf.*	
esquiaría	habría esquiado	
esquiarías	habrías esquiado	esquía; no esquíes
esquiaría	habría esquiado	esquíe
esquiaríamos	habríamos esquiado	esquiemos
esquiaríais	habríais esquiado	esquiad; no esquiéis
esquiarían	habrían esquiado	esquíen

CONJUGATED SAME AS ABOVE
malcriar: to spoil (a child)
variar: to change, shift, alter, deviate

estar

Pres. Part.: estando **estar: to be**
Past Part.: estado

INDICATIVE

Pres.	*Fut.*	*Past Ant.*
estoy	estaré	hube estado
estás	estarás	hubiste estado
está	estará	hubo estado
estamos	estaremos	hubimos estado
estáis	estaréis	hubisteis estado
están	estarán	hubieron estado
Imperf.	*Pres. Perf.*	*Fut. Perf.*
estaba	he estado	habré estado
estabas	has estado	habrás estado
estaba	ha estado	habrá estado
estábamos	hemos estado	habremos estado
estabais	habéis estado	habréis estado
estaban	han estado	habrán estado
Pret.	*Pluperf.*	
estuve	había estado	
estuviste	habías estado	
estuvo	había estado	
estuvimos	habíamos estado	
estuvisteis	habíais estado	
estuvieron	habían estado	

SUBJUNCTIVE

Pres.	*Imperf.*	*Pluperf.*
esté	estuviese	hubiera estado
estés	estuvieses	hubieras estado
esté	estuviese	hubiera estado
estemos	estuviésemos	hubiéramos estado
estéis	estuvieseis	hubierais estado
estén	estuviesen	hubieran estado
Imperf.	*Pres. Perf.*	*Pluperf.*
estuviera	haya estado	hubiese estado
estuvieras	hayas estado	hubieses estado
estuviera	haya estado	hubiese estado
estuviéramos	hayamos estado	hubiésemos estado
estuvierais	hayáis estado	hubieseis estado
estuvieran	hayan estado	hubiesen estado

CONDITIONAL		IMPERATIVE
Simple	*Cond. Perf.*	
estaría	habría estado	
estarías	habrías estado	está; no estés
estaría	habría estado	esté
estaríamos	habríamos estado	estemos
estaríais	habríais estado	estad; no estéis
estarían	habrían estado	estén

Pres. Part.: estudiando
Past Part.: estudiado

estudiar: to study

INDICATIVE

Pres.	*Fut.*	*Past Ant.*
estudio	estudiaré	hube estudiado
estudias	estudiarás	hubiste estudiado
estudia	estudiará	hubo estudiado
estudiamos	estudiaremos	hubimos estudiado
estudiáis	estudiaréis	hubisteis estudiado
estudian	estudiarán	hubieron estudiado
Imperf.	*Pres. Perf.*	*Fut. Perf.*
estudiaba	he estudiado	habré estudiado
estudiabas	has estudiado	habrás estudiado
estudiaba	ha estudiado	habrá estudiado
estudiábamos	hemos estudiado	habremos estudiado
estudiabais	habéis estudiado	habréis estudiado
estudiaban	han estudiado	habrán estudiado
Pret.	*Pluperf.*	
estudié	había estudiado	
estudiaste	habías estudiado	
estudió	había estudiado	
estudiamos	habíamos estudiado	
estudiasteis	habíais estudiado	
estudiaron	habían estudiado	

SUBJUNCTIVE

Pres.	*Imperf.*	*Pluperf.*
estudie	estudiase	hubiera estudiado
estudies	estudiases	hubieras estudiado
estudie	estudiase	hubiera estudiado
estudiemos	estudiásemos	hubiéramos estudiado
estudiéis	estudiaseis	hubierais estudiado
estudien	estudiasen	hubieran estudiado
Imperf.	*Pres. Perf.*	*Pluperf.*
estudiara	haya estudiado	hubiese estudiado
estudiaras	hayas estudiado	hubieses estudiado
estudiara	haya estudiado	hubiese estudiado
estudiáramos	hayamos estudiado	hubiésemos estudiado
estudiarais	hayáis estudiado	hubieseis estudiado
estudiaran	hayan estudiado	hubiesen estudiado

CONDITIONAL		IMPERATIVE
Simple	*Cond. Perf.*	
estudiaría	habría estudiado	
estudiarías	habrías estudiado	estudia; no estudies
estudiaría	habría estudiado	estudie
estudiaríamos	habríamos estudiado	estudiemos
estudiaríais	habríais estudiado	estudiad; no estudiéis
estudiarían	habrían estudiado	estudien

exigir

Pres. Part.: exigiendo
Past Part.: exigido

exigir: to demand

INDICATIVE

Pres.	*Fut.*	*Past Ant.*
exijo	exigiré	hube exigido
exijes	exigirás	hubiste exigido
exije	exigirá	hubo exigido
exigimos	exigiremos	hubimos exigido
exigís	exigiréis	hubisteis exigido
exigen	exigirán	hubieran exigido
Imperf.	*Pres. Perf.*	*Fut. Perf.*
exigía	he exigido	habré exigido
exigías	has exigido	habrás exigido
exigía	ha exigido	habrá exigido
exigíamos	hemos exigido	habremos exigido
exigíais	habéis exigido	habréis exigido
exigían	han exigido	habrán exigido
Pret.	*Pluperf.*	
exigí	había exigido	
exigiste	habías exigido	
exigió	había exigido	
exigimos	habíamos exigido	
exigisteis	habíais exigido	
exigieron	habían exigido	

SUBJUNCTIVE

Pres.	*Imperf.*	*Pluperf.*
exija	exigiese	hubiera exigido
exijas	exigieses	hubieras exigido
exija	exigiese	hubiera exigido
exijamos	exigiésemos	hubiéramos exigido
exijáis	exigieseis	hubierais exigido
exijan	exigiesen	hubieran exigido
Imperf.	*Pres. Perf.*	*Pluperf.*
exigiera	haya exigido	hubiese exigido
exigieras	hayas exigido	hubieses exigido
exigiera	haya exigido	hubiese exigido
exigiéramos	hayamos exigido	hubiésemos exigido
exigierais	hayáis exigido	hubieseis exigido
exigieran	hayan exigido	hubiesen exigido

CONDITIONAL		IMPERATIVE
Simple	*Cond. Perf.*	
exigiría	habría exigido	
exigirías	habrías exigido	exige; no exijas
exigiría	habría exigido	exija
exigiríamos	habríamos exigido	exijamos
exigiríais	habríais exigido	exigid; no exijáis
exigirían	habrían exigido	exijan

CONJUGATED SAME AS ABOVE
dirigir: to direct

Pres. Part.: explicando
Past Part.: explicado

explicar: to explain

INDICATIVE

Pres.
explico
explicas
explica
explicamos
explicáis
explican

Imperf.
explicaba
explicabas
explicaba
explicábamos
explicabais
explicaban

Pret.
expliqué
explicaste
explicó
explicamos
explicasteis
explicaron

Fut.
explicaré
explicarás
explicará
explicaremos
explicaréis
explicarán

Pres. Perf.
he explicado
has explicado
ha explicado
hemos explicado
habéis explicado
han explicado

Pluperf.
había explicado
habías explicado
había explicado
habíamos explicado
habíais explicado
habían explicado

Past Ant.
hube explicado
hubiste explicado
hubo explicado
hubimos explicado
hubisteis explicado
hubieron explicado

Fut. Perf.
habré explicado
habrás explicado
habrá explicado
habremos explicado
habréis explicado
habrán explicado

SUBJUNCTIVE

Pres.
explique
expliques
explique
expliquemos
expliquéis
expliquen

Imperf.
explicara
explicaras
explicara
explicáramos
explicarais
explicaran

Imperf.
explicase
explicases
explicase
explicásemos
explicaseis
explicasen

Pres. Perf.
haya explicado
hayas explicado
haya explicado
hayamos explicado
hayáis explicado
hayan explicado

Pluperf.
hubiera explicado
hubieras explicado
hubiera explicado
hubiéramos explicado
hubierais explicado
hubieran explicado

Pluperf.
hubiese explicado
hubieses explicado
hubiese explicado
hubiésemos explicado
hubieseis explicado
hubiesen explicado

CONDITIONAL

Simple
explicaría
explicarías
explicaría
explicaríamos
explicaríais
explicarían

Cond. Perf.
habría explicado
habrías explicado
habría explicado
habríamos explicado
habríais explicado
habrían explicado

IMPERATIVE

explica; no expliques
explique
expliquemos
explicad; no expliquéis
expliquen

CONJUGATED SAME AS ABOVE
implicar: to implicate, involve

fabricar

Pres. Part.: fabricando **fabricar: to fabricate**
Past Part.: fabricado

INDICATIVE

Pres.	*Fut.*	*Past Ant.*
fabrico	fabricaré	hube fabricado
fabricas	fabricarás	hubiste fabricado
fabrica	fabricará	hubo fabricado
fabricamos	fabricaremos	hubimos fabricado
fabricáis	fabricaréis	hubisteis fabricado
fabrican	fabricarán	hubieron fabricado
Imperf.	*Pres. Perf.*	*Fut. Perf.*
fabricaba	he fabricado	habré fabricado
fabricabas	has fabricado	habrás fabricado
fabricaba	ha fabricado	habrá fabricado
fabricábamos	hemos fabricado	habremos fabricado
fabricabais	habéis fabricado	habréis fabricado
fabricaban	han fabricado	habrán fabricado
Pret.	*Pluperf.*	
fabriqué	había fabricado	
fabricaste	habías fabricado	
fabricó	había fabricado	
fabricamos	habíamos fabricado	
fabricasteis	habíais fabricado	
fabricaron	habían fabricado	

SUBJUNCTIVE

Pres.	*Imperf.*	*Pluperf.*
fabrique	fabricase	hubiera fabricado
fabriques	fabricases	hubieras fabricado
fabrique	fabricase	hubiera fabricado
fabriquemos	fabricásemos	hubiéramos fabricado
fabriquéis	fabricaseis	hubierais fabricado
fabriquen	fabricasen	hubieran fabricado
Imperf.	*Pres. Perf.*	*Pluperf.*
fabricara	haya fabricado	hubiese fabricado
fabricaras	hayas fabricado	hubieses fabricado
fabricara	haya fabricado	hubiese fabricado
fabricáramos	hayamos fabricado	hubiésemos fabricado
fabricarais	hayáis fabricado	hubieseis fabricado
fabricaran	hayan fabricado	hubiesen fabricado

CONDITIONAL		IMPERATIVE
Simple	*Cond. Perf.*	
fabricaría	habría fabricado	
fabricarías	habrías fabricado	fabrica; no fabriques
fabricaría	habría fabricado	fabrique
fabricaríamos	habríamos fabricado	fabriquemos
fabricaríais	habríais fabricado	fabricad; no fabriquéis
fabricarían	habrían fabricado	fabriquen

CONJUGATED SAME AS ABOVE
prefabricar: to prefabricate

Pres. Part.: felicitando
Past Part.: felicitado

felicitar: to congratulate

INDICATIVE

Pres.
felicito
felicitas
felicita
felicitamos
felicitáis
felicitan

Imperf.
felicitaba
felicitabas
felicitaba
felicitábamos
felicitabais
felicitaban

Pret.
felicité
felicitaste
felicitó
felicitamos
felicitasteis
felicitaron

Fut.
felicitaré
felicitarás
felicitará
felicitaremos
felicitaréis
felicitarán

Pres. Perf.
he felicitado
has felicitado
ha felicitado
hemos felicitado
habéis felicitado
han felicitado

Pluperf.
había felicitado
habías felicitado
había felicitado
habíamos felicitado
habíais felicitado
habían felicitado

Past Ant.
hube felicitado
hubiste felicitado
hubo felicitado
hubimos felicitado
hubisteis felicitado
hubieron felicitado

Fut. Perf.
habré felicitado
habrás felicitado
habrá felicitado
habremos felicitado
habréis felicitado
habrán felicitado

SUBJUNCTIVE

Pres.
felicite
felicites
felicite
felicitemos
felicitéis
feliciten

Imperf.
felicitara
felicitaras
felicitara
felicitáramos
felicitarais
felicitaran

Imperf.
felicitase
felicitases
felicitase
felicitásemos
felicitaseis
felicitasen

Pres. Perf.
haya felicitado
hayas felicitado
haya felicitado
hayamos felicitado
hayáis felicitado
hayan felicitado

Pluperf.
hubiera felicitado
hubieras felicitado
hubiera felicitado
hubiéramos felicitado
hubierais felicitado
hubieran felicitado

Pluperf.
hubiese felicitado
hubieses felicitado
hubiese felicitado
hubiésemos felicitado
hubieseis felicitado
hubiesen felicitado

CONDITIONAL

Simple
felicitaría
felicitarías
felicitaría
felicitaríamos
felicitaríais
felicitarían

Cond. Perf.
habría felicitado
habrías felicitado
habría felicitado
habríamos felicitado
habríais felicitado
habrían felicitado

IMPERATIVE

felicita; no felicites
felicite
felicitemos
felicitad; no felicitéis
feliciten

firmar

Pres. Part.: firmando **firmar: to sign**
Past Part.: firmado

INDICATIVE

Pres.	*Fut.*	*Past Ant.*
firmo	firmaré	hube firmado
firmas	firmarás	hubiste firmado
firma	firmará	hubo firmado
firmamos	firmaremos	hubimos firmado
firmáis	firmaréis	hubisteis firmado
firman	firmarán	hubieron firmado
Imperf.	*Pres. Perf.*	*Fut. Perf.*
firmaba	he firmado	habré firmado
firmabas	has firmado	habrás firmado
firmaba	ha firmado	habrá firmado
firmábamos	hemos firmado	habremos firmado
firmabais	habéis firmado	habréis firmado
firmaban	han firmado	habrán firmado
Pret.	*Pluperf.*	
firmé	había firmado	
firmaste	habías firmado	
firmó	había firmado	
firmamos	habíamos firmado	
firmasteis	habíais firmado	
firmaron	habían firmado	

SUBJUNCTIVE

Pres.	*Imperf.*	*Pluperf.*
firme	firmase	hubiera firmado
firmes	firmases	hubieras firmado
firme	firmase	hubiera firmado
firmemos	firmásemos	hubiéramos firmado
firméis	firmaseis	hubierais firmado
firmen	firmasen	hubieran firmado
Imperf.	*Pres. Perf.*	*Pluperf.*
firmara	haya firmado	hubiese firmado
firmaras	hayas firmado	hubieses firmado
firmara	haya firmado	hubiese firmado
firmáramos	hayamos firmado	hubiésemos firmado
firmarais	hayáis firmado	hubieseis firmado
firmaran	hayan firmado	hubiesen firmado

CONDITIONAL		IMPERATIVE
Simple	*Cond. Perf.*	
firmaría	habría firmado	
firmarías	habrías firmado	firma; no firmes
firmaría	habría firmado	firme
firmaríamos	habríamos firmado	firmemos
firmaríais	habríais firmado	firmad; no firméis
firmarían	habrían firmado	firmen

CONJUGATED SAME AS ABOVE
confirmar: to confirm

Pres. Part.: fregando
Past Part.: fregado

fregar: to scrub; to wash (dishes)

INDICATIVE

Pres.	*Fut.*	*Past Ant.*
friego	fregaré	hube fregado
friegas	fregarés	hubiste fregado
friega	fregará	hubo fregado
fregamos	fregaremos	hubimos fregado
fregáis	fregaréis	hubisteis fregado
friegan	fregarán	hubieron fregado
Imperf.	*Pres. Perf.*	*Fut. Perf.*
fregaba	he fregado	habré fregado
fregabas	has fregado	habrás fregado
fregaba	ha fregado	habrá fregado
fregábamos	hemos fregado	habremos fregado
fregabais	habéis fregado	habréis fregado
fregaban	han fregado	habrán fregado
Pret.	*Pluperf.*	
fregué	había fregado	
fregaste	habías fregado	
fregó	había fregado	
fregamos	habíamos fregado	
fregasteis	habíais fregado	
fregaron	habían fregado	

SUBJUNCTIVE

Pres.	*Imperf.*	*Pluperf.*
friegue	fregase	hubiera fregado
friegues	fregases	hubieras fregado
friegue	fregase	hubiera fregado
freguemos	fregásemos	hubiéramos fregado
freguéis	fregaseis	hubierais fregado
frieguen	fregasen	hubieran fregado
Imperf.	*Pres. Perf.*	*Pluperf.*
fregara	haya fregado	hubiese fregado
fregaras	hayas fregado	hubieses fregado
fregara	haya fregado	hubiese fregado
fregáramos	hayamos fregado	hubiésemos fregado
fregarais	hayáis fregado	hubieseis fregado
fregaran	hayan fregado	hubiesen fregado

CONDITIONAL / IMPERATIVE

Simple	*Cond. Perf.*	IMPERATIVE
fregaría	habría fregado	
fregarías	habrías fregado	friega; no friegues
fregaría	habría fregado	friegue
fregaríamos	habríamos fregado	freguemos
fregaríais	habríais fregado	fregad; no freguéis
fregarían	habrían fregado	frieguen

CONJUGATED SAME AS ABOVE

refregar: to rub

fumar

Pres. Part.: fumando
Past Part.: fumado

fumar: to smoke

INDICATIVE

Pres.	*Fut.*	*Past Ant.*
fumo	fumaré	hube fumado
fumas	fumarás	hubiste fumado
fuma	humará	hubo fumado
fumamos	fumaremos	hubimos fumado
fumáis	fumaréis	hubisteis fumado
fuman	fumarán	hubieron fumado
Imperf.	*Pres. Perf.*	*Fut. Perf.*
fumaba	he fumado	habré fumado
fumabas	has fumado	habrás fumado
fumaba	ha fumado	habrá fumado
fumábamos	hemos fumado	habremos fumado
fumabais	habéis fumado	habréis fumado
fumaban	han fumado	habrán fumado
Pret.	*Pluperf.*	
fumé	había fumado	
fumaste	habías fumado	
fumó	había fumado	
fumamos	habíamos fumado	
fumasteis	habíais fumado	
fumaron	habían fumado	

SUBJUNCTIVE

Pres.	*Imperf.*	*Pluperf.*
fume	fumase	hubiera fumado
fumes	fumases	hubieras fumado
fume	fumase	hubiera fumado
fumemos	fumásemos	hubiéramos fumado
fuméis	fumaseis	hubierais fumado
fumen	fumasen	hubieran fumado
Imperf.	*Pres. Perf.*	*Pluperf.*
fumara	haya fumado	hubiese fumado
fumaras	hayas fumado	hubieses fumado
fumara	haya fumado	hubiese fumado
fumáramos	hayamos fumado	hubiésemos fumado
fumarais	hayáis fumado	hubieseis fumado
fumaran	hayan fumado	hubiesen fumado

CONDITIONAL		IMPERATIVE
Simple	*Cond. Perf.*	
fumaría	habría fumado	
fumarías	habrías fumado	fuma; no fumes
fumaría	habría fumado	fume
fumaríamos	habríamos fumado	fumemos
fumaríais	habríais fumado	fumad; no fuméis
fumarían	habrían fumado	fumen

Pres. Part.: funcionando
Past Part.: funcionado

funcionar: to function (machinery)

INDICATIVE

Pres.
funciono
funcionas
funciona
funcionamos
funcionáis
funcionan

Imperf.
funcionaba
funcionabas
funcionaba
funcionábamos
funcionabais
funcionaban

Pret.
funcioné
funcionaste
funcionó
funcionamos
funcionasteis
funcionaron

Fut.
funcionaré
funcionarás
funcionará
funcionaremos
funcionaréis
funcionarán

Pres. Perf.
he funcionado
has funcionado
ha funcionado
hemos funcionado
habéis funcionado
han funcionado

Pluperf.
había funcionado
habías funcionado
había funcionado
habíamos funcionado
habíais funcionado
habían funcionado

Past Ant.
hube funcionado
hubiste funcionado
hubo funcionado
hubimos funcionado
hubisteis funcionado
hubieron funcionado

Fut. Perf.
habré funcionado
habrás funcionado
habrá funcionado
habremos funcionado
habréis funcionado
habrán funcionado

SUBJUNCTIVE

Pres.
funcione
funciones
funcione
funcionemos
funcionéis
funcionen

Imperf.
funcionara
funcionaras
funcionara
funcionáramos
funcionarais
funcionaran

Imperf.
funcionase
funcionases
funcionase
funcionásemos
funcionaseis
funcionasen

Pres. Perf.
haya funcionado
hayas funcionado
haya funcionado
hayamos funcionado
hayáis funcionado
hayan funcionado

Pluperf.
hubiera funcionado
hubieras funcionado
hubiera funcionado
hubiéramos funcionado
hubierais funcionado
hubieran funcionado

Pluperf.
hubiese funcionado
hubieses funcionado
hubiese funcionado
hubiésemos funcionado
hubieseis funcionado
hubiesen funcionado

CONDITIONAL

Simple
funcionaría
funcionarías
funcionaría
funcionaríamos
funcionaríais
funcionarían

Cond. Perf.
habría funcionado
habrías funcionado
habría funcionado
habríamos funcionado
habríais funcionado
habrían funcionado

IMPERATIVE

funciona; no funciones
funcione
funcionemos
funcionad; no funcionéis
funcionen

ganar

Pres. Part.: ganando **ganar: to win; to earn**
Past Part.: ganado

INDICATIVE

Pres.	*Fut.*	*Past Ant.*
gano	ganaré	hube ganado
ganas	ganarás	hubiste ganado
gana	ganará	hubo ganado
ganamos	ganaremos	hubimos ganado
ganáis	ganaréis	hubisteis ganado
ganan	ganarán	hubieron ganado
Imperf.	*Pres. Perf.*	*Fut. Perf.*
ganaba	he ganado	habré ganado
ganabas	has ganado	habrás ganado
ganaba	ha ganado	habrá ganado
ganábamos	hemos ganado	habremos ganado
ganabais	habéis ganado	habréis ganado
ganaban	han ganado	habrán ganado
Pret.	*Pluperf.*	
gané	había ganado	
ganaste	habías ganado	
ganó	había ganado	
ganamos	habíamos ganado	
ganasteis	habíais ganado	
ganaron	habían ganado	

SUBJUNCTIVE

Pres.	*Imperf.*	*Pluperf.*
gane	ganase	hubiera ganado
ganes	ganases	hubieras ganado
gane	ganase	hubiera ganado
ganemos	ganásemos	hubiéramos ganado
ganéis	ganaseis	hubierais ganado
ganen	ganasen	hubieran ganado
Imperf.	*Pres. Perf.*	*Pluperf.*
ganara	haya ganado	hubiese ganado
ganaras	hayas ganado	hubieses ganado
ganara	haya ganado	hubiese ganado
ganáramos	hayamos ganado	hubiésemos ganado
ganarais	hayáis ganado	hubieseis ganado
ganaran	hayan ganado	hubiesen ganado

CONDITIONAL / IMPERATIVE

Simple	*Cond. Perf.*	IMPERATIVE
ganaría	habría ganado	
ganarías	habrías ganado	gana; no ganes
ganaría	habría ganado	gane
ganaríamos	habríamos ganado	ganemos
ganaríais	habríais ganado	ganad; no ganéis
ganarían	habrían ganado	ganen

CONJUGATED SAME AS ABOVE

desganar: to dissuade
desganarse: to be bored; to lose the appetite

gastar

Pres. Part.: gastando
Past Part.: gastado

gastar: to spend; to wear out

INDICATIVE

Pres.
gasto
gastas
gasta
gastamos
gastáis
gastan

Imperf.
gastaba
gastabas
gastaba
gastábamos
gastabais
gastaban

Pret.
gasté
gastaste
gastó
gastamos
gasteis
gastaron

Fut.
gastaré
gastarás
gastará
gastaremos
gastaréis
gastarán

Pres. Perf.
he gastado
has gastado
ha gastado
hemos gastado
habéis gastado
han gastado

Pluperf.
había gastado
habías gastado
había gastado
habíamos gastado
habíais gastado
habían gastado

Past Ant.
hube gastado
hubiste gastado
hubo gastado
hubimos gastado
hubisteis gastado
hubieron gastado

Fut. Perf.
habré gastado
habrás gastado
habrá gastado
habremos gastado
habréis gastado
habrán gastado

SUBJUNCTIVE

Pres.
gaste
gastes
gaste
gastemos
gastéis
gasten

Imperf.
gastara
gastaras
gastara
gastáramos
gastarais
gastaran

Imperf.
gastase
gastases
gastase
gastásemos
gastaseis
gastasen

Pres. Perf.
haya gastado
hayas gastado
haya gastado
hayamos gastado
hayáis gastado
hayan gastado

Pluperf.
hubiera gastado
hubieras gastado
hubiera gastado
hubiéramos gastado
hubierais gastado
hubieran gastado

Pluperf.
hubiese gastado
hubieses gastado
hubiese gastado
hubiésemos gastado
hubieseis gastado
hubiesen gastado

CONDITIONAL

Simple
gastaría
gastarías
gastaría
gastaríamos
gastaríais
gastarían

Cond Perf.
habría gastado
habrías gastado
habría gastado
habríamos gastado
habríais gastado
habrían gastado

IMPERATIVE

gasta; no gastes
gaste
gastemos
gastad; no gastéis
gasten

CONJUGATED SAME AS ABOVE

malgastar: to misspend, squander, waste

gritar

Pres. Part.: gritando
Past Part.: gritado

gritar: to scream

INDICATIVE

Pres.	*Fut.*	*Past Ant.*
grito	gritaré	hube gritado
gritas	gritarás	hubiste gritado
grita	gritará	hubo gritado
gritamos	gritaremos	hubimos gritado
gritáis	gritaréis	hubisteis gritado
gritan	gritarán	hubieron gritado
Imperf.	*Pres. Perf.*	*Fut. Perf.*
gritaba	he gritado	habré gritado
gritabas	has gritado	habrás gritado
gritaba	ha gritado	habrá gritado
gritábamos	hemos gritado	habremos gritado
gritabais	habéis gritado	habréis gritado
gritaban	han gritado	habrán gritado
Pret.	*Pluperf.*	
grité	había gritado	
gritaste	habías gritado	
gritó	había gritado	
gritamos	habíamos gritado	
gritasteis	habíais gritado	
gritaron	habían gritado	

SUBJUNCTIVE

Pres.	*Imperf.*	*Pluperf.*
grite	gritase	hubiera gritado
grites	gritases	hubieras gritado
grite	gritase	hubiera gritado
gritemos	gritásemos	hubiéramos gritado
gritéis	gritaseis	hubierais gritado
griten	gritasen	hubieran gritado
Imperf.	*Pres. Perf.*	*Pluperf.*
gritara	haya gritado	hubiese gritado
gritaras	hayas gritado	hubieses gritado
gritara	haya gritado	hubiese gritado
gritáramos	hayamos gritado	hubiésemos gritado
gritarais	hayáis gritado	hubieseis gritado
gritaran	hayan gritado	hubiesen gritado

CONDITIONAL / IMPERATIVE

Simple	*Cond. Perf.*	IMPERATIVE
gritaría	habría gritado	
gritarías	habrías gritado	grita; no grites
gritaría	habría gritado	grite
gritaríamos	habríamos gritado	gritemos
gritaríais	habríais gritado	gritad; no gritéis
gritarían	habrían gritado	griten

gustar

Pres. Part.: gustando
Past Part.: gustado

gustar: to taste; to be liked

INDICATIVE

Pres.	*Fut.*	*Past Ant.*
gusto	gustaré	hube gustado
gustas	gustarás	hubiste gustado
gusta	gustará	hubo gustado
gustamos	gustaremos	hubimos gustado
gustáis	gustaréis	hubisteis gustado
gustan	gustarán	hubieron gustado
Imperf.	*Pres. Perf.*	*Fut. Perf.*
gustaba	he gustado	habré gustado
gustabas	has gustado	habrás gustado
gustaba	ha gustado	habrá gustado
gustábamos	hemos gustado	habremos gustado
gustabais	habéis gustado	habréis gustado
gustaban	han gustado	habrán gustado
Pret.	*Pluperf.*	
gusté	había gustado	
gustaste	habías gustado	
gustó	había gustado	
gustamos	habíamos gustado	
gustasteis	habíais gustado	
gustaron	habían gustado	

SUBJUNCTIVE

Pres.	*Imperf.*	*Pluperf.*
guste	gustase	hubiera gustado
gustes	gustases	hubieras gustado
guste	gustase	hubiera gustado
gustemos	gustásemos	hubiéramos gustado
gustéis	gustaseis	hubierais gustado
gusten	gustasen	hubieran gustado
Imperf.	*Pres. Perf.*	*Pluperf.*
gustara	haya gustado	hubiese gustado
gustaras	hayas gustado	hubieses gustado
gustara	haya gustado	hubiese gustado
gustáramos	hayamos gustado	hubiésemos gustado
gustarais	hayáis gustado	hubieseis gustado
gustaran	hayan gustado	hubiesen gustado

CONDITIONAL		IMPERATIVE
Simple	*Cond. Perf.*	
gustaría	habría gustado	
gustarías	habrías gustado	gusta; no gustes
gustaría	habría gustado	guste
gustaríamos	habríamos gustado	gustemos
gustaríais	habríais gustado	gustad; no gustéis
gustarían	habrían gustado	gusten

haber

Pres. Part.: habiendo **haber: to have**
Past Part.: habido **auxiliary verb use: to make compound tenses**

INDICATIVE

Pres.	*Fut.*	*Past Ant.*
he	habré	hube habido
has	habrás	hubiste habido
ha	habrá	hubo habido
hemos	habremos	hubimos habido
habéis	habréis	hubisteis habido
han	habrán	hubieron habido
Imperf.	*Pres. Perf.*	*Fut. Perf.*
había	he habido	habré habido
habías	has habido	habrás habido
había	ha habido	habrá habido
habíamos	hemos habido	habremos habido
habíais	habéis habido	habréis habido
habían	han habido	habrán habido
Pret.	*Pluperf.*	
hube	había habido	
hubiste	habías habido	
hubo	había habido	
hubimos	habíamos habido	
hubisteis	habíais habido	
hubieron	habían habido	

SUBJUNCTIVE

Pres.	*Imperf.*	*Pluperf.*
haya	hubiese	hubiera habido
hayas	hubieses	hubieras habido
haya	hubiese	hubiera habido
hayamos	hubiésemos	hubiéramos habido
hayáis	hubieseis	hubierais habido
hayan	hubiesen	hubieran habido
Imperf.	*Pres. Perf.*	*Pluperf.*
hubiera	haya habido	hubiese habido
hubieras	hayas habido	hubieses habido
hubiera	haya habido	hubiese habido
hubiéramos	hayamos habido	hubiésemos habido
hubierais	hayáis habido	hubieseis habido
hubieran	hayan habido	hubiesen habido

CONDITIONAL / IMPERATIVE

Simple	*Cond. Perf.*	IMPERATIVE
habría	habría habido	
habrías	habrías habido	he; no hayas
habría	habría habido	haya
habríamos	habríamos habido	hayamos
habríais	habríais habido	habed; no hayáis
habrían	habrían habido	hayan

Pres. Part.: hablando
Past Part.: hablado

hablar: to speak

INDICATIVE

Pres.
hablo
hablas
habla
hablamos
habláis
hablan

Imperf.
hablaba
hablabas
hablaba
hablábamos
hablabais
hablaban

Pret.
hablé
hablaste
habló
hablamos
hablasteis
hablaron

Fut.
hablaré
hablarás
hablará
hablaremos
hablaréis
hablarán

Pres. Perf.
he hablado
has hablado
ha hablado
hemos hablado
habéis hablado
han hablado

Pluperf.
había hablado
habías hablado
había hablado
habíamos hablado
habíais hablado
habían hablado

Past Ant.
hube hablado
hubiste hablado
hubo hablado
hubimos hablado
hubisteis hablado
hubieron hablado

Fut. Perf.
habré hablado
habrás hablado
habrá hablado
habremos hablado
habréis hablado
habrán hablado

SUBJUNCTIVE

Pres.
hable
hables
hable
hablemos
habléis
hablen

Imperf.
hablara
hablaras
hablara
habláramos
hablarais
hablaran

Imperf.
hablase
hablases
hablase
hablásemos
hablaseis
hablasen

Pres. Perf.
haya hablado
hayas hablado
haya hablado
hayamos hablado
hayáis hablado
hayan hablado

Pluperf.
hubiera hablado
hubieras hablado
hubiera hablado
hubiéramos hablado
hubierais hablado
hubieran hablado

Pluperf.
hubiese hablado
hubieses hablado
hubiese hablado
hubiésemos hablado
hubieseis hablado
hubiesen hablado

CONDITIONAL

Simple
hablaría
hablarías
hablaría
hablaríamos
hablaríais
hablarían

Cond. Perf.
habría hablado
habrías hablado
habría hablado
habríamos hablado
habríais hablado
habrían hablado

IMPERATIVE

habla; no hables
hable
hablemos
hablad; no habléis
hablen

hacer

Pres. Part.: haciendo
Past Part.: hecho

hacer: to do; to make

INDICATIVE

Pres.	*Fut.*	*Past Ant.*
hago	haré	hube hecho
haces	harás	hubiste hecho
hace	hará	hubo hecho
hacemos	haremos	hubimos hecho
hacéis	haréis	hubisteis hecho
hacen	harán	hubieron hecho

Imperf.	*Pres. Perf.*	*Fut. Perf.*
hacía	he hecho	habré hecho
hacías	has hecho	habrás hecho
hacía	ha hecho	habrá hecho
hacíamos	hemos hecho	habremos hecho
hacíais	habéis hecho	habréis hecho
hacían	han hecho	habrán hecho

Pret.	*Pluperf.*
hice	había hecho
hiciste	habías hecho
hizo	había hecho
hicimos	habíamos hecho
hicisteis	habíais hecho
hicieron	habían hecho

SUBJUNCTIVE

Pres.	*Imperf.*	*Pluperf.*
haga	hiciese	hubiera hecho
hagas	hicieses	hubieras hecho
haga	hiciese	hubiera hecho
hagamos	hiciésemos	hubiéramos hecho
hagáis	hicieseis	hubierais hecho
hagan	hiciesen	hubieran hecho

Imperf.	*Pres. Perf.*	*Pluperf.*
hiciera	haya hecho	hubiese hecho
hicieras	hayas hecho	hubieses hecho
hiciera	haya hecho	hubiese hecho
hiciéramos	hayamos hecho	hubiésemos hecho
hicierais	hayáis hecho	hubieseis hecho
hicieran	hayan hecho	hubiesen hecho

CONDITIONAL / IMPERATIVE

Simple	*Cond. Perf.*	IMPERATIVE
haría	habría hecho	
harías	habrías hecho	haz; no hagas
haría	habría hecho	haga
haríamos	habríamos hecho	hagamos
haríais	habríais hecho	haced; no hagáis
harían	habrían hecho	hagan

CONJUGATED SAME AS ABOVE

contrahacer: to counterfeit, mimic, falsify
hacerse: to become (to make oneself)
rehacer: to redo

helar

Pres. Part.: helando
Past Part.: helado

helar: to freeze

INDICATIVE

Pres.	*Fut.*	*Past Ant.*
hiela; está helando	helará	hubo helado
Imperf.	*Pres. Perf.*	*Fut. Perf.*
helaba; estaba helando	ha helado	habrá helado
Pret.	*Pluperf.*	
heló	había helado	

SUBJUNCTIVE

Pres.	*Imperf.*	*Pluperf.*
hiele	helase	hubiera helado
Imperf.	*Pres. Perf.*	*Pluperf.*
helara	haya helado	hubiese helado

CONDITIONAL		IMPERATIVE
Simple	*Cond. Perf.*	
helaría	habría helado	que hiele

NOTE: This verb can be conjugated only in the third person.

huir

Pres. Part.: huyendo
Past Part.: huido

huir: to flee

INDICATIVE

Pres.
huyo
huyes
huye
huimos
huís
huyen

Imperf.
huía
huías
huía
huíamos
huíais
huían

Pret.
huí
huiste
huyó
huimos
huisteis
huyeron

Fut.
huiré
huirás
huirá
huiremos
huiréis
huirán

Pres. Perf.
he huido
has huido
ha huido
hemos huido
habéis huido
han huido

Pluperf.
había huido
habías huido
había huido
habíamos huido
habíais huido
habían huido

Past Ant.
hube huido
hubiste huido
hubo huido
hubimos huido
hubisteis huido
hubieron huido

Fut. Perf.
habré huido
habrás huido
habrá huido
habremos huido
habréis huido
habrán huido

SUBJUNCTIVE

Pres.
huya
huyas
huya
huyamos
huyáis
huyan

Imperf.
huyera
huyeras
huyera
huyéramos
huyerais
huyeran

Imperf.
huyese
huyeses
huyese
huyésemos
huyeseis
huyesen

Pres. Perf.
haya huido
hayas huido
haya huido
hayamos huido
hayáis huido
hayan huido

Pluperf.
hubiera huido
hubieras huido
hubiera huido
hubiéramos huido
hubierais huido
hubieran huido

Pluperf.
hubiese huido
hubieses huido
hubiese huido
hubiésemos huido
hubieseis huido
hubiesen huido

CONDITIONAL

Simple
huiría
huirías
huiría
huiríamos
huiríais
huirían

Cond. Perf.
habría huido
habrías huido
habría huido
habríamos huido
habríais huido
habrían huido

IMPERATIVE

huye; no huyas
huya
huyamos
huid; no huyáis
huyan

CONJUGATED SAME AS ABOVE
rehuir: to refuse

Pres. Part.: importando
Past Part.: importado

importar: to be important/to matter

INDICATIVE

Pres.
importo
importas
importa
importamos
importáis
importan

Imperf.
importaba
importabas
importaba
importábamos
importabais
importaban

Pret.
importé
importaste
importó
importamos
importasteis
importaron

Fut.
importaré
importarás
importará
importaremos
importaréis
importarán

Pres. Perf.
he importado
has importado
ha importado
hemos importado
habéis importado
han importado

Pluperf.
había importado
habías importado
había importado
habíamos importado
habíais importado
habían importado

Past Ant.
hube importado
hubiste importado
hubo importado
hubimos importado
hubisteis importado
hubieron importado

Fut. Perf.
habré importado
habrás importado
habrá importado
habremos importado
habréis importado
habrán importado

SUBJUNCTIVE

Pres.
importe
importes
importe
importemos
importéis
importen

Imperf.
importara
importaras
importara
importáramos
importarais
importaran

Imperf.
importase
importases
importase
importásemos
importaseis
importasen

Pres. Perf.
haya importado
hayas importado
haya importado
hayamos importado
hayáis importado
hayan importado

Pluperf.
hubiera importado
hubieras importado
hubiera importado
hubiéramos importado
hubierais importado
hubieran importado

Pluperf.
hubiese importado
hubieses importado
hubiese importado
hubiésemos importado
hubieseis importado
hubiesen importado

CONDITIONAL

Simple
importaría
importarías
importaría
importaríamos
importaríais
importarían

Cond. Perf.
habría importado
habrías importado
habría importado
habríamos importado
habríais importado
habrían importado

IMPERATIVE

importa; no importes
importe
importemos
importad; no importéis
importen

CONJUGATED SAME AS ABOVE
deportar: to banish, exile
exportar: to export

informarse

Pres. Part.: informándose **informarse: to find out**
Past Part.: informado

INDICATIVE

Pres.	*Fut.*	*Past Ant.*
me informo	me informaré	me hube informado
te informas	te informarás	te hubiste informado
se informa	se informará	se hubo informado
nos informamos	nos informaremos	nos hubimos informado
os informáis	os informaréis	os hubisteis informado
se informan	se informarán	se hubieron informado
Imperf.	*Pres. Perf.*	*Fut. Perf.*
me informaba	me he informado	me habré informado
te informabas	te has informado	te habrás informado
se informaba	se ha informado	se habrá informado
nos informábamos	nos hemos informado	nos habremos informado
os informabais	os habéis informado	os habréis informado
se informaban	se han informado	se habrán informado
Pret.	*Pluperf.*	
me informé	me había informado	
te informaste	te habías informado	
se informó	se había informado	
nos informamos	nos habíamos informado	
os informasteis	os habíais informado	
se informaron	se habían informado	

SUBJUNCTIVE

Pres.	*Imperf.*	*Pluperf.*
me informe	me informase	me hubiera informado
te informes	te informases	te hubieras informado
se informe	se informase	se hubiera informado
nos informemos	nos informásemos	nos hubiéramos informado
os informéis	os informaseis	os hubierais informado
se informen	se informasen	se hubieran informado
Imperf.	*Pres. Perf.*	*Pluperf.*
me informara	me haya informado	me hubiese informado
te informaras	te hayas informado	te hubieses informado
se informara	se haya informado	se hubiese informado
nos informáramos	nos hayamos informado	nos hubiésemos informado
os informarais	os hayáis informado	os hubieseis informado
se informaran	se hayan informado	se hubiesen informado

CONDITIONAL		IMPERATIVE
Simple	*Cond. Perf.*	
me informaría	me habría informado	
te informarías	te habrías informado	infórmate; no te informes
se informaría	se habría informado	infórmese
nos informaríamos	nos habríamos informado	informémonos
os informaríais	os habríais informado	informaos; no os informéis
se informarían	se habrían informado	infórmense

CONJUGATED SAME AS ABOVE
informar: to inform

inscribirse

Pres. Part.: inscribiéndose
Past Part.: inscrito

inscribirse: to register

INDICATIVE

Pres.
me inscribo
te inscribes
se inscribe
nos inscribimos
os inscribís
se inscriben

Imperf.
me inscribía
te inscribías
se inscribía
nos inscribíamos
os inscribíais
se inscribían

Pret.
me inscribí
te inscribiste
se inscribió
nos inscribimos
os inscribisteis
se inscribieron

Fut.
me inscribiré
te inscribirás
se inscribirá
nos inscribiremos
os inscribiréis
se inscribirán

Pres. Perf.
me he inscrito
te has inscrito
se ha inscrito
nos hemos inscrito
os habéis inscrito
se han inscrito

Pluperf.
me había inscrito
te habías inscrito
se había inscrito
nos habíamos inscrito
os habíais inscrito
se habían inscrito

Past Ant.
me hube inscrito
te hubiste inscrito
se hubo inscrito
nos hubimos inscrito
os hubisteis inscrito
se hubieron inscrito

Fut. Perf.
me habré inscrito
te habrás inscrito
se habrá inscrito
nos habremos inscrito
os habréis inscrito
se habrán inscrito

SUBJUNCTIVE

Pres.
me inscriba
te inscribas
se inscriba
nos inscribamos
os inscribáis
se inscriban

Imperf.
me inscribiera
te inscribieras
se inscribiera
nos inscribiéramos
os inscribierais
se inscribieran

Imperf.
me inscribiese
te inscribieses
se inscribiese
nos inscribiésemos
os inscribieseis
se inscribiesen

Pres. Perf.
me haya inscrito
te hayas inscrito
se haya inscrito
nos hayamos inscrito
os hayáis inscrito
se hayan inscrito

Pluperf.
me hubiera inscrito
te hubieras inscrito
se hubiera inscrito
nos hubiéramos inscrito
os hubierais inscrito
se hubieran inscrito

Pluperf.
me hubiese inscrito
te hubieses inscrito
se hubiese inscrito
nos hubiésemos inscrito
os hubieseis inscrito
se hubiesen inscrito

CONDITIONAL

Simple
me inscribiría
te inscribiriás
se inscribiriá
nos inscribiríamos
os inscribiríais
se inscribirían

Cond. Perf.
me habría inscrito
te habrías inscrito
se habría inscrito
nos habríamos inscrito
os habríais inscrito
se habrían inscrito

IMPERATIVE

inscríbete; no te inscribas
inscríbase
inscribámonos
inscribíos; no os inscribáis
inscríbanse

interesarse

Pres. Part.: interesándose
Past Part.: interesado

interesarse: to be interested in

INDICATIVE

Pres.	*Fut.*	*Past Ant.*
me intereso	me interesaré	me hube interesado
te interesas	te interesarás	te hubiste interesado
se interesa	se interesará	se hubo interesado
nos interesamos	nos interesaremos	nos hubimos interesado
os interesáis	os interesaréis	os hubisteis interesado
se interesan	se interesarán	se hubieron interesado
Imperf.	*Pres. Perf.*	*Fut. Perf.*
me interesaba	me he interesado	me habría interesado
te interesabas	te has interesado	te habrías interesado
se interesaba	se ha interesado	se habría interesado
nos interesábamos	nos hemos interesado	nos habríamos interesado
os interesabais	os habéis interesado	os habríais interesado
se interesaban	se han interesado	se habrían interesado
Pret.	*Pluperf.*	
me interesé	me había interesado	
te interesaste	te habías interesado	
se interesó	se había interesado	
nos interesamos	nos habíamos interesado	
os interesasteis	os habíais interesado	
se interesaron	se habían interesado	

SUBJUNCTIVE

Pres.	*Imperf.*	*Pluperf.*
me interese	me interesase	me hubiera interesado
te intereses	te interesases	te hubieras interesado
se interese	se interesase	se hubiera interesado
nos interesemos	nos interesásemos	nos hubiéramos interesado
os intereséis	os interesaseis	os hubierais interesado
se interesen	se interesasen	se hubieran interesado
Imperf.	*Pres. Perf.*	*Pluperf.*
me interesara	me haya interesado	me hubiese interesado
te interesaras	te hayas interesado	te hubieses interesado
se interesara	se haya interesado	se hubiese interesado
nos interesáramos	nos hayamos interesado	nos hubiésemos interesado
os interesarais	os hayáis interesado	os hubieseis interesado
se interesaran	se hayan interesado	se hubiesen interesado

Simple	*Cond. Perf.*	
me interesaría	me habría interesado	
te interesarías	te habrías interesado	interésate; no te intereses
se interesaría	se habría interesado	interes
nos interesaríamos	nos habríamos interesado	interesémonos
os interesaríais	os habríais interesado	interesaos; no os intereséis
se interesarían	se habrían interesado	interésense

CONJUGATED SAME AS ABOVE
desinteresarse: to lose interest in something
interesar: to interest

invitar

Pres. Part.: invitando
Past Part.: invitado

invitar: to invite

INDICATIVE

Pres.
invito
invitas
invita
invitamos
invitáis
invitan

Imperf.
invitaba
invitabas
invitaba
invitábamos
invitabais
invitaban

Pret.
invité
invitaste
invitó
invitamos
invitasteis
invitaron

Fut.
invitaré
invitarás
invitará
invitaremos
invitaréis
invitarán

Pres. Perf.
he invitado
has invitado
ha invitado
hemos invitado
habéis invitado
han invitado

Pluperf.
había invitado
habías invitado
había invitado
habíamos invitado
habíais invitado
habían invitado

Past Ant.
hube invitado
hubiste invitado
hubo invitado
hubimos invitado
hubisteis invitado
hubieron invitado

Fut. Perf.
habré invitado
habrás invitado
habrá invitado
habremos invitado
habréis invitado
habrán invitado

SUBJUNCTIVE

Pres.
invite
invites
invite
invitemos
invitéis
inviten

Imperf.
invitara
invitaras
invitara
invitáramos
invitarais
invitaran

Imperf.
invitase
invitases
invitase
invitásemos
invitaseis
invitasen

Pres. Perf.
haya invitado
hayas invitado
haya invitado
hayamos invitado
hayáis invitado
hayan invitado

Pluperf.
hubiera invitado
hubieras invitado
hubiera invitado
hubiéramos invitado
hubierais invitado
hubieran invitado

Pluperf.
hubiese invitado
hubieses invitado
hubiese invitado
hubiésemos invitado
hubieseis invitado
hubiesen invitado

CONDITIONAL

Simple
invitaría
invitarías
invitaría
invitaríamos
invitaríais
invitarían

Cond. Perf.
habría invitado
habrías invitado
habría invitado
habríamos invitado
habríais invitado
habrían invitado

IMPERATIVE

invita; no invites
invite
invitemos
invitad; no invitéis
inviten

CONJUGATED SAME AS ABOVE
evitar: to avoid

ir

Pres. Part.: yendo **ir: to go**
Past Part.: ido

INDICATIVE

Pres.	*Fut.*	*Past Ant.*
voy	iré	hube ido
vas	irás	hubiste ido
va	irá	hubo ido
vamos	iremos	hubimos ido
vais	ireis	hubisteis ido
van	irán	hubieron ido
Imperf.	*Pres. Perf.*	*Fut. Perf.*
iba	he ido	habré ido
ibas	has ido	habrás ido
iba	ha ido	habrá ido
íbamos	hemos ido	habremos ido
ibais	habéis ido	habréis ido
iban	han ido	habrán ido
Pret.	*Pluperf.*	
fui	había ido	
fuiste	habías ido	
fue	había ido	
fuimos	habíamos ido	
fuisteis	habíais ido	
fueron	habían ido	

SUBJUNCTIVE

Pres.	*Imperf.*	*Pluperf.*
vaya	fuese	hubiera ido
vayas	fueses	hubieras ido
vaya	fuese	hubiera ido
vayamos	fuésemos	hubiéramos ido
vayáis	fueseis	hubierais ido
vayan	fuesen	hubieran ido
Imperf.	*Pres. Perf.*	*Pluperf.*
fuera	haya ido	hubiese ido
fueras	hayas ido	hubieses ido
fuera	haya ido	hubiese ido
fuéramos	hayamos ido	hubiésemos ido
fuerais	hayáis ido	hubieseis ido
fueran	hayan ido	hubiesen ido

CONDITIONAL		IMPERATIVE
Simple	*Cond. Perf.*	
iría	habría ido	
irías	habrías ido	ve; no vayas
iría	habría ido	vaya
iríamos	habríamos ido	vayamos
iríais	habríais ido	id; no vayáis
irían	habrían ido	vayan

Pres. Part.: yéndose
Past Part.: ido

irse: to go away/go off

INDICATIVE

Pres.	*Fut.*	*Past Ant.*
me voy	me iré	me hube ido
te vas	te irás	te hubiste ido
se va	se irá	se hubo ido
nos vamos	nos iremos	nos hubimos ido
os vais	os iréis	os hubisteis ido
se van	se irán	se hubieron ido
Imperf.	*Pres. Perf.*	*Fut. Perf.*
me iba	me he ido	me habré ido
te ibas	te has ido	te habrás ido
se iba	se ha ido	se habrá ido
nos íbamos	nos hemos ido	nos habremos ido
os ibais	os habéis ido	os habréis ido
se iban	se han ido	se habrán ido
Pret.	*Pluperf.*	
me fui	me había ido	
te fuiste	te habías ido	
se fue	se había ido	
nos fuimos	nos habíamos ido	
os fuisteis	os habíais ido	
se fueron	se habían ido	

SUBJUNCTIVE

Pres.	*Imperf.*	*Pluperf.*
me vaya	me fuese	me hubiera ido
te vayas	te fueses	te hubieras ido
se vaya	se fuese	se hubiera ido
nos vayamos	nos fuésemos	nos hubiéramos ido
os vayáis	os fueseis	os hubierais ido
se vayan	se fuesen	se hubieran ido
Imperf.	*Pres. Perf.*	*Pluperf.*
me fuera	me haya ido	me hubiese ido
te fueras	te hayas ido	te hubieses ido
se fuera	se haya ido	se hubiese ido
nos fuéramos	nos hayamos ido	nos hubiésemos ido
os fuerais	os hayáis ido	os hubieseis ido
se fueran	se hayan ido	se hubiesen ido

CONDITIONAL		IMPERATIVE
Simple	*Cond. Perf.*	
me iría	me habría ido	
te irías	te habrías ido	vete; no te vayas
se iría	se habría ido	váyase
nos iríamos	nos habríamos ido	vámonos
os iríais	os habríais ido	idos; no os vayáis
se irían	se habrían ido	váyanse

jugar

Pres. Part.: jugando **jugar: to play; to gamble**
Past Part.: jugado

INDICATIVE

Pres.	*Fut.*	*Past Ant.*
juego	jugaré	hube jugado
juegas	jugarás	hubiste jugado
juega	jugará	hubo jugado
jugamos	jugaremos	hubimos jugado
jugáis	jugaréis	hubisteis jugado
juegan	jugarán	hubieron jugado
Imperf.	*Pres. Perf.*	*Fut. Perf.*
jugaba	he jugado	habré jugado
jugabas	has jugado	habrás jugado
jugaba	ha jugado	habrá jugado
jugábamos	hemos jugado	habremos jugado
jugabais	habéis jugado	habréis jugado
jugaban	han jugado	habrán jugado
Pret.	*Pluperf.*	
jugué	había jugado	
jugaste	habías jugado	
jugó	había jugado	
jugábamos	habíamos jugado	
jugasteis	habíais jugado	
jugaron	habían jugado	

SUBJUNCTIVE

Pres.	*Imperf.*	*Pluperf.*
juegue	jugase	hubiera jugado
juegues	jugases	hubieras jugado
juegue	jugase	hubiera jugado
juguemos	jugásemos	hubiéramos jugado
juguéis	jugaseis	hubierais jugado
jueguen	jugasen	hubieran jugado
Imperf.	*Pres. Perf.*	*Pluperf.*
jugara	haya jugado	hubiese jugado
jugaras	hayas jugado	hubieses jugado
jugara	haya jugado	hubiese jugado
jugarámos	hayamos jugado	hubiésemos jugado
jugarais	hayáis jugado	hubieseis jugado
jugaran	hayan jugado	hubiesen jugado

CONDITIONAL / IMPERATIVE

Simple	*Cond. Perf.*	IMPERATIVE
jugaría	habría jugado	
jugarías	habrías jugado	juega; no juegues
jugaría	habría jugado	juegue
jugáramos	habríamos jugado	juguemos
jugaríais	habríais jugado	jugad; no juguéis
jugarían	habrían jugado	jueguen

Pres. Part.: juntándose
Past Part.: juntado

juntarse: to be closely united; to copulate

INDICATIVE

Pres.
me junto
te juntas
se junta
nos juntamos
os juntáis
se juntan

Imperf.
me juntaba
te juntabas
se juntaba
nos juntábamos
os juntabais
se juntaban

Pret.
me junté
te juntaste
se juntó
nos juntamos
os juntasteis
se juntaron

Fut.
me juntaré
te juntarás
se juntará
nos juntaremos
os juntaréis
se juntarán

Pres. Perf.
me he juntado
te has juntado
se ha juntado
nos hemos juntado
os habéis juntado
se han juntado

Pluperf.
me había juntado
te habías juntado
se había juntado
nos habíamos juntado
os habíais juntado
se habían juntado

Past Ant.
me hube juntado
te hubiste juntado
se hubo juntado
nos hubimos juntado
os hubisteis juntado
se hubieron juntado

Fut. Perf.
me habré juntado
te habrás juntado
se habrá juntado
nos habremos juntado
os habréis juntado
se habrán juntado

SUBJUNCTIVE

Pres.
me junte
te juntes
se junte
nos juntemos
os juntéis
se junten

Imperf.
me juntara
te juntaras
se juntara
nos juntáramos
os juntaseis
se juntaran

Imperf.
me juntase
te juntases
se juntase
nos juntásemos
os juntaseis
se juntasen

Pres. Perf.
me haya juntado
te hayas juntado
se haya juntado
nos hayamos juntado
os hayáis juntado
se hayan juntado

Pluperf.
me hubiera juntado
te hubieras juntado
se hubiera juntado
nos hubiéramos juntado
os hubierais juntado
se hubieran juntado

Pluperf.
me hubiese juntado
te hubieses juntado
se hubiese juntado
nos hubiésemos juntado
os hubieseis juntado
se hubiesen juntado

CONDITIONAL

Simple
me juntaría
te juntarías
se juntaría
nos juntaríamos
os juntaríais
se juntarían

Cond. Perf.
me habría juntado
te habrías juntado
se habría juntado
nos habríamos juntado
os habríais juntado
se habrían juntado

IMPERATIVE

júntate; no te juntes
júntese
juntémonos
juntaos; no os juntéis
júntense

CONJUGATED SAME AS ABOVE
juntar: to join, attach, collect

juzgar

Pres. Part.: juzgando
Past Part.: juzgado

juzgar: to judge

INDICATIVE

Pres.
juzgo
juzgas
juzga
juzgamos
juzgáis
juzgan

Imperf.
juzgaba
juzgabas
juzgaba
juzgábamos
juzgabais
juzgaban

Pret.
juzgué
juzgaste
juzgó
juzgamos
juzgasteis
juzgaron

Fut.
juzgaré
juzgarás
juzgará
juzgaremos
juzgaréis
juzgarán

Pres. Perf.
he juzgado
has juzgado
ha juzgado
hemos juzgado
habéis juzgado
han juzgado

Pluperf.
había juzgado
habías juzgado
había juzgado
habíamos juzgado
habíais juzgado
habían juzgado

Past Ant.
hube juzgado
hubiste juzgado
hubo juzgado
hubimos juzgado
hubisteis juzgado
hubieron juzgado

Fut. Perf.
habré juzgado
habrás juzgado
habrá juzgado
habremos juzgado
habréis juzgado
habrán juzgado

SUBJUNCTIVE

Pres.
juzgue
juzgues
juzgue
juzguemos
juzguéis
juzguen

Imperf.
juzgara
juzgaras
juzgara
juzgáramos
juzgarais
juzgaran

Imperf.
juzgase
juzgases
juzgase
juzgásemos
juzgaseis
juzgasen

Pres. Perf.
haya juzgado
hayas juzgado
haya juzgado
hayamos juzgado
hayáis juzgado
hayan juzgado

Pluperf.
hubiera juzgado
hubieras juzgado
hubiera juzgado
hubiéramos juzgado
hubierais juzgado
hubieran juzgado

Pluperf.
hubiese juzgado
hubieses juzgado
hubiese juzgado
hubiésemos juzgado
hubieseis juzgado
hubiesen juzgado

CONDITIONAL

Simple
juzgaría
juzgarías
juzgaría
juzgaríamos
juzgaríais
juzgarían

Cond. Perf.
habría juzgado
habrías juzgado
habría juzgado
habríamos juzgado
habríais juzgado
habrían juzgado

IMPERATIVE

juzga; no juzgues
juzgue
juzguemos
juzgad; no juzguéis
juzguen

CONJUGATED SAME AS ABOVE
prejuzgar: to prejudge

Pres. Part.: lavando **lavar: to wash**
Past Part.: lavado

INDICATIVE

Pres.	*Fut.*	*Past Ant.*
lavo	lavaré	hube lavado
lavas	lavarás	hubiste lavado
lava	lavará	hubo lavado
lavamos	lavaremos	hubimos lavado
laváis	lavaréis	hubisteis lavado
lavan	lavarán	hubieron lavado
Imperf.	*Pres. Perf.*	*Fut. Perf.*
lavaba	he lavado	habré lavado
lavabas	has lavado	habrás lavado
lavaba	ha lavado	habrá lavado
lavábamos	hemos lavado	habremos lavado
lavabais	habéis lavado	habréis lavado
lavaban	han lavado	habrán lavado
Pret.	*Pluperf.*	
lavé	había lavado	
lavaste	habías lavado	
lavó	había lavado	
lavamos	habíamos lavado	
lavasteis	habíais lavado	
lavaron	habían lavado	

SUBJUNCTIVE

Pres.	*Imperf.*	*Pluperf.*
lave	lavase	hubiera lavado
laves	lavases	hubieras lavado
lave	lavase	hubiera lavado
lavemos	lavásemos	hubiéramos lavado
lavéis	lavaseis	hubierais lavado
laven	lavasen	hubieran lavado
Imperf.	*Pres. Perf.*	*Pluperf.*
lavara	haya lavado	hubiese lavado
lavaras	hayas lavado	hubieses lavado
lavara	haya lavado	hubiese lavado
laváramos	hayamos lavado	hubiésemos lavado
lavarais	hayáis lavado	hubieseis lavado
lavaran	hayan lavado	hubiesen lavado

CONDITIONAL		IMPERATIVE
Simple	*Cond. Perf.*	
lavaría	habría lavado	
lavarías	habrías lavado	lava; no laves
lavaría	habría lavado	lave
lavaríamos	habríamos lavado	lavemos
lavaríais	habríais lavado	lavad; no lavéis
lavarían	habrían lavado	laven

CONJUGATED SAME AS ABOVE
deslavar: to rinse; to remove color or forcefulness from something

leer

Pres. Part.: leyendo **leer: to read**
Past Part.: leído

INDICATIVE

Pres.	*Fut.*	*Past Ant.*
leo	leeré	hube leído
lees	leerás	hubiste leído
lee	leerá	hubo leído
leemos	leeremos	hubimos leído
leéis	leeréis	hubisteis leído
leen	leerán	hubieron leído
Imperf.	*Pres. Perf.*	*Fut. Perf.*
leía	he leído	habré leído
leías	has leído	habrás leído
leía	ha leído	habrá leído
leíamos	hemos leído	habremos leído
leíais	habéis leído	habréis leído
leían	han leído	habrán leído
Pret.	*Pluperf.*	
leí	había leído	
leíste	habías leído	
leyó	había leído	
leímos	habíamos leído	
leísteis	habíais leído	
leyeron	habían leído	

SUBJUNCTIVE

Pres.	*Imperf.*	*Pluperf.*
lea	leyese	hubiera leído
leas	leyeses	hubieras leído
lea	leyese	hubiera leído
leamos	leyésemos	hubiéramos leído
leáis	leyeseis	hubierais leído
lean	leyesen	hubieran leído
Imperf.	*Pres. Perf.*	*Pluperf.*
leyera	haya leído	hubiese leído
leyeras	hayas leído	hubieses leído
leyera	haya leído	hubiese leído
leyéramos	hayamos leído	hubiésemos leído
leyerais	hayáis leído	hubieseis leído
leyeran	hayan leído	hubiesen leído

CONDITIONAL / IMPERATIVE

Simple	*Cond. Perf.*	IMPERATIVE
leería	habría leído	
leerías	habrías leído	lee; no leas
leería	habría leído	lea
leeríamos	habríamos leído	leamos
leeríais	habríais leído	leed; no leáis
leerían	habrían leído	lean

CONJUGATED SAME AS ABOVE
releer: to reread

Pres. Part.: levantando
Past Part.: levantado

levantar: to raise

INDICATIVE

Pres.	*Fut.*	*Past Ant.*
levanto	levantaré	hube levantado
levantas	levantarás	hubiste levantado
levanta	levantará	hubo levantado
levantamos	levantaremos	hubimos levantado
levantáis	levantaréis	hubisteis levantado
levantan	levantarán	hubieron levantado
Imperf.	*Pres. Perf.*	*Fut. Perf.*
levantaba	he levantado	habré levantado
levantabas	has levantado	habrás levantado
levantaba	ha levantado	habrá levantado
levantábamos	hemos levantado	habremos levantado
levantabais	habéis levantado	habréis levantado
levantaban	han levantado	habrán levantado
Pret.	*Pluperf.*	
levanté	había levantado	
levantaste	habías levantado	
levantó	había levantado	
levantamos	habíamos levantado	
levantasteis	habíais levantado	
levantaron	habían levantado	

SUBJUNCTIVE

Pres.	*Imperf.*	*Pluperf.*
levante	levantase	hubiera levantado
levantes	levantases	hubieras levantado
levante	levantase	hubiera levantado
levantemos	levantásemos	hubiéramos levantado
levantéis	levantaseis	hubierais levantado
levanten	levantasen	hubieran levantado
Imperf.	*Pres. Perf.*	*Pluperf.*
levantara	haya levantado	hubiese levantado
levantaras	hayas levantado	hubieses levantado
levantara	haya levantado	hubiese levantado
levantáramos	hayamos levantado	hubiésemos levantado
levantarais	hayáis levantado	hubieseis levantado
levantaran	hayan levantado	hubiesen levantado

CONDITIONAL		IMPERATIVE
Simple	*Cond. Perf.*	
levantaría	habría levantado	
levantarías	habrías levantado	levanta; no levantes
levantaría	habría levantado	levante
levantaríamos	habríamos levantado	levantemos
levantaríais	habríais levantado	levantad; no levantéis
levantarían	habrían levantado	levanten

levantarse

Pres. Part.: levantándose
Past Part: levantado

levantarse: to get up

INDICATIVE

Pres.
me levanto
te levantas
se levanta
nos levantamos
os levantáis
se levantan

Imperf.
me levantaba
te levantabas
se levantaba
nos levantábamos
os levantabais
se levantaban

Pret.
me levanté
te levantaste
se levantó
nos levantamos
os levantasteis
se levantaron

Fut.
me levantaré
te levantarás
se levantará
nos levantaremos
os levantaréis
se levantarán

Pres. Perf.
me he levantado
te has levantado
se ha levantado
nos hemos levantado
os habéis levantado
se han levantado

Pluperf.
me había levantado
te habías levantado
se había levantado
nos habíamos levantado
os habíais levantado
se habían levantado

Past Ant.
me hube levantado
te hubiste levantado
se hubo levantado
nos hubimos levantado
os hubisteis levantado
se hubieron levantado

Fut. Perf.
me habré levantado
te habrás levantado
se habrá levantado
nos habremos levantado
os habréis levantado
se habrán levantado

SUBJUNCTIVE

Pres.
me levante
te levantes
se levante
nos levantemos
os levantéis
se levanten

Imperf.
me levantara
te levantaras
se levantara
nos levantáramos
os levantarais
se levantaran

Imperf.
me levantase
te levantases
se levantase
nos levantásemos
os levantaseis
se levantasen

Pres. Perf.
me haya levantado
te hayas levantado
se haya levantado
nos hayamos levantado
os hayáis levantado
se hayan levantado

Pluperf.
me hubiera levantado
te hubieras levantado
se hubiera levantado
nos hubiéramos levantado
os hubierais levantado
se hubieran levantado

Pluperf.
me hubiese levantado
te hubieses levantado
se hubiese levantado
nos hubiésemos levantado
os hubieseis levantado
se hubiesen levantado

CONDITIONAL

Simple
me levantaría
te levantarías
se levantaría
nos levantaríamos
os levantaríais
se levantarían

Cond. Perf.
me habría levantado
te habrías levantado
se habría levantado
nos habríamos levantado
os habríais levantado
se habrían levantado

IMPERATIVE

levántate; no te levantes
levántese
levantémonos
levantaos; no os levantéis
levántense

limpiar

Pres. Part.: limpiando
Past Part.: limpiado

limpiar: to clean

INDICATIVE

Pres.
limpio
limpias
limpia
limpiamos
limpiáis
limpian

Imperf.
limpiaba
limpiabas
limpiaba
limpiábamos
limpiabais
limpiaban

Pret.
limpié
limpiaste
limpió
limpiamos
limpiasteis
limpiaron

Fut.
limpiaré
limpiarás
limpiará
limpiaremos
limpiaréis
limpiarán

Pres. Perf.
he limpiado
has limpiado
ha limpiado
hemos limpiado
habéis limpiado
han limpiado

Pluperf.
había limpiado
habías limpiado
había limpiado
habíamos limpiado
habíais limpiado
habían limpiado

Past Ant.
hube limpiado
hubiste limpiado
hubo limpiado
hubimos limpiado
hubisteis limpiado
hubieron limpiado

Fut. Perf.
habré limpiado
habrás limpiado
habrá limpiado
habremos limpiado
habréis limpiado
habrán limpiado

SUBJUNCTIVE

Pres.
limpie
limpies
limpie
limpiemos
limpiéis
limpien

Imperf.
limpiara
limpiaras
limpiara
limpiáramos
limpiarais
limpiaran

Imperf.
limpiase
limpiases
limpiase
limpiásemos
limpiaseis
limpiasen

Pres. Perf.
haya limpiado
hayas limpiado
haya limpiado
hayamos limpiado
hayáis limpiado
hayan limpiado

Pluperf.
hubiera limpiado
hubieras limpiado
hubiera limpiado
hubiéramos limpiado
hubierais limpiado
hubieran limpiado

Pluperf.
hubiese limpiado
hubieses limpiado
hubiese limpiado
hubiésemos limpiado
hubieseis limpiado
hubiesen limpiado

CONDITIONAL

Simple
limpiaría
limpiarías
limpiaría
limpiaríamos
limpiaríais
limpiarían

Cond. Perf.
habría limpiado
habrías limpiado
habría limpiado
habríamos limpiado
habríais limpiado
habrían limpiado

IMPERATIVE

limpia; no limpies
limpie
limpiemos
limpiad; no limpiéis
limpien

luchar

Pres. Part.: luchando **luchar: to struggle**
Past Part.: luchado

INDICATIVE

Pres.	*Fut.*	*Past Ant.*
lucho	lucharé	hube luchado
luchas	lucharás	hubiste luchado
lucha	luchará	hubo luchado
luchamos	lucharemos	hubimos luchado
lucháis	lucharéis	hubisteis luchado
luchan	lucharán	hubieron luchado
Imperf.	*Pres. Perf.*	*Fut. Perf.*
luchaba	he luchado	habré luchado
luchabas	has luchado	habrás luchado
luchaba	ha luchado	habrá luchado
luchábamos	hemos luchado	habremos luchado
luchabais	habéis luchado	habréis luchado
luchaban	han luchado	habrán luchado
Pret.	*Pluperf.*	
luché	había luchado	
luchaste	habías luchado	
luchó	había luchado	
luchamos	habíamos luchado	
luchasteis	habíais luchado	
lucharon	habían luchado	

SUBJUNCTIVE

Pres.	*Imperf.*	*Pluperf.*
luche	luchase	hubiera luchado
luches	luchases	hubieras luchado
luche	luchase	hubiera luchado
luchemos	luchásemos	hubiéramos luchado
luchéis	luchaseis	hubierais luchado
luchen	luchasen	hubieran luchado
Imperf.	*Pres. Perf.*	*Pluperf.*
luchara	haya luchado	hubiese luchado
lucharas	hayas luchado	hubieses luchado
luchara	haya luchado	hubiese luchado
lucháramos	hayamos luchado	hubiésemos luchado
lucharais	hayáis luchado	hubieseis luchado
lucharan	hayan luchado	hubiesen luchado

CONDITIONAL		IMPERATIVE
Simple	*Cond. Perf.*	
lucharía	habría luchado	
lucharías	habrías luchado	lucha; no luches
lucharía	habría luchado	luche
lucharíamos	habríamos luchado	luchemos
lucharíais	habríais luchado	luchad; no luchéis
lucharían	habrían luchado	luchen

Pres. Part.: llamando
Past Part.: llamado

llamar: to call

INDICATIVE

Pres.	*Fut.*	*Past Ant.*
llamo	llamaré	hube llamado
llamas	llamarás	hubiste llamado
llama	llamará	hubo llamado
llamamos	llamaremos	hubimos llamado
llamáis	llamaréis	hubisteis llamado
llaman	llamarán	hubieron llamado
Imperf.	*Pres. Perf.*	*Fut. Perf.*
llamaba	he llamado	habré llamado
llamabas	has llamado	habrás llamado
llamaba	ha llamado	habrá llamado
llamábamos	hemos llamado	habremos llamado
llamabais	habéis llamado	habréis llamado
llamaban	han llamado	habrán llamado
Pret.	*Pluperf.*	
llamé	había llamado	
llamaste	habías llamado	
llamó	había llamado	
llamamos	habíamos llamado	
llamasteis	habíais llamado	
llamaron	habían llamado	

SUBJUNCTIVE

Pres.	*Imperf.*	*Pluperf.*
llame	llamase	hubiera llamado
llames	llamases	hubieras llamado
llame	llamase	hubiera llamado
llamemos	llamásemos	hubiéramos llamado
llaméis	llamaseis	hubierais llamado
llamen	llamasen	hubieran llamado
Imperf.	*Pres. Perf.*	*Pluperf.*
llamara	haya llamado	hubiese llamado
llamaras	hayas llamado	hubieses llamado
llamara	haya llamado	hubiese llamado
llamáramos	hayamos llamado	hubiésemos llamado
llamarais	hayáis llamado	hubieseis llamado
llamaran	hayan llamado	hubiesen llamado

CONDITIONAL		IMPERATIVE
Simple	*Cond. Perf.*	
llamaría	habría llamado	
llamarías	habrías llamado	llama; no llames
llamaría	habría llamado	llame
llamaríamos	habríamos llamado	llamemos
llamaríais	habríais llamado	llamad; no llaméis
llamarían	habrían llamado	llamen

llamarse

Pres. Part.: llamándose
Past Part.: llamado

llamarse: to be named, called

INDICATIVE

Pres.
me llamo
te llamas
se llama
nos llamamos
os llamáis
se llaman

Imperf.
me llamaba
te llamabas
se llamaba
nos llamábamos
os llamabais
se llamaban

Pret.
me llamé
te llamaste
se llamó
nos llamamos
os llamasteis
se llamaron

Fut.
me llamaré
te llamarás
se llamará
nos llamaremos
os llamaréis
se llamarán

Pres. Perf.
me he llamado
te has llamado
se ha llamado
nos hemos llamado
os habéis llamado
se han llamado

Pluperf.
me había llamado
te habías llamado
se había llamado
nos habíamos llamado
os habíais llamado
se habían llamado

Past Ant.
me hube llamado
te hubiste llamado
se hubo llamado
nos hubimos llamado
os hubisteis llamado
se hubieron llamado

Fut. Perf.
me habré llamado
te habrás llamado
se habrá llamado
nos habremos llamado
os habréis llamado
se habrán llamado

SUBJUNCTIVE

Pres.
me llame
te llames
se llame
nos llamemos
os llaméis
se llamen

Imperf.
me llamara
te llamaras
se llamara
nos llamáramos
os llamarais
se llamaran

Imperf.
me llamase
te llamases
se llamase
nos llamásemos
os llamaseis
se llamasen

Pres. Perf.
me haya llamado
te hayas llamado
se haya llamado
nos hayamos llamado
os hayáis llamado
se hayan llamado

Pluperf.
me hubiera llamado
te hubieras llamado
se hubiera llamado
nos hubiéramos llamado
os hubierais llamado
se hubieran llamado

Pluperf.
me hubiese llamado
te hubieses llamado
se hubiese llamado
nos hubiésemos llamado
os hubieseis llamado
se hubiesen llamado

CONDITIONAL

Simple
me llamaría
te llamarías
se llamaría
nos llamaríamos
os llamaríais
se llamarían

Cond. Perf.
me habría llamado
te habrías llamado
se habría llamado
nos habríamos llamado
os habríais llamado
se habrían llamado

IMPERATIVE

llámate; no te llames
llámese
llamémonos
llamaos; no os llaméis
llámense

Pres. Part.: llegando
Past Part.: llegado

llegar: to arrive

INDICATIVE

Pres.	*Fut.*	*Past Ant.*
llego	llegaré	hube llegado
llegas	llegarás	hubiste llegado
llega	llegará	hubo llegado
llegamos	llegaremos	hubimos llegado
llegáis	llegaréis	hubisteis llegado
llegan	llegarán	hubieron llegado
Imperf.	*Pres. Perf.*	*Fut. Perf.*
llegaba	he llegado	habré llegado
llegabas	has llegado	habrás llegado
llegaba	ha llegado	habrá llegado
llegábamos	hemos llegado	habremos llegado
llegabais	habéis llegado	habréis llegado
llegaban	han llegado	habrán llegado
Pret.	*Pluperf.*	
llegué	había llegado	
llegaste	habías llegado	
llegó	había llegado	
llegamos	habíamos llegado	
llegasteis	habíais llegado	
llegaron	habían llegado	

SUBJUNCTIVE

Pres.	*Imperf.*	*Pluperf.*
llegue	llegase	hubiera llegado
llegues	llegases	hubieras llegado
llegue	llegase	hubiera llegado
lleguemos	llegásemos	hubiéramos llegado
lleguéis	llegaseis	hubierais llegado
lleguen	llegasen	hubieran llegado
Imperf.	*Pres. Perf.*	*Pluperf.*
llegara	haya llegado	hubiese llegado
llegaras	hayas llegado	hubieses llegado
llegara	haya llegado	hubiese llegado
llegáramos	hayamos llegado	hubiésemos llegado
llegarais	hayáis llegado	hubieseis llegado
llegaran	hayan llegado	hubiesen llegado

CONDITIONAL		IMPERATIVE
Simple	*Cond. Perf.*	
llegaría	habría llegado	
llegarías	habrías llegado	llega; no llegues
llegaría	habría llegado	llegue
llegaríamos	habríamos llegado	lleguemos
llegaríais	habríais llegado	llegad; no lleguéis
llegarían	habrían llegado	lleguen

llevar

Pres. Part.: llevando
Past Part.: llevado

llevar: to carry; to manage (business); to wear

INDICATIVE

Pres.	*Fut.*	*Past Ant.*
llevo	llevaré	hube llevado
llevas	llevarás	hubiste llevado
lleva	llevará	hubo llevado
llevamos	llevaremos	hubimos llevado
lleváis	llevaréis	hubisteis llevado
llevan	llevarán	hubieron llevado

Imperf.	*Pres. Perf.*	*Fut. Perf.*
llevaba	he llevado	habré llevado
llevabas	has llevado	habrás llevado
llevaba	ha llevado	habrá llevado
llevábamos	hemos llevado	habremos llevado
llevabais	habéis llevado	habréis llevado
llevaban	han llevado	habrán llevado

Pret.	*Pluperf.*
llevé	había llevado
llevaste	habías llevado
llevó	había llevado
llevamos	habíamos llevado
llevasteis	habíais llevado
llevaron	habían llevado

SUBJUNCTIVE

Pres.	*Imperf.*	*Pluperf.*
lleve	llevase	hubiera llevado
lleves	llevases	hubieras llevado
lleve	llevase	hubiera llevado
llevemos	llevásemos	hubiéramos llevado
llevéis	llevaseis	hubierais llevado
lleven	llevasen	hubieran llevado

Imperf.	*Pres. Perf.*	*Pluperf.*
llevara	haya llevado	hubiese llevado
llevaras	hayas llevado	hubieses llevado
llevara	haya llevado	hubiese llevado
lleváramos	hayamos llevado	hubiésemos llevado
llevarais	hayáis llevado	hubieseis llevado
llevaran	hayan llevado	hubiesen llevado

CONDITIONAL

Simple	*Cond. Perf.*
llevaría	habría llevado
llevarías	habrías llevado
llevaría	habría llevado
llevaríamos	habríamos levado
llevaríais	habríais llevado
llevarían	habrían llevado

IMPERATIVE

lleva; no lleves
lleve
llevemos
llevad; no llevéis
lleven

CONJUGATED SAME AS ABOVE

sobrellevar: to ease another's burden, bear, endure
conllevar: to aid, assist, support

llorar

Pres. Part.: llorando
Past Part.: llorado

llorar: to weep

INDICATIVE

Pres.
lloro
lloras
llora
lloramos
lloráis
lloran

Imperf.
lloraba
llorabas
lloraba
llorábamos
llorabais
lloraban

Pret.
lloré
lloraste
lloró
lloramos
llorasteis
lloraron

Fut.
lloraré
llorarás
lorará
lloraremos
lloraréis
llorarán

Pres. Perf.
he llorado
has llorado
ha llorado
hemos llorado
habéis llorado
han llorado

Pluperf.
había llorado
habías llorado
había llorado
habíamos llorado
habíais llorado
habían llorado

Past Ant.
hube llorado
hubiste llorado
hubo llorado
hubimos llorado
hubisteis llorado
hubieron llorado

Fut. Perf.
habré llorado
habrás llorado
habrá llorado
habremos llorado
habréis llorado
habrán llorado

SUBJUNCTIVE

Pres.
llore
llores
llore
lloremos
lloréis
llores

Imperf.
llorara
lloraras
llorara
lloráramos
llorarais
lloraran

Imperf.
llorase
llorases
llorase
llorásemos
lloraseis
llorasen

Pres. Perf.
haya llorado
hayas llorado
haya llorado
hayamos llorado
hayáis llorado
hayan llorado

Pluperf.
hubiera llorado
hubieras llorado
hubiera llorado
hubiéramos llorado
hubierais llorado
hubieran llorado

Pluperf.
hubiese llorado
hubieses llorado
hubiese llorado
hubiésemos llorado
hubieseis llorado
hubiesen llorado

CONDITIONAL

Simple
lloraría
llorarías
lloraría
lloraríamos
lloraríais
llorarían

Cond. Perf.
habría llorado
habrías llorado
habría llorado
habríamos llorado
habríais llorado
habrían llorado

IMPERATIVE

llora; no llores
llore
lloremos
llorad; no lloréis
lloren

llover

Pres. Part.: lloviendo

Past Part.: llovido

llover: to rain

INDICATIVE

Pres.
llueve, esta lloviendo

Imperf.
llovía

Pret.
llovió

Fut.
lloverá

Pres. Perf.
ha llovido

Pluperf.
había llovido

Past Ant.
hubo llovido

Fut. Perf.
habrá llovido

SUBJUNCTIVE

Pres.
llueva

Imperf.
lloviera

Imperf.
lloviese

Pres. Perf.
haya llovido

Pluperf.
hubiera llovido

Pluperf.
hubiese llovido

CONDITIONAL

Simple
llovería

Cond. Perf.
habría llovido

IMPERATIVE

que llueva

NOTE: This verb can be conjugated only in the third person singular.

Pres. Part.: manejando
Past Part.: manejado

manejar: to handle/to operate

INDICATIVE

Pres.	*Fut.*	*Past Ant.*
manejo	manejaré	hube manejado
manejas	manejarás	hubiste manejado
maneja	manejará	hubo manejado
manejamos	manejaremos	hubimos manejado
manejáis	manejaréis	hubisteis manejado
manejan	manejarán	hubieron manejado
Imperf.	*Pres. Perf.*	*Fut. Perf.*
manejaba	he manejado	habré manejado
manejabas	has manejado	habrás manejado
manejaba	ha manejado	habrá manejado
manejábamos	hemos manejado	habremos manejado
manejabais	habéis manejado	habréis manejado
manejaban	han manejado	habrán manejado
Pret.	*Pluperf.*	
manejé	había manejado	
manejaste	habías manejado	
manejó	había manejado	
manejamos	habíamos manejado	
manejasteis	habíais manejado	
manejaron	habían manejado	

SUBJUNCTIVE

Pres.	*Imperf.*	*Pluperf.*
maneje	manejase	hubiera manejado
manejes	manejases	hubieras manejado
maneje	manejase	hubiera manejado
manejemos	manejásemos	hubiéramos manejado
manejéis	manejaseis	hubierais manejado
manejen	manejasen	hubieran manejado
Imperf.	*Pres. Perf.*	*Pluperf.*
manejara	haya manejado	hubiese manejado
manejaras	hayas manejado	hubieses manejado
manejara	haya manejado	hubiese manejado
manejáramos	hayamos manejado	hubiésemos manejado
manejarais	hayáis manejado	hubieseis manejado
manejaran	hayan manejado	hubiesen manejado

CONDITIONAL		IMPERATIVE
Simple	*Cond. Perf.*	
manejaría	habría manejado	
manejarías	habrías manejado	maneja; no manejes
manejaría	habría manejado	maneje
manejaríamos	habríamos manejado	manejemos
manejaríais	habríais manejado	manejad; no manejéis
manejarían	habrían manejado	manejen

marcharse

Pres. Part.: marchándose
Past Part.: marchado

marcharse: to leave

INDICATIVE

Pres.	*Fut.*	*Past Ant.*
me marcho	me marcharé	me hube marchado
te marchas	te marcharás	te hubiste marchado
se marcha	se marchará	se hubo marchado
nos marchamos	nos marcharemos	nos hubimos marchado
os marcháis	os marcharéis	os hubisteis marchado
se marchan	se marcharán	se hubieron marchado
Imperf.	*Pres. Perf.*	*Fut. Perf.*
me marchaba	me he marchado	me habré marchado
te marchabas	te has marchado	te habrás marchado
se marchaba	se ha marchado	se habrá marchado
nos marchábamos	nos hemos marchado	nos habremos marchado
os marchabais	os habéis marchado	os habréis marchado
se marchaban	se han marchado	se habrán marchado
Pret.	*Pluperf.*	
me marché	me había marchado	
te marchaste	te habías marchado	
se marchó	se había marchado	
nos marchamos	nos habíamos marchado	
os marchasteis	os habíais marchado	
se marcharon	se habían marchado	

SUBJUNCTIVE

Pres.	*Imperf.*	*Pluperf.*
me marche	me marchase	me hubiera marchado
te marches	te marchases	te hubieras marchado
se marche	se marchase	se hubiera marchado
nos marchemos	nos marchásemos	nos hubiéramos marchado
os marchéis	os marchaseis	os hubierais marchado
se marchen	se marchasen	se hubieran marchado
Imperf.	*Pres. Perf.*	*Pluperf.*
me marchara	me haya marchado	me hubiese marchado
te marcharas	te hayas marchado	te hubieses marchado
se marchara	se haya marchado	se hubiese marchado
nos marcháramos	nos hayamos marchado	nos hubiésemos marchado
os marcharais	os hayáis marchado	os hubieseis marchado
se marcharan	se hayan marchado	se hubiesen marchado

CONDITIONAL		IMPERATIVE
Simple	*Cond. Perf.*	
me marcharía	me habría marchado	
te marcharías	te habrías marchado	márchate; no te marches
se marcharía	se habría marchado	márchese
nos marcharíamos	nos habríamos marchado	marchémonos
os marcharíais	os habríais marchado	marchaos; no os marchéis
se marcharían	se habrían marchado	márchense

mejorar

Pres. Part.: mejorando
Past Part.: mejorado

mejorar: to improve

INDICATIVE

Pres.	*Fut.*	*Past Ant.*
mejoro	mejoraré	hube mejorado
mejoras	mejorarás	hubiste mejorado
mejora	mejorará	hubo mejorado
mejoramos	mejoraremos	hubimos mejorado
mejoráis	mejoraréis	hubisteis mejorado
mejoran	mejorarán	hubieron mejorado
Imperf.	*Pres. Perf.*	*Fut. Perf.*
mejoraba	he mejorado	habré mejorado
mejorabas	has mejorado	habrás mejorado
mejoraba	ha mejorado	habrá mejorado
mejorábamos	hemos mejorado	habremos mejorado
mejorabais	habéis mejorado	habréis mejorado
mejoraban	han mejorado	habrán mejorado
Pret.	*Pluperf.*	
mejoré	había mejorado	
mejoraste	habías mejorado	
mejoró	había mejorado	
mejoramos	habíamos mejorado	
mejorasteis	habíais mejorado	
mejoraron	habían mejorado	

SUBJUNCTIVE

Pres.	*Imperf.*	*Pluperf.*
mejore	mejorase	hubiera mejorado
mejores	mejorases	hubieras mejorado
mejore	mejorase	hubiera mejorado
mejoremos	mejorásemos	hubiéramos mejorado
mejoréis	mejoraseis	hubierais mejorado
mejoren	mejorasen	hubieran mejorado
Imperf.	*Pres. Perf.*	*Pluperf.*
mejorara	haya mejorado	hubiese mejorado
mejoraras	hayas mejorado	hubieses mejorado
mejorara	haya mejorado	hubiese mejorado
mejoráramos	hayamos mejorado	hubiésemos mejorado
mejorarais	hayáis mejorado	hubieseis mejorado
mejoraran	hayan mejorado	hubiesen mejorado

CONDITIONAL

Simple	*Cond. Perf.*
mejoraría	habría mejorado
mejorarías	habrías mejorado
mejoraría	habría mejorado
mejoraríamos	habríamos mejorado
mejoraríais	habríais mejorado
mejorarían	habrían mejorado

IMPERATIVE

—
mejora; no mejores
mejore
mejoremos
mejorad; no mejoréis
mejoren

CONJUGATED SAME AS ABOVE

mejorarse: to improve oneself
desmejorar: to debase, make worse
desmejorarse: to decay, decline

mirar

Pres. Part.: mirando
Past Part.: mirado

mirar: to look at; to look

INDICATIVE

Pres.	*Fut.*	*Past Ant.*
miro	miraré	hube mirado
miras	mirarás	hubiste mirado
mira	mirará	hubo mirado
miramos	miraremos	hubimos mirado
miráis	miraréis	hubisteis mirado
miran	mirarán	hubieron mirado
Imperf.	*Pres. Perf.*	*Fut. Perf.*
miraba	he mirado	habré mirado
mirabas	has mirado	habrás mirado
miraba	ha mirado	habrá mirado
mirábamos	hemos mirado	habremos mirado
mirabais	habéis mirado	habréis mirado
miraban	han mirado	habrán mirado
Pret.	*Pluperf.*	
miré	había mirado	
miraste	habías mirado	
miró	había mirado	
miramos	habíamos mirado	
mirasteis	habíais mirado	
miraron	habían mirado	

SUBJUNCTIVE

Pres.	*Imperf.*	*Pluperf.*
mire	mirase	hubiera mirado
mires	mirases	hubieras mirado
mire	mirase	hubiera mirado
miremos	mirásemos	hubiéramos mirado
miréis	miraseis	hubierais mirado
miren	mirasen	hubieran mirado
Imperf.	*Pres. Perf.*	*Pluperf.*
mirara	haya mirado	hubiese mirado
miraras	hayas mirado	hubieses mirado
mirara	haya mirado	hubiese mirado
miráramos	hayamos mirado	hubiésemos mirado
mirarais	hayáis mirado	hubieseis mirado
miraran	hayan mirado	hubiesen mirado

CONDITIONAL / IMPERATIVE

Simple	*Cond. Perf.*	IMPERATIVE
miraría	habría mirado	
mirarías	habrías mirado	mira; no mires
miraría	habría mirado	mire
miraríamos	habríamos mirado	miremos
miraríais	habríais mirado	mirad; no miréis
mirarían	habrían mirado	miren

CONJUGATED SAME AS ABOVE

admirar: to admire
admirarse: to wonder, be astonished
remirar: to review

Pres. Part.: mirándose
Past Part.: mirado

mirarse: to look at oneself

INDICATIVE

Pres.	*Fut.*	*Past Ant.*
me miro	me miraré	me hube mirado
te miras	te mirarás	te hubiste mirado
se mira	se mirará	se hubo mirado
nos miramos	nos miraremos	nos hubimos mirado
os miráis	os miraréis	os hubisteis mirado
se miran	se mirarán	se hubieron mirado
Imperf.	*Pres. Perf.*	*Fut. Perf.*
me miraba	me he mirado	me habré mirado
te mirabas	te has mirado	te habrás mirado
se miraba	se ha mirado	se habrá mirado
nos mirábamos	nos hemos mirado	nos habremos mirado
os mirabais	os habéis mirado	os habréis mirado
se miraban	se han mirado	se habrán mirado
Pret.	*Pluperf.*	
me miré	me había mirado	
te miraste	te habías mirado	
se miró	se había mirado	
nos miramos	nos habíamos mirado	
os mirasteis	os habíais mirado	
se miraron	se habían mirado	

SUBJUNCTIVE

Pres.	*Imperf.*	*Pluperf.*
me mire	me mirase	me hubiera mirado
te mires	te mirases	te hubieras mirado
se mire	se mirase	se hubiera mirado
nos miremos	nos mirásemos	nos hubiéramos mirado
os miréis	os miraseis	os hubierais mirado
se miren	se mirasen	se hubieran mirado
Imperf.	*Pres. Perf.*	*Pluperf.*
me mirara	me haya mirado	me hubiese mirado
te miraras	te hayas mirado	te hubieses mirado
se mirara	se haya mirado	se hubiese mirado
nos miráramos	nos hayamos mirado	nos hubiésemos mirado
os mirarais	os hayáis mirado	os hubieseis mirado
se miraran	se hayan mirado	se hubiesen mirado

CONDITIONAL / IMPERATIVE

Simple	*Cond. Perf.*	
me miraría	me habría mirado	
te mirarías	te habrías mirado	mírate; no te mires
se miraría	se habría mirado	mírese
nos miraríamos	nos habríamos mirado	mirémonos
os miraríais	os habríais mirado	miraos; no os miréis
se mirarían	se habrían mirado	mírense

mojarse

Pres. Part.: mojándose
Past Part.: mojado

mojarse: to wet (oneself)

INDICATIVE

Pres.
me mojo
te mojas
se moja
nos mojamos
os mojáis
se mojan

Imperf.
me mojaba
te mojabas
se mojaba
nos mojábamos
os mojabais
se mojaban

Pret.
me mojé
te mojaste
se mojó
nos mojamos
os mojasteis
se mojaron

Fut.
me mojaré
te mojarás
se mojará
nos mojaremos
os mojaréis
se mojarán

Pres. Perf.
me he mojado
te has mojado
se ha mojado
nos hemos mojado
os habéis mojado
se han mojado

Pluperf.
me había mojado
te habías mojado
se había mojado
nos habíamos mojado
os habíais mojado
se habían mojado

Past Ant.
me hube mojado
te hubiste mojado
se hubo mojado
nos hubimos mojado
os hubisteis mojado
se hubieron mojado

Fut. Perf.
me habré mojado
te habrás mojado
se habrá mojado
nos habremos mojado
os habréis mojado
se habrán mojado

SUBJUNCTIVE

Pres.
me moje
te mojes
se moje
nos mojemos
os mojéis
se mojen

Imperf.
me mojara
te mojaras
se mojara
nos mojáramos
os mojarais
se mojaran

Imperf.
me mojase
te mojases
se mojase
nos mojásemos
os mojaseis
se mojasen

Pres. Perf.
me haya mojado
te hayas mojado
se haya mojado
nos hayamos mojado
os hayáis mojado
se hayan mojado

Pluperf.
me hubiera mojado
te hubieras mojado
se hubiera mojado
nos hubiéramos mojado
os hubierais mojado
se hubieran mojado

Pluperf.
me hubiese mojado
te hubieses mojado
se hubiese mojado
nos hubiésemos mojado
os hubieseis mojado
se hubiesen mojado

CONDITIONAL

Simple
me mojaría
te mojarías
se mojaría
nos mojaríamos
os mojaríais
se mojarían

Cond. Perf.
me habría mojado
te habrías mojado
se habría mojado
nos habríamos mojado
os habríais mojado
se habrían mojado

IMPERATIVE

mójate; no te mojes
mójese
mojémonos
mojaos; no os mojéis
mójense

CONJUGATED SAME AS ABOVE
mojar: to moisten; to interfere
remojar: to soak

Pres. Part.: montándose
Past Part.: montado

montarse: to get into a passion

INDICATIVE

Pres.
me monto
te montas
se monta
nos montamos
os montáis
se montan

Imperf.
me montaba
te montabas
se montaba
nos montábamos
os montabais
se montaban

Pret.
me monté
te montaste
se montó
nos montamos
os montasteis
se montaron

Fut.
me montaré
te montarás
se montará
nos montaremos
os montaréis
se montarán

Pres. Perf.
me he montado
te has montado
se ha montado
nos hemos montado
os habéis montado
se han montado

Pluperf.
me había montado
te habías montado
se había montado
nos habíamos montado
os habíais montado
se habían montado

Past Ant.
me hube montado
te hubiste montado
se hubo montado
nos hubimos montado
os hubisteis montado
se hubieron montado

Fut. Perf.
me habré montado
te habrás montado
se habrá montado
nos habremos montado
os habréis montado
se habrán montado

SUBJUNCTIVE

Pres.
me monte
te montes
se monte
nos montemos
os montéis
se monten

Imperf.
me montara
te montaras
se montara
nos montáramos
os montarais
se montaran

Imperf.
me montase
te montases
se montase
nos montásemos
os montaseis
se montasen

Pres. Perf.
me haya montado
te hayas montado
se haya montado
nos hayamos montado
os hayáis montado
se hayan montado

Pluperf.
me hubiera montado
te hubieras montado
se hubiera montado
nos hubiéramos montado
os hubierais montado
se hubieran montado

Pluperf.
me hubiese montado
te hubieses montado
se hubiese montado
nos hubiésemos montado
os hubieseis montado
se hubiesen montado

CONDITIONAL

Simple
me montaría
te montarías
se montaría
nos montaríamos
os montaríais
se montarían

Cond. Perf.
me habría montado
te habrías montado
se habría montado
nos habríamos montado
os habríais montado
se habrían montado

IMPERATIVE

móntate; no te montes
móntese
montémonos
montaos; no os montéis
móntense

CONJUGATED SAME AS ABOVE
montar: to mount; to rise to the top; go on horseback
remontar: to frighten away; to remount
remontarse: to soar; to conceive great ideas
trasmontar: to pass beyond the mountains

morir

Pres. Part.: muerto
Past Part.: muriendo

morir: to die; to end

INDICATIVE

Pres.	*Fut.*	*Past Ant.*
muero	moriré	hube muerto
mueres	morirás	hubiste muerto
muere	morirá	hubo muerto
morimos	moriremos	hubimos muerto
morís	moriréis	hubisteis muerto
mueren	morirán	hubieron muerto
Imperf.	*Pres. Perf.*	*Fut. Perf.*
moría	he muerto	habré muerto
morías	has muerto	habrás muerto
moría	ha muerto	habrá muerto
moríamos	hemos muerto	habremos muerto
moríais	habéis muerto	habréis muerto
morían	han muerto	habrán muerto
Pret.	*Pluperf.*	
morí	había muerto	
moriste	habías muerto	
murió	había muerto	
morimos	habíamos muerto	
moristeis	habíais muerto	
murieron	habían muerto	

SUBJUNCTIVE

Pres.	*Imperf.*	*Pluperf.*
muera	muriese	hubiera muerto
mueras	murieses	hubieras muerto
muera	muriese	hubiera muerto
muramos	muriésemos	hubiéramos muerto
muráis	murieseis	hubierais muerto
mueran	muriesen	hubieran muerto
Imperf.	*Pres. Perf.*	*Pluperf.*
muriera	haya muerto	hubiese muerto
murieras	hayas muerto	hubieses muerto
muriera	haya muerto	hubiese muerto
muriéramos	hayamos muerto	hubiésemos muerto
murierais	hayáis muerto	hubieseis muerto
murieran	hayan muerto	hubiesen muerto

CONDITIONAL		IMPERATIVE
Simple	*Cond. Perf.*	
moriría	habría muerto	
morirías	habrías muerto	muere; no mueras
moriría	habría muerto	muera
moriríamos	habríamos muerto	muramos
moriríais	habríais muerto	morid; no muráis
morirían	habrían muerto	mueran

CONJUGATED SAME AS ABOVE
entremorir: to flicker; to be dying away by degrees
morirse: to go out, be extinguished or quenched (as fire or light)

Pres. Part.: moviendo
Past Part.: movido

mover: to move

INDICATIVE

Pres.	*Fut.*	*Past Ant.*
muevo	moveré	hube movido
mueves	moverás	hubiste movido
mueve	moverá	hubo movido
movemos	moveremos	hubimos movido
movéis	moveréis	hubisteis movido
mueven	moverán	hubieron movido
Imperf.	*Pres. Perf.*	*Fut. Perf.*
movía	he movido	habré movido
movías	has movido	habrás movido
movía	ha movido	habrá movido
movíamos	hemos movido	habremos movido
movíais	habéis movido	habréis movido
movían	han movido	habrán movido
Pret.	*Pluperf.*	
moví	había movido	
moviste	habías movido	
movió	había movido	
movimos	habíamos movido	
movisteis	habíais movido	
movieron	habían movido	

SUBJUNCTIVE

Pres.	*Imperf.*	*Pluperf.*
mueva	moviese	hubiera movido
muevas	movieses	hubieras movido
mueva	moviese	hubiera movido
movamos	moviésemos	hubiéramos movido
mováis	movieseis	hubierais movido
muevan	moviesen	hubieran movido
Imperf.	*Pres. Perf.*	*Pluperf.*
moviera	haya movido	hubiese movido
movieras	hayas movido	hubieses movido
moviera	haya movido	hubiese movido
moviéramos	hayamos movido	hubiésemos movido
movierais	hayáis movido	hubieseis movido
movieran	hayan movido	hubiesen movido

CONDITIONAL		IMPERATIVE
Simple	*Cond. Perf.*	
movería	habría movido	
moverías	habrías movido	mueve; no muevas
movería	habría movido	mueva
moveríamos	habríamos movido	movamos
moveríais	habríais movido	moved; no mováis
moverían	habrían movido	muevan

CONJUGATED SAME AS ABOVE

conmover: to disturb; to move one's emotions
promover: to forward, promote, help
remover: to remove

mudarse

Pres. Part.: mudándose
Past Part.: mudado

mudarse: to change; to change clothes

INDICATIVE

Pres.
me mudo
te mudas
se muda
nos mudamos
os mudáis
se mudan

Imperf.
me mudaba
te mudabas
se mudaba
nos mudábamos
os mudabais
se mudaban

Pret.
me mudé
te mudaste
se mudó
nos mudamos
os mudáis
se mudaron

Fut.
me mudaré
te mudarás
se mudará
nos mudaremos
os mudaréis
se mudarán

Pres. Perf.
me he mudado
te has mudado
se ha mudado
nos hemos mudado
os habéis mudado
se han mudado

Pluperf.
me había mudado
te habías mudado
se había mudado
nos habíamos mudado
os habíais mudado
se habían mudado

Past Ant.
me hube mudado
te hubiste mudado
se hubo mudado
nos hubimos mudado
os hubisteis mudado
se hubieron mudado

Fut. Perf.
me habré mudado
te habrás mudado
se habrá mudado
nos habremos mudado
os habréis mudado
se habrán mudado

SUBJUNCTIVE

Pres.
me mude
te mudes
se mude
nos mudemos
os mudéis
se muden

Imperf.
me mudara
te mudaras
se mudara
nos mudáramos
os mudarais
se mudaran

Imperf.
me mudase
te mudases
se mudase
nos mudásemos
os mudaseis
se mudasen

Pres. Perf.
me haya mudado
te hayas mudado
se haya mudado
nos hayamos mudado
os hayáis mudado
se hayan mudado

Pluperf.
me hubiera mudado
te hubieras mudado
se hubiera mudado
nos hubiéramos mudado
os hubierais mudado
se hubieran mudado

Pluperf.
me hubiese mudado
te hubieses mudado
se hubiese mudado
nos hubiésemos mudado
os hubieseis mudado
se hubiesen mudado

CONDITIONAL

Simple
me mudaría
te mudarías
se mudaría
nos mudaríamos
os mudaríais
se mudarían

Cond. Perf.
me habría mudado
te habrías mudado
se habría mudado
nos habríamos mudado
os habríais mudado
se habrían mudado

IMPERATIVE

múdate; no te mudes
múdese
mudémonos
mudaos; no os mudéis
múdense

CONJUGATED SAME AS ABOVE

mudar: to change
demudar: to change
demudarse: to disguise; to change color or expression
trasmudar, transmudar: to move, remove, transport

Pres. Part.: naciendo
Past Part.: nacido

nacer: to be born

INDICATIVE

Pres.	*Fut.*	*Past Ant.*
nazco	naceré	hube nacido
naces	nacerás	hubiste nacido
nace	nacerá	hubo nacido
nacemos	naceremos	hubimos nacido
nacéis	naceréis	hubisteis nacido
nacen	nacerán	hubieron nacido
Imperf.	*Pres. Perf.*	*Fut. Perf.*
nacía	he nacido	habré nacido
nacías	has nacido	habrás nacido
nacía	ha nacido	habrá nacido
nacíamos	hemos nacido	habremos nacido
nacíais	habéis nacido	habréis nacido
nacían	han nacido	habrán nacido
Pret.	*Pluperf.*	
nací	había nacido	
naciste	habías nacido	
nació	había nacido	
nacimos	habíamos nacido	
nacisteis	habíais nacido	
nacieron	habían nacido	

SUBJUNCTIVE

Pres.	*Imperf.*	*Pluperf.*
nazca	naciese	hubiera nacido
nazcas	nacieses	hubieras nacido
nazca	naciese	hubiera nacido
nazcamos	naciésemos	hubiéramos nacido
nazcáis	nacieseis	hubierais nacido
nazcan	naciesen	hubieran nacido
Imperf.	*Pres. Perf.*	*Pluperf.*
naciera	haya nacido	hubiese nacido
nacieras	hayas nacido	hubieses nacido
naciera	haya nacido	hubiese nacido
naciéramos	hayamos nacido	hubiésemos nacido
nacierais	hayáis nacido	hubieseis nacido
nacieran	hayan nacido	hubiesen nacido

CONDITIONAL		IMPERATIVE
Simple	*Cond. Perf.*	
nacería	habría nacido	
nacerías	habrías nacido	nace; no nazcas
nacería	habría nacido	nazca
naceríamos	habríamos nacido	nazcamos
naceríais	habríais nacido	naced; no nazcáis
nacerían	habrían nacido	nazcan

CONJUGATED SAME AS ABOVE
renacer: to be reborn

nadar

Pres. Part.: nadando **nadar: to swim**
Past Part.: nadado

INDICATIVE

Pres.	*Fut.*	*Past Ant.*
nado	nadaré	hube nadado
nadas	nadarás	hubiste nadado
nada	nadará	hubo nadado
nadamos	nadaremos	hubimos nadado
nadáis	nadaréis	hubisteis nadado
nadan	nadarán	hubieron nadado
Imperf.	*Pres. Perf.*	*Fut. Perf.*
nadaba	he nadado	habré nadado
nadabas	has nadado	habrás nadado
nadaba	ha nadado	habrá nadado
nadábamos	hemos nadado	habremos nadado
nadabais	habéis nadado	habréis nadado
nadaban	han nadado	habrán nadado
Pret.	*Pluperf.*	
nadé	había nadado	
nadaste	habías nadado	
nadó	había nadado	
nadamos	habíamos nadado	
nadasteis	habíais nadado	
nadaron	habían nadado	

SUBJUNCTIVE

Pres.	*Imperf.*	*Pluperf.*
nade	nadase	hubiera nadado
nades	nadases	hubieras nadado
nade	nadase	hubiera nadado
nademos	nadásemos	hubiéramos nadado
nadéis	nadaseis	hubierais nadado
naden	nadasen	hubieran nadado
Imperf.	*Pres. Perf.*	*Pluperf.*
nadara	haya nadado	hubiese nadado
nadaras	hayas nadado	hubieses nadado
nadara	haya nadado	hubiese nadado
nadáramos	hayamos nadado	hubiésemos nadado
nadarais	hayáis nadado	hubieseis nadado
nadaran	hayan nadado	hubiesen nadado

CONDITIONAL		IMPERATIVE
Simple	*Cond. Perf.*	
nadaría	habría nadado	
nadarías	habrías nadado	nada; no nades
nadaría	habría nadado	nade
nadaríamos	habríamos nadado	nademos
nadaríais	habríais nadado	nadad; no nadéis
nadarían	habrían nadado	naden

Pres. Part.: necesitando
Past Part.: necesitado

necesitar: to need

INDICATIVE

Pres.	*Fut.*	*Past Ant.*
necesito	necesitaré	hube necesitado
necesitas	necesitarás	hubiste necesitado
necesita	necesitará	hubo necesitado
necesitamos	necesitaremos	hubimos necesitado
necesitáis	necesitaréis	hubisteis necesitado
necesitan	necesitarán	hubieron necesitado
Imperf.	*Pres. Perf.*	*Fut. Perf.*
necesitaba	he necesitado	habré necesitado
necesitabas	has necesitado	habrás necesitado
necesitaba	ha necesitado	habrá necesitado
necesitábamos	hemos necesitado	habremos necesitado
necesitabais	habéis necesitado	habréis necesitado
necesitaban	han necesitado	habrán necesitado
Pret.	*Pluperf.*	
necesité	había necesitado	
necesitaste	habías necesitado	
necesitó	había necesitado	
necesitamos	habíamos necesitado	
necesitasteis	habíais necesitado	
necesitaron	habían necesitado	

SUBJUNCTIVE

Pres.	*Imperf.*	*Pluperf.*
necesite	necesitase	hubiera necesitado
necesites	necesitases	hubieras necesitado
necesite	necesitase	hubiera necesitado
necesitemos	necesitásemos	hubiéramos necesitado
necesitéis	necesitaseis	hubierais necesitado
necesiten	necesitasen	hubieran necesitado
Imperf.	*Pres. Perf.*	*Pluperf.*
necesitara	haya necesitado	hubiese necesitado
necesitaras	hayas necesitado	hubieses necesitado
necesitara	haya necesitado	hubiese necesitado
necesitáramos	hayamos necesitado	hubiésemos necesitado
necesitarais	hayáis necesitado	hubieseis necesitado
necesitaran	hayan necesitado	hubiesen necesitado

CONDITIONAL		IMPERATIVE
Simple	*Cond. Perf.*	
necesitaría	habría necesitado	
necesitarías	habrías necesitado	necesita; no necesites
necesitaría	habría necesitado	necesite
necesitaríamos	habríamos necesitado	necesitamos
necesitaríais	habríais necesitado	necesitad; no necesitéis
necesitarían	habrían necesitado	necesiten

negar

Pres. Part.: negando **negar: to deny**
Past Part.: negado

INDICATIVE

Pres.	*Fut.*	*Past Ant.*
niego	negaré	hube negado
niegas	negarás	hubiste negado
niega	negará	hubo negado
negamos	negaremos	hubimos negado
negáis	negaréis	hubisteis negado
niegan	negarán	hubieron negado
Imperf.	*Pres. Perf.*	*Fut. Perf.*
negaba	he negado	habré negado
negabas	has negado	habrás negado
negaba	ha negado	habrá negado
negábamos	hemos negado	habremos negado
negabais	habéis negado	habréis negado
negaban	han negado	habrán negado
Pret.	*Pluperf.*	
negué	había negado	
negaste	habías negado	
negó	había negado	
negamos	habíamos negado	
negasteis	habíais negado	
negaron	habían negado	

SUBJUNCTIVE

Pres.	*Imperf.*	*Pluperf.*
niegue	negase	hubiera negado
niegues	negases	hubieras negado
niegue	negase	hubiera negado
neguemos	negásemos	hubiéramos negado
neguéis	negaseis	hubierais negado
nieguen	negasen	hubieran negado
Imperf.	*Pres. Perf.*	*Pluperf.*
negara	haya negado	hubiese negado
negaras	hayas negado	hubieses negado
negara	haya negado	hubiese negado
negáramos	hayamos negado	hubiésemos negado
negarais	hayáis negado	hubieseis negado
negaran	hayan negado	hubiesen negado

CONDITIONAL / IMPERATIVE

Simple	*Cond. Perf.*	IMPERATIVE
negaría	habría negado	
negarías	habrías negado	niega; no niegues
negaría	habría negado	niegue
negaríamos	habríamos negado	neguemos
negaríais	habríais negado	negad; no neguéis
negarían	habrían negado	nieguen

CONJUGATED SAME AS ABOVE

negarse: to decline, refuse
renegar: to renounce

Pres. Part.: nevando
Past Part.: nevado

nevar: to snow

INDICATIVE

Pres. nieva; está nevando	*Fut.* nevará	*Past Ant.* hubo nevado
Imperf. nevaba	*Pres. Perf.* ha nevado	*Fut. Perf.* habrá nevado
Pret. nevó	*Pluperf.* había nevado	

SUBJUNCTIVE

Pres. nieve	*Imperf.* nevase	*Pluperf.* hubiera nevado
Imperf. nevara	*Pres. Perf.* haya nevado	*Pluperf.* hubiese nevado

CONDITIONAL		IMPERATIVE
Simple nevaría	*Cond. Perf.* habría nevado	que nieve

NOTE: This verb can be conjugated only in the third person singular.

obedecer

Pres. Part.: obedeciendo
Past Part.: obedecido

obedecer: to obey

INDICATIVE

Pres.	*Fut.*	*Past Ant.*
obedezco	obedeceré	hube obedecido
obedeces	obedecerás	hubiste obedecido
obedece	obedecerá	hubo obedecido
obedecemos	obedeceremos	hubimos obedecido
obedecéis	obedeceréis	hubisteis obedecido
obedecen	obedecerán	hubieron obedecido
Imperf.	*Pres. Perf.*	*Fut. Perf.*
obedecía	he obedecido	habré obedecido
obedecías	has obedecido	habrás obedecido
obedecía	ha obedecido	habrá obedecido
obedecíamos	hemos obedecido	habremos obedecido
obedecíais	habéis obedecido	habréis obedecido
obedecían	han obedecido	habrán obedecido
Pret.	*Pluperf.*	
obedecí	había obedecido	
obedeciste	habías obedecido	
obedeció	había obedecido	
obedecimos	habíamos obedecido	
obedecisteis	habíais obedecido	
obedecieron	habían obedecido	

SUBJUNCTIVE

Pres.	*Imperf.*	*Pluperf.*
obedezca	obedeciese	hubiera obedecido
obedezcas	obedesieses	hubieras obedecido
obedezca	obedeciese	hubiera obedecido
obedezcamos	obedeciésemos	hubiéramos obedecido
obedezcáis	obedecieseis	hubierais obedecido
obedezcan	obedeciesen	hubieran obedecido
Imperf.	*Pres. Perf.*	*Pluperf.*
obedeciera	haya obedecido	hubiese obedecido
obedecieras	hayas obedecido	hubieses obedecido
obedeciera	haya obedecido	hubiese obedecido
obedeciéramos	hayamos obedecido	hubiésemos obedecido
obedecierais	hayáis obedecido	hubieseis obedecido
obedecieran	hayan obedecido	hubiesen obedecido

CONDITIONAL		IMPERATIVE
Simple	*Cond. Perf.*	
obedecería	habría obedecido	
obedecerías	habrías obedecido	obedece; no obedezcas
obedecería	habría obedecido	obedezca
obedeceríamos	habríamos obedecido	obedezcamos
obedeceríais	habríais obedecido	obedeced; no obedezcáis
obedecerían	habrían obedecido	obedezcan

CONJUGATED SAME AS ABOVE
desobedecer: to disobey

Pres. Part.: ocultándose
Past Part.: ocultado

ocultarse: to hide oneself

INDICATIVE

Pres.
me oculto
te ocultas
se oculta
nos ocultamos
os ocultáis
se ocultan

Imperf.
me ocultaba
te ocultabas
se ocultaba
nos ocultábamos
os ocultabais
se ocultaban

Pret.
me oculté
te ocultaste
se ocultó
nos ocultamos
os ocultasteis
se ocultaron

Fut.
me ocultaré
te ocultarás
se ocultará
nos ocultaremos
os ocultaréis
se ocultarán

Pres. Perf.
me he ocultado
te has ocultado
se ha ocultado
nos hemos ocultado
os habéis ocultado
se han ocultado

Pluperf.
me había ocultado
te habías ocultado
se había ocultado
nos habíamos ocultado
os habíais ocultado
se habían ocultado

Past Ant.
me hube ocultado
te hubiste ocultado
se hubo ocultado
nos hubimos ocultado
os hubisteis ocultado
se hubieron ocultado

Fut. Perf.
me habré ocultado
te habrás ocultado
se habrá ocultado
nos habremos ocultado
os habréis ocultado
se habrán ocultado

SUBJUNCTIVE

Pres.
me oculte
te ocultes
se oculte
nos ocultemos
os ocultéis
se oculten

Imperf.
me ocultara
te ocultaras
se ocultara
nos ocultáramos
os ocultarais
se ocultaran

Imperf.
me ocultase
te ocultases
se ocultase
nos ocultásemos
os ocultaseis
se ocultasen

Pres. Perf.
me haya ocultado
te hayas ocultado
se haya ocultado
nos hayamos ocultado
os hayáis ocultado
se hayan ocultado

Pluperf.
me hubiera ocultado
te hubieras ocultado
se hubiera ocultado
nos hubiéramos ocultado
os hubierais ocultado
se hubieran ocultado

Pluperf.
me hubiese ocultado
te hubieses ocultado
se hubiese ocultado
nos hubiésemos ocultado
os hubieseis ocultado
se hubiesen ocultado

CONDITIONAL

Simple
me ocultaría
te ocultarías
se ocultaría
nos ocultaríamos
os ocultaríais
se ocultarían

Cond. Perf.
me habría ocultado
te habrías ocultado
se habría ocultado
nos habríamos ocultado
os habríais ocultado
se habrían ocultado

IMPERATIVE

ocúltate; no te ocultes
ocúltese
ocultémonos
ocultaos; no os ocultéis
ocúltense

CONJUGATED SAME AS ABOVE
ocultar: to hide, conceal, disguise

ocupar

Pres. Part.: ocupando
Past Part.: ocupado

ocupar: to occupy

INDICATIVE

Pres.	*Fut.*	*Past Ant.*
ocupo	ocuparé	hube ocupado
ocupas	ocuparás	hubiste ocupado
ocupa	ocupará	hubo ocupado
ocupamos	ocuparemos	hubimos ocupado
ocupáis	ocuparéis	hubisteis ocupado
ocupan	ocuparán	hubieron ocupado
Imperf.	*Pres. Perf.*	*Fut. Perf.*
ocupaba	he ocupado	habré ocupado
ocupabas	has ocupado	habrás ocupado
ocupaba	ha ocupado	habrá ocupado
ocupábamos	hemos ocupado	habremos ocupado
ocupabais	habéis ocupado	habréis ocupado
ocupaban	han ocupado	habrán ocupado
Pret.	*Pluperf.*	
ocupé	había ocupado	
ocupaste	habías ocupado	
ocupó	había ocupado	
ocupamos	habíamos ocupado	
ocupasteis	habíais ocupado	
ocuparon	habían ocupado	

SUBJUNCTIVE

Pres.	*Imperf.*	*Pluperf.*
ocupe	ocupase	hubiera ocupado
ocupes	ocupases	hubieras ocupado
ocupe	ocupase	hubiera ocupado
ocupemos	ocupásemos	hubiéramos ocupado
ocupéis	ocupaseis	hubierais ocupado
ocupen	ocupasen	hubieran ocupado
Imperf.	*Pres. Perf.*	*Pluperf.*
ocupara	haya ocupado	hubiese ocupado
ocuparas	hayas ocupado	hubieses ocupado
ocupara	haya ocupado	hubiese ocupado
ocupáramos	hayamos ocupado	hubiésemos ocupado
ocuparais	hayáis ocupado	hubieseis ocupado
ocuparan	hayan ocupado	hubiesen ocupado

CONDITIONAL		IMPERATIVE
Simple	*Cond. Perf.*	
ocuparía	habría ocupado	
ocuparías	habrías ocupado	ocupa; no ocupes
ocuparía	habría ocupado	ocupe
ocuparíamos	habríamos ocupado	ocupemos
ocuparíais	habríais ocupado	ocupad; no ocupéis
ocuparían	habrían ocupado	ocupen

CONJUGATED SAME AS ABOVE

desocupar: to vacate
ocuparse: to occupy oneself with; follow business

Pres. Part.: ocurriendo
Past Part.: ocurrido

ocurrir: to occur

INDICATIVE

Pres.	*Fut.*	*Past Ant.*
ocurre	ocurrirá	hubo ocurrido
ocurren	ocurrirían	hubieron ocurrido
Imperf.	*Pres. Perf.*	*Fut. Perf.*
ocurría	ha ocurrido	habrá ocurrido
ocurrían	han ocurrido	habrán ocurrido
Pret.	*Pluperf.*	
ocurrió	había ocurrido	
ocurrieron	habían ocurrido	

SUBJUNCTIVE

Pres.	*Imperf.*	*Pluperf.*
ocurra	ocurriese	hubiera ocurrido
ocurran	ocurriesen	hubieran ocurrido
Imperf.	*Pres. Perf.*	*Pluperf.*
ocurriera	haya ocurrido	hubiese ocurrido
ocurrieran	hayan ocurrido	hubiesen ocurrido

CONDITIONAL		IMPERATIVE
Simple	*Cond. Perf.*	
ocurriría	habría ocurrido	que ocurra
ocurrirían	habrían ocurrido	que ocurran

NOTE: This verb can be conjugated only in the third person.

ofrecer

Pres. Part.: ofreciendo

Past Part.: ofrecido

ofrecer: to offer; to present

INDICATIVE

Pres.	*Fut.*	*Past Ant.*
ofrezco	ofreceré	hube ofrecido
ofreces	ofrecerás	hubiste ofrecido
ofrece	ofrecerá	hubo ofrecido
ofrecemos	ofreceremos	hubimos ofrecido
ofrecéis	ofreceréis	hubisteis ofrecido
ofrecen	ofrecerán	hubieron ofrecido

Imperf.	*Pres. Perf.*	*Fut. Perf.*
ofrecía	he ofrecido	habré ofrecido
ofrecías	has ofrecido	habrás ofrecido
ofrecía	ha ofrecido	habrá ofrecido
ofrecíamos	hemos ofrecido	habremos ofrecido
ofrecíais	habéis ofrecido	habréis ofrecido
ofrecían	han ofrecido	habrán ofrecido

Pret.	*Pluperf.*
ofrecí	había ofrecido
ofreciste	habías ofrecido
ofreció	había ofrecido
ofrecimos	habíamos ofrecido
ofrecisteis	habíais ofrecido
ofrecieron	habían ofrecido

SUBJUNCTIVE

Pres.	*Imperf.*	*Pluperf.*
ofrezca	ofreciese	hubiera ofrecido
ofrezcas	ofrecieses	hubieras ofrecido
ofrezca	ofreciese	hubiera ofrecido
ofrezcamos	ofreciésemos	hubiéramos ofrecido
ofrezcáis	ofrecieseis	hubierais ofrecido
ofrezcan	ofreciesen	hubieran ofrecido

Imperf.	*Pres. Perf.*	*Pluperf.*
ofreciera	haya ofrecido	hubiese ofrecido
ofrecieras	hayas ofrecido	hubieses ofrecido
ofreciera	haya ofrecido	hubiese ofrecido
ofreciéramos	hayamos ofrecido	hubiésemos ofrecido
ofrecierais	hayáis ofrecido	hubieseis ofrecido
ofrecieran	hayan ofrecido	hubiesen ofrecido

CONDITIONAL		IMPERATIVE
Simple	*Cond. Perf.*	
ofrecería	habría ofrecido	
ofrecerías	habrías ofrecido	ofrece; no ofrezcas
ofrecería	habría ofrecido	ofrezca
ofreceríamos	habríamos ofrecido	ofrezcamos
ofreceríais	habríais ofrecido	ofreced; no ofrezcáis
ofrecerían	habrían ofrecido	ofrezcan

Pres. Part.: oyendo
Past Part.: oído

oir: to hear

INDICATIVE

Pres.	*Fut.*	*Past Ant.*
oigo	oiré	hube oído
oyes	oirás	hubiste oído
oye	oirá	hubo oído
oímos	oiremos	hubimos oído
oís	oiréis	hubisteis oído
oyen	oirán	hubieron oído
Imperf.	*Pres. Perf.*	*Fut. Perf.*
oía	he oído	habré oído
oías	has oído	habrás oído
oía	ha oído	habrá oído
oíamos	hemos oído	habremos oído
oíais	habéis oído	habréis oído
oían	han oído	habrán oído
Pret.	*Pluperf.*	
oí	había oído	
oíste	habías oído	
oyó	había oído	
oímos	habíamos oído	
oísteis	habíais oído	
oyeron	habían oído	

SUBJUNCTIVE

Pres.	*Imperf.*	*Pluperf.*
oiga	oyese	hubiera oído
oigas	oyeses	hubieras oído
oiga	oyese	hubiera oído
oigamos	oyésemos	hubiéramos oído
oigáis	oyeseis	hubierais oído
oigan	oyesen	hubieran oído
Imperf.	*Pres. Perf.*	*Pluperf.*
oyera	haya oído	hubiese oído
oyeras	hayas oído	hubieses oído
oyera	haya oído	hubiese oído
oyéramos	hayamos oído	hubiésemos oído
oyerais	hayáis oído	hubieseis oído
oyeran	hayan oído	hubiesen oído

CONDITIONAL		IMPERATIVE
Simple	*Cond. Perf.*	
oiría	habría oído	
oirías	habrías oído	oye; no oigas
oiría	habría oído	oiga
oiríamos	habríamos oído	oigamos
oiríais	habríais oído	oíd; no oigáis
oirían	habrían oído	oigan

CONJUGATED SAME AS ABOVE
desoír: to pretend not to hear; to ignore

oler

Pres. Part.: oliendo
Past Part.: olido

oler: to smell

INDICATIVE

Pres.	*Fut.*	*Past Ant.*
huelo	oleré	hube olido
hueles	olerás	hubiste olido
huele	olerá	hubo olido
olemos	oleremos	hubimos olido
oléis	oleréis	hubisteis olido
huelen	olerán	hubieron olido
Imperf.	*Pres. Perf.*	*Fut. Perf.*
olía	he olido	habré olido
olías	has olido	habrás olido
olía	ha olido	habrá olido
olíamos	hemos olido	habremos olido
olíais	habéis olido	habréis olido
olían	han olido	habrán olido
Pret.	*Pluperf.*	
olí	había olido	
oliste	habías olido	
olió	había olido	
olimos	habíamos olido	
olisteis	habíais olido	
olieron	habían olido	

SUBJUNCTIVE

Pres.	*Imperf.*	*Pluperf.*
huela	oliese	hubiera olido
huelas	olieses	hubieras olido
huela	oliese	hubiera olido
olamos	oliésemos	hubiéramos olido
oláis	olieseis	hubierais olido
huelan	oliesen	hubieran olido
Imperf.	*Pres. Perf.*	*Pluperf.*
oliera	haya olido	hubiese olido
olieras	hayas olido	hubieses olido
oliera	haya olido	hubiese olido
oliéramos	hayamos olido	hubiésemos olido
olierais	hayáis olido	hubieseis olido
olieran	hayan olido	hubiesen olido

CONDITIONAL

Simple	*Cond. Perf.*
olería	habría olido
olerías	habrías olido
olería	habría olido
oleríamos	habríamos olido
oleríais	habríais olido
olerían	habrían olido

IMPERATIVE

huele; no huelas
huela
olamos
oled; no oláis
huelan

Pres. Part.: olvidando
Past Part.: olvidado

olvidar: to forget

INDICATIVE

Pres.	*Fut.*	*Past Ant.*
olvido	olvidaré	hube olvidado
olvidas	olvidarás	hubiste olvidado
olvida	olvidará	hubo olvidado
olvidamos	olvidaremos	hubimos olvidado
olvidáis	olvidaréis	hubisteis olvidado
olvidan	olvidarán	hubieron olvidado
Imperf.	*Pres. Perf.*	*Fut. Perf.*
olvidaba	he olvidado	habré olvidado
olvidabas	has olvidado	habrás olvidado
olvidaba	ha olvidado	habrá olvidado
olvidábamos	hemos olvidado	habremos olvidado
olvidabais	habéis olvidado	habréis olvidado
olvidaban	han olvidado	habrán olvidado
Pret.	*Pluperf.*	
olvidé	había olvidado	
olvidaste	habías olvidado	
olvidó	había olvidado	
olvidamos	habíamos olvidado	
olvidasteis	habíais olvidado	
olvidaron	habían olvidado	

SUBJUNCTIVE

Pres.	*Imperf.*	*Pluperf.*
olvide	olvidase	hubiera olvidado
olvides	olvidases	hubieras olvidado
olvide	olvidase	hubiera olvidado
olvidemos	olvidásemos	hubiéramos olvidado
olvidéis	olvidaseis	hubierais olvidado
olviden	olvidasen	hubieran olvidado
Imperf.	*Pres. Perf.*	*Pluperf.*
olvidara	haya olvidado	hubiese olvidado
olvidaras	hayas olvidado	hubieses olvidado
olvidara	haya olvidado	hubiese olvidado
olvidáramos	hayamos olvidado	hubiésemos olvidado
olvidarais	hayáis olvidado	hubieseis olvidado
olvidaran	hayan olvidado	hubiesen olvidado

CONDITIONAL		IMPERATIVE
Simple	*Cond. Perf.*	
olvidaría	habría olvidado	
olvidarías	habrías olvidado	olvida; no olvides
olvidaría	habría olvidado	olvide
olvidaríamos	habríamos olvidado	olvidemos
olvidaríais	habríais olvidado	olvidad; no olvidéis
olvidarían	habrían olvidado	olviden

CONJUGATED SAME AS ABOVE
olvidarse: to forget oneself

pagar

Pres. Part.: pagando
Past Part.: pagado

pagar: to pay; to reciprocate

INDICATIVE

Pres.	*Fut.*	*Past Ant.*
pago	pagaré	hube pagado
pagas	pagarás	hubiste pagado
paga	pagará	hubo pagado
pagamos	pagaremos	hubimos pagado
pagáis	pagaréis	hubisteis pagado
pagan	pagarán	hubieron pagado
Imperf.	*Pres. Perf.*	*Fut. Perf.*
pagaba	he pagado	habré pagado
pagabas	has pagado	habrás pagado
pagaba	ha pagado	habrá pagado
pagábamos	hemos pagado	habremos pagado
pagabais	habéis pagado	habréis pagado
pagaban	han pagado	habrán pagado
Pret.	*Pluperf.*	
pagué	había pagado	
pagaste	habías pagado	
pagó	había pagado	
pagamos	habíamos pagado	
pagasteis	habíais pagado	
pagaron	habían pagado	

SUBJUNCTIVE

Pres.	*Imperf.*	*Pluperf.*
pague	pagase	hubiera pagado
pagues	pagases	hubieras pagado
pague	pagase	hubiera pagado
paguemos	pagásemos	hubiéramos pagado
paguéis	pagaseis	hubierais pagado
paguen	pagasen	hubieran pagado
Imperf.	*Pres. Perf.*	*Pluperf.*
pagara	haya pagado	hubiese pagado
pagaras	hayas pagado	hubieses pagado
pagara	haya pagado	hubiese pagado
pagáramos	hayamos pagado	hubiésemos pagado
pagarais	hayáis pagado	hubieseis pagado
pagaran	hayan pagado	hubiesen pagado

CONDITIONAL		IMPERATIVE
Simple	*Cond. Perf.*	
pagaría	habría pagado	
pagarías	habrías pagado	paga; no pagues
pagaría	habría pagado	pague
pagaríamos	habríamos pagado	paguemos
pagaríais	habríais pagado	pagad; no paguéis
pagarían	habrían pagado	paguen

Pres. Part.: pareciéndose
Past Part.: parecido

parecerse: to look alike, to resemble, conform to

INDICATIVE

Pres.
me parezco
te pareces
se parece
nos parecemos
os parecéis
se parecen

Imperf.
me parecía
te parecías
se parecía
nos parecíamos
os parecíais
se parecían

Pret.
me parecí
te pareciste
se pareció
nos parecimos
os parecistes
se parecieron

Fut.
me pareceré
te parecerás
se parecerá
nos pareceremos
os pareceréis
se parecerán

Pres. Perf.
me he parecido
te has parecido
se ha parecido
nos hemos parecido
os habéis parecido
se han parecido

Pluperf.
me había parecido
te habías parecido
se había parecido
nos habíamos parecido
os habíais parecido
se habían parecido

Past Ant.
me hube parecido
te hubiste parecido
se hubo parecido
nos hubimos parecido
os hubisteis parecido
se hubieron parecido

Fut. Perf.
me habré parecido
te habrás parecido
se habrá parecido
nos habremos parecido
os habréis parecido
se habrán parecido

SUBJUNCTIVE

Pres.
me parezca
te parezcas
se parezca
nos parezcamos
os parezcáis
se parezcan

Imperf.
me pareciera
te parecieras
se pareciera
nos pareciéramos
os parecierais
se parecieran

Imperf.
me pareciese
te parecieses
se pareciese
nos pareciésemos
se parecieseis
os pareciesen

Pres. Perf.
me haya parecido
te hayas parecido
se haya parecido
nos hayamos parecido
os hayáis parecido
se hayan parecido

Pluperf.
me hubiera parecido
te hubieras parecido
se hubiera parecido
nos hubiéramos parecido
os hubierais parecido
se hubieran parecido

Pluperf.
me hubiese parecido
te hubieses parecido
se hubiese parecido
nos hubiésemos parecido
os hubieseis parecido
se hubiesen parecido

CONDITIONAL

Simple
me parecería
te parecerías
se parecería
nos pareceríamos
os pareceríais
se parecerían

Cond. Perf.
me habría parecido
te habrías parecido
se habría parecido
nos habríamos parecido
os habríais parecido
se habrían parecido

IMPERATIVE

parécete; no te parezcas
parézcase
parezcámonos
pareceos; no os parezcáis
parézcanse

CONJUGATED SAME AS ABOVE

parecer: to seem; to appear

pasear

Pres. Part.: paseando **pasear: to take a walk**
Past Part.: paseado

INDICATIVE

Pres.	*Fut.*	*Past Ant.*
paseo	pasearé	hube paseado
paseas	pasearás	hubiste paseado
pasea	paseará	hubo paseado
paseamos	pasearemos	hubimos paseado
paseáis	pasearéis	hubisteis paseado
pasean	pasearán	hubieron paseado
Imperf.	*Pres. Perf.*	*Fut. Perf.*
paseaba	he paseado	habré paseado
paseabas	has paseado	habrás paseado
paseaba	ha paseado	habrá paseado
paseábamos	hemos paseado	habremos paseado
paseabais	habéis paseado	habréis paseado
paseaban	han paseado	habrán paseado
Pret.	*Pluperf.*	
paseé	había paseado	
paseaste	habías paseado	
paseó	había paseado	
paseamos	habíamos paseado	
paseasteis	habíais paseado	
pasearon	habían paseado	

SUBJUNCTIVE

Pres.	*Imperf.*	*Pluperf.*
pasee	pasease	hubiera paseado
pasees	paseases	hubieras paseado
pasee	pasease	hubiera paseado
paseemos	paseásemos	hubiéramos paseado
paseéis	paseaseis	hubierais paseado
paseen	paseasen	hubieran paseado
Imperf.	*Pres. Perf.*	*Pluperf.*
paseara	haya paseado	hubiese paseado
pasearas	hayas paseado	hubieses paseado
paseara	haya paseado	hubiese paseado
paseáramos	hayamos paseado	hubiésemos paseado
pasearais	hayáis paseado	hubieseis paseado
pasearan	hayan paseado	hubiesen paseado

CONDITIONAL / IMPERATIVE

Simple	*Cond. Perf.*	IMPERATIVE
pasearía	habría paseado	
pasearías	habrías paseado	pasea; no pasees
pasearía	habría paseado	pasee
pasearíamos	habríamos paseado	paseemos
pasearíais	habríais paseado	pasead; no paseéis
pasearían	habrían paseado	paseen

Pres. Part.: pidiendo
Past Part.: pedido

pedir: to ask; to request; to beg

INDICATIVE

Pres.
pido
pides
pide
pedimos
pedís
piden

Imperf.
pedía
pedías
pedía
pedíamos
pedíais
pedían

Pret.
pedí
pediste
pidió
pedimos
pedisteis
pidieron

Fut.
pediré
pedirás
pedirá
pediremos
pediréis
pedirán

Pres. Perf.
he pedido
has pedido
ha pedido
hemos pedido
habéis pedido
han pedido

Pluperf.
había pedido
habías pedido
había pedido
habíamos pedido
habíais pedido
habían pedido

Past Ant.
hube pedido
hubiste pedido
hubo pedido
hubimos pedido
hubisteis pedido
hubieron pedido

Fut. Perf.
habré pedido
habrás pedido
habrá pedido
habremos pedido
habréis pedido
habrán pedido

SUBJUNCTIVE

Pres.
pida
pidas
pida
pidamos
pidáis
pidan

Imperf.
pidiera
pidieras
pidiera
pidiéramos
pidierais
pidieran

Imperf.
pidiese
pidieses
pidiese
pidiésemos
pidieseis
pidiesen

Pres. Perf.
haya pedido
hayas pedido
haya pedido
hayamos pedido
hayáis pedido
hayan pedido

Pluperf.
hubiera pedido
hubieras pedido
hubiera pedido
hubiéramos pedido
hubierais pedido
hubieran pedido

Pluperf.
hubiese pedido
hubieses pedido
hubiese pedido
hubiésemos pedido
hubieseis pedido
hubiesen pedido

CONDITIONAL

Simple
pediría
pedirías
pediría
pediríamos
pediríais
pedirían

Cond. Perf.
habría pedido
habrías pedido
habría pedido
habríamos pedido
habríais pedido
habrían pedido

IMPERATIVE

pide; no pidas
pida
pidamos
pedid; no pidáis
pidan

peinarse

Pres. Part.: peinándose
Past Part.: peinado

peinarse: to comb one's hair

INDICATIVE

Pres.
me peino
te peinas
se peina
nos peinamos
os peináis
se peinan

Imperf.
me peinaba
te peinabas
se peinaba
nos peinábamos
os peinabais
se peinaban

Pret.
me peiné
te peinaste
se peinó
nos peinamos
os peinasteis
se peinaron

Fut.
me peinaré
te peinarás
se peinará
nos peinaremos
os peinaréis
se peinarán

Pres. Perf.
me he peinado
te has peinado
se ha peinado
nos hemos peinado
os habéis peinado
se han peinado

Pluperf.
me había peinado
te habías peinado
se había peinado
nos habíamos peinado
os habíais peinado
se habían peinado

Past Ant.
me hube peinado
te hubiste peinado
se hubo peinado
nos hubimos peinado
os hubisteis peinado
se hubieron peinado

Fut. Perf.
me habré peinado
te habrás peinado
se habrá peinado
nos habremos peinado
os habréis peinado
se habrán peinado

SUBJUNCTIVE

Pres.
me peine
te peines
se peine
nos peinemos
os peinéis
se peinen

Imperf.
me peinara
te peinaras
se peinara
nos peináramos
os peinarais
se peinaran

Imperf.
me peinase
te peinases
se peinase
nos peinásemos
os peinaseis
se peinasen

Pres. Perf.
me haya peinado
te hayas peinado
se haya peinado
nos hayamos peinado
os hayáis peinado
se hayan peinado

Pluperf.
me hubiera peinado
te hubieras peinado
se hubiera peinado
nos hubiéramos peinado
os hubierais peinado
se hubieran peinado

Pluperf.
me hubiese peinado
te hubieses peinado
se hubiese peinado
nos hubiésemos peinado
os hubieseis peinado
se hubiesen peinado

CONDITIONAL

Simple
me peinaría
te peinarías
se peinaría
nos peinaríamos
os peinaríais
se peinarían

Cond. Perf.
me habría peinado
te habrías peinado
se habría peinado
nos habríamos peinado
os habríais peinado
se habrían peinado

IMPERATIVE

péinate; no te peines
péinese
peinémonos
peinaos; no os peinéis
péinense

CONJUGATED SAME AS ABOVE
despeinarse: to dishevel oneself
peinar: to comb, rub slightly

Pres. Part.: pensando
Past Part.: pensado

pensar: to think

INDICATIVE

Pres.	*Fut.*	*Past Ant.*
pienso	pensaré	hube pensado
piensas	pensarás	hubiste pensado
piensa	pensará	hubo pensado
pensamos	pensaremos	hubimos pensado
pensáis	pensaréis	hubisteis pensado
piensan	pensarán	hubieron pensado
Imperf.	*Pres. Perf.*	*Fut. Perf.*
pensaba	he pensado	habré pensado
pensabas	has pensado	habrás pensado
pensaba	ha pensado	habrá pensado
pensábamos	hemos pensado	habremos pensado
pensabais	habéis pensado	habréis pensado
pensaban	han pensado	habrán pensado
Pret.	*Pluperf.*	
pensé	había pensado	
pensaste	habías pensado	
pensó	había pensado	
pensamos	habíamos pensado	
pensasteis	habíais pensado	
pensaron	habían pensado	

SUBJUNCTIVE

Pres.	*Imperf.*	*Pluperf.*
piense	pensase	hubiera pensado
pienses	pensases	hubieras pensado
piense	pensase	hubiera pensado
pensemos	pensásemos	hubiéramos pensado
penséis	pensaseis	hubierais pensado
piensen	pensasen	hubieran pensado
Imperf.	*Pres. Perf.*	*Pluperf.*
pensara	haya pensado	hubiese pensado
pensaras	hayas pensado	hubieses pensado
pensara	haya pensado	hubiese pensado
pensáramos	hayamos pensado	hubiésemos pensado
pensarais	hayáis pensado	hubieseis pensado
pensaran	hayan pensado	hubiesen pensado

CONDITIONAL		IMPERATIVE
Simple	*Cond. Perf.*	
pensaría	habría pensado	
pensarías	habrías pensado	piensa; no pienses
pensaría	habría pensado	piense
pensaríamos	habríamos pensado	pensemos
pensaríais	habríais pensado	pensad; no penséis
pensarían	habrían pensado	piensen

CONJUGATED SAME AS ABOVE
repensar: to reconsider

perder

Pres. Part.: perdiendo
Past Part.: perdido

perder: to lose; to waste; to miss

INDICATIVE

Pres.	*Fut.*	*Past Ant.*
pierdo	perderé	hube perdido
pierdes	perderás	hubiste perdido
pierde	perderá	hubo perdido
perdemos	perderemos	hubimos perdido
perdéis	perderéis	hubisteis perdido
pierden	perderán	hubieron perdido
Imperf.	*Pres. Perf.*	*Fut. Perf.*
perdía	he perdido	habré perdido
perdías	has perdido	habrás perdido
perdía	ha perdido	habrá perdido
perdíamos	hemos perdido	habremos perdido
perdíais	habéis perdido	habréis perdido
perdían	han perdido	habrán perdido
Pret.	*Pluperf.*	
perdí	había perdido	
perdiste	habías perdido	
predió	había perdido	
perdimos	habíamos perdido	
perdisteis	habíais perdido	
perdieron	habían perdido	

SUBJUNCTIVE

Pres.	*Imperf.*	*Pluperf.*
pierda	perdiese	hubiera perdido
pierdas	perdieses	hubieras perdido
pierda	perdiese	hubiera perdido
perdamos	perdiésemos	hubiéramos perdido
perdáis	perdieseis	hubierais perdido
pierdan	perdiesen	hubieran perdido
Imperf.	*Pres. Perf.*	*Pluperf.*
perdiera	haya perdido	hubiese perdido
perdieras	hayas perdido	hubieses perdido
perdiera	haya perdido	hubiese perdido
perdiéramos	hayamos perdido	hubiésemos perdido
perdierais	hayáis perdido	hubieseis perdido
perdieran	hayan perdido	hubiesen perdido

CONDITIONAL		IMPERATIVE
Simple	*Cond. Perf.*	
perdería	habría perdido	
perderías	habrías perdido	pierde; no pierdas
perdería	habría perdido	pierda
perderíamos	habríamos perdido	perdamos
perderíais	habríais perdido	perded; no perdáis
perderían	habrían perdido	pierdan

Pres. Part.: perdonando
Past Part.: perdonado

perdonar: to forgive; to excuse; to overlook

INDICATIVE

Pres.	*Fut.*	*Past Ant.*
perdono	perdonaré	hube perdonado
perdonas	perdonarás	hubiste perdonado
perdona	perdonará	hubo perdonado
perdonamos	perdonaremos	hubimos perdonado
perdonáis	perdonaréis	hubisteis perdonado
perdonan	perdonarán	hubieron perdonado
Imperf.	*Pres. Perf.*	*Fut. Perf.*
perdonaba	he perdonado	habré perdonado
perdonabas	has perdonado	habrás perdonado
perdonaba	ha perdonado	habrá perdonado
perdonábamos	hemos perdonado	habremos perdonado
perdonabais	habéis perdonado	habréis perdonado
perdonaban	han perdonado	habrán perdonado
Pret.	*Pluperf.*	
perdoné	había perdonado	
perdonaste	habías perdonado	
perdonó	había perdonado	
perdonamos	habíamos perdonado	
perdonasteis	habíais perdonado	
perdonaron	habían perdonado	

SUBJUNCTIVE

Pres.	*Imperf.*	*Pluperf.*
perdone	perdonase	hubiera perdonado
perdones	perdonases	hubieras perdonado
perdone	perdonase	hubiera perdonado
perdonemos	perdonásemos	hubiéramos perdonado
perdonéis	perdonaseis	hubierais perdonado
perdonen	perdonasen	hubieran perdonado
Imperf.	*Pres. Perf.*	*Pluperf.*
perdonara	haya perdonado	hubiese perdonado
perdonaras	hayas perdonado	hubieses perdonado
perdonara	haya perdonado	hubiese perdonado
perdonáramos	hayamos perdonado	hubiésemos perdonado
perdonarais	hayáis perdonado	hubieseis perdonado
perdonaran	hayan perdonado	hubiesen perdonado

CONDITIONAL / IMPERATIVE

Simple	*Cond. Perf.*	IMPERATIVE
perdonaría	habría perdonado	
perdonarías	habrías perdonado	perdona; no perdones
perdonaría	habría perdonado	perdone
perdonaríamos	habríamos perdonado	perdonemos
perdonaríais	habríais perdonado	perdonad; no perdonéis
perdonarían	habrían perdonado	perdonen

permitir

Pres. Part.: permitiendo
Past Part.: permitido

permitir: to allow

INDICATIVE

Pres.
permito
permites
permite
permitimos
permitís
permiten

Imperf.
permitía
permitías
permitía
permitíamos
permitíais
permitían

Pret.
permití
permitiste
permitió
permitimos
permitisteis
permitieron

Fut.
permitiré
permitirás
permitirá
permitiremos
permitiréis
permitirán

Pres. Perf.
he permitido
has permitido
ha permitido
hemos permitido
habéis permitido
han permitido

Pluperf.
había permitido
habías permitido
había permitido
habíamos permitido
habíais permitido
habían permitido

Past Ant.
hube permitido
hubiste permitido
hubo permitido
hubimos permitido
hubisteis permitido
hubieron permitido

Fut. Perf.
habré permitido
habrás permitido
habrá permitido
habremos permitido
habréis permitido
habrán permitido

SUBJUNCTIVE

Pres.
permita
permitas
permita
permitamos
permitáis
permitan

Imperf.
permitiera
permitieras
permitiera
permitiéramos
permitierais
permitieran

Imperf.
permitiese
permitieses
permitiese
permitiésemos
permitieseis
permitiesen

Pres. Perf.
haya permitido
hayas permitido
haya permitido
hayamos permitido
hayáis permitido
hayan permitido

Pluperf.
hubiera permitido
hubieras permitido
hubiera permitido
hubiéramos permitido
hubierais permitido
hubieran permitido

Pluperf.
hubiese permitido
hubieses permitido
hubiese permitido
hubiésemos permitido
hubieseis permitido
hubiesen permitido

CONDITIONAL

Simple
permitiría
permitirías
permitiría
permitiríamos
permitiríais
permitirían

Cond. Perf.
habría permitido
habrías permitido
habría permitido
habríamos permitido
habríais permitido
habrían permitido

IMPERATIVE

permite; no permitas
permita
permitamos
permitid; no permitáis
permitan

CONJUGATED SAME AS ABOVE
admitir: to admit
emitir: to emit, send forth, spread
transmitir: to convey, transmit

Pres. Part.: pintando
Past Part.: pintado

pintar: to paint

INDICATIVE

Pres.	*Fut.*	*Past Ant.*
pinto	pintaré	hube pintado
pintas	pintarás	hubiste pintado
pinta	pintará	hubo pintado
pintamos	pintaremos	hubimos pintado
pintáis	pintaréis	hubisteis pintado
pintan	pintarán	hubieron pintado
Imperf.	*Pres. Perf.*	*Fut. Perf.*
pintaba	he pintado	habré pintado
pintabas	has pintado	habrás pintado
pintaba	ha pintado	habrá pintado
pintábamos	hemos pintado	habremos pintado
pintabais	habéis pintado	habréis pintado
pintaban	han pintado	habrán pintado
Pret.	*Pluperf.*	
pinté	había pintado	
pintaste	habías pintado	
pintó	había pintado	
pintamos	habíamos pintado	
pintasteis	habíais pintado	
pintaron	habían pintado	

SUBJUNCTIVE

Pres.	*Imperf.*	*Plulperf.*
pinte	pintase	hubiera pintado
pintes	pintases	hubieras pintado
pinte	pintase	hubiera pintado
pintemos	pintásemos	hubiéramos pintado
pintéis	pintaseis	hubierais pintado
pinten	pintasen	hubieran pintado
Imperf.	*Pres. Perf.*	*Pluperf.*
pintara	haya pintado	hubiese pintado
pintaras	hayas pintado	hubieses pintado
pintara	haya pintado	hubiese pintado
pintáramos	hayamos pintado	hubiésemos pintado
pintarais	hayáis pintado	hubieseis pintado
pintaran	hayan pintado	hubiesen pintado

CONDITIONAL		IMPERATIVE
Simple	*Cond. Perf.*	
pintaría	habría pintado	
pintarías	habrías pintado	pinta; no pintes
pintaría	habría pintado	pinte
pintaríamos	habríamos pintado	pintemos
pintaríais	habríais pintado	pintad; no pintéis
pintarían	habrían pintado	pinten

CONJUGATED SAME AS ABOVE
repintar: to repaint

pisar

Pres. Part.: pisando
Past Part.: pisado

pisar: to step on

INDICATIVE

Pres.	*Fut.*	*Past Ant.*
piso	pisaré	hube pisado
pisas	pisarás	hubiste pisado
pisa	pisará	hubo pisado
pisamos	pisaremos	hubimos pisado
pisáis	pisaréis	hubisteis pisado
pisan	pisarán	hubieron pisado
Imperf.	*Pres. Perf.*	*Fut. Perf.*
pisaba	he pisado	habré pisado
pisabas	has pisado	habrás pisado
pisaba	ha pisado	habrá pisado
pisábamos	hemos pisado	habremos pisado
pisabais	habéis pisado	habréis pisado
pisaban	han pisado	habrán pisado
Pret.	*Pluperf.*	
pisé	había pisado	
pisaste	habías pisado	
pisó	había pisado	
pisamos	habíamos pisado	
pisasteis	habíais pisado	
pisaron	habían pisado	

SUBJUNCTIVE

Pres.	*Imperf.*	*Pluperf.*
pise	pisase	hubiera pisado
pises	pisases	hubieras pisado
pise	pisase	hubiera pisado
pisemos	pisásemos	hubiéramos pisado
piséis	pisaseis	hubierais pisado
pisen	pisasen	hubieran pisado
Imperf.	*Pres. Perf.*	*Pluperf.*
pisara	haya pisado	hubiese pisado
pisaras	hayas pisado	hubieses pisado
pisara	haya pisado	hubiese pisado
pisáramos	hayamos pisado	hubiésemos pisado
pisarais	hayáis pisado	hubieseis pisado
pisaran	hayan pisado	hubiesen pisado

CONDITIONAL		IMPERATIVE
Simple	*Cond. Perf.*	
pisaría	habría pisado	
pisarías	habrías pisado	pisa; no pises
pisaría	habría pisado	pise
pisaríamos	habríamos pisado	pisemos
pisaríais	habríais pisado	pisad; no piséis
pisarían	habrían pisado	pisen

CONJUGATED SAME AS ABOVE
repisar: to step again, tamp

Pres. Part.: platicando
Past Part.: platicado

platicar: to chat

INDICATIVE

Pres.	*Fut.*	*Past Ant.*
platico	platicaré	hube platicado
platicas	platicarás	hubiste platicado
platica	platicará	hubo platicado
platicamos	platicaremos	hubimos platicado
platicáis	platicaréis	hubisteis platicado
platican	platicaran	hubieron platicado
Imperf.	*Pres. Perf.*	*Fut. Perf.*
platicaba	he platicado	habré platicado
platicabas	has platicado	habrás platicado
platicaba	ha platicado	habrá platicado
platicábamos	hemos platicado	habremos platicado
platicabais	habéis platicado	habréis platicado
platicaban	han platicado	habrán platicado
Pret.	*Pluperf.*	
platiqué	había platicado	
platicaste	habías platicado	
platicó	había platicado	
platicamos	habíamos platicado	
platicasteis	habíais platicado	
platicaron	habían platicado	

SUBJUNCTIVE

Pres.	*Imperf.*	*Pluperf.*
platique	platicase	hubiera platicado
platiques	platicases	hubieras platicado
platique	platicase	hubiera platicado
platiquemos	platicásemos	hubiéramos platicado
platiquéis	platicaseis	hubierais platicado
platiquen	platicasen	hubieran platicado
Imperf.	*Pres. Perf.*	*Pluperf.*
platicara	haya platicado	hubiese platicado
platicaras	hayas platicado	hubieses platicado
platicara	haya platicado	hubiese platicado
platicáramos	hayamos platicado	hubiésemos platicado
platicarais	hayáis platicado	hubieseis platicado
platicaran	hayan platicado	hubiesen platicado

CONDITIONAL		IMPERATIVE
Simple	*Cond. Perf.*	
platicaría	habría platicado	
platicarías	habrías platicado	platica; no platiques
platicaría	habría platicado	platique
platicaríamos	habríamos platicado	platiquemos
platicaríais	habríais platicado	platicad; no platiquéis
platicarían	habrían platicado	platiquen

poder

Pres. Part.: pudiendo
Past Part.: podido

poder: to be able to, can, may

INDICATIVE

Pres.	*Fut.*	*Past Ant.*
puedo	podré	hube podido
puedes	podrás	hubiste podido
puede	podrá	hubo podido
podemos	podremos	hubimos podido
podéis	podréis	hubisteis podido
pueden	podrán	hubieron podido
Imperf.	*Pres. Perf.*	*Fut. Perf.*
podía	he podido	habré podido
podías	has podido	habrás podido
podía	ha podido	habrá podido
podíamos	hemos podido	habremos podido
podíais	habéis podido	habréis podido
podían	han podido	habrán podido
Pret.	*Pluperf.*	
pude	había podido	
pudiste	habías podido	
pudo	había podido	
pudimos	habíamos podido	
pudisteis	habíais podido	
pudieron	habían podido	

SUBJUNCTIVE

Pres.	*Imperf.*	*Pluperf.*
pueda	pudiese	hubiera podido
puedas	pudieses	hubieras podido
pueda	pudiese	hubiera podido
podamos	pudiésemos	hubiéramos podido
podáis	pudieseis	hubierais podido
puedan	pudiesen	hubieran podido
Imperf.	*Pres. Perf.*	*Pluperf.*
pudiera	haya podido	hubiese podido
pudieras	hayas podido	hubieses podido
pudiera	haya podido	hubiese podido
pudiéramos	hayamos podido	hubiésemos podido
pudierais	hayáis podido	hubieseis podido
pudieran	hayan podido	hubiesen podido

CONDITIONAL		IMPERATIVE
Simple	*Cond. Perf.*	
podría	habría podido	
podrías	habrías podido	puede; no puedas
podría	habría podido	pueda
podríamos	habríamos podido	podamos
podríais	habríais podido	poded; no podáis
podrían	habrían podido	puedan

Pres. Part.: poniéndose
Past Part.: puesto

ponerse: to dress oneself

INDICATIVE

Pres.	*Fut.*	*Past Ant.*
me pongo	me pondré	me hube puesto
te pones	te pondrás	te hubiste puesto
se pone	se pondrá	se hubo puesto
nos ponemos	nos pondremos	nos hubimos puesto
os ponéis	os pondréis	os hubisteis puesto
se ponen	se pondrán	se hubieron puesto
Imperf.	*Pres. Perf.*	*Fut. Perf.*
me ponía	me he puesto	me habré puesto
te ponías	te has puesto	te habrás puesto
se ponía	se ha puesto	se habrá puesto
nos poníamos	nos hemos puesto	nos habremos puesto
os poníais	os habéis puesto	os habréis puesto
se ponían	se han puesto	se habrán puesto
Pret.	*Pluperf.*	
me puse	me había puesto	
te pusiste	te habías puesto	
se puso	se había puesto	
nos pusimos	nos habíamos puesto	
os pusisteis	os habíais puesto	
se pusieron	se habían puesto	

SUBJUNCTIVE

Pres.	*Imperf.*	*Pluperf.*
me ponga	me pusiese	me hubiera puesto
te pongas	te pusieses	te hubieras puesto
se ponga	se pusiese	se hubiera puesto
nos pongamos	nos pusiésemos	nos hubiéramos puesto
os pongáis	os pusieseis	os hubierais puesto
se pongan	se pusieran	se hubieran puesto
Imperf.	*Pres. Perf.*	*Pluperf.*
me pusiera	me haya puesto	me hubiese puesto
te pusieras	te hayas puesto	te hubieses puesto
se pusiera	se haya puesto	se hubiese puesto
nos pusiéramos	nos hayamos puesto	nos hubiésemos puesto
os pusierais	os hayáis puesto	os hubieseis puesto
se pusieran	se hayan puesto	se hubiesen puesto

CONDITIONAL

Simple	*Cond. Perf.*	IMPERATIVE
me pondría	me habría puesto	
te pondrías	te habrías puesto	ponte; no te pongas
se pondría	se habría puesto	póngase
nos pondríamos	nos habríamos puesto	pongámonos
os pondríais	os habríais puesto	poneos; no os pongáis
se pondrían	se habrían puesto	pónganse

CONJUGATED SAME AS ABOVE

deponer: to depose
exponer: to exhibit; to risk
imponer: to impose
indisponer to indispose
indisponerse: to become ill; to be upset with a person
reponer: to replace, refill, restore
reponerse: to recover one's health

practicar

Pres. Part.: practicando

Past Part.: practicado

practicar: to practice

INDICATIVE

Pres.
practico
practicas
practica
practicamos
practicáis
practican

Imperf.
practicaba
practicabas
practicaba
practicábamos
practicabais
practicaban

Pret.
practiqué
practicaste
practicó
practicamos
practicasteis
practicaron

Fut.
practicaré
practicarás
practicará
practicaremos
practicaréis
practicarán

Pres. Perf.
he practicado
has practicado
ha practicado
hemos practicado
habéis practicado
han practicado

Pluperf.
había practicado
habías practicado
había practicado
habíamos practicado
habíais practicado
habían practicado

Past Ant.
hube practicado
hubiste practicado
hubo practicado
hubimos practicado
hubisteis practicado
hubieron practicado

Fut. Perf.
habré practicado
habrás practicado
habrá practicado
habremos practicado
habréis practicado
habrán practicado

SUBJUNCTIVE

Pres.
practique
practiques
practique
practiquemos
practiquéis
practiquen

Imperf.
practicara
practicaras
practicara
practicáramos
practicarais
practicaran

Imperf.
practicase
practicases
practicase
practicásemos
practicaseis
practicasen

Pres. Perf.
haya practicado
hayas practicado
haya practicado
hayamos practicado
hayáis practicado
hayan practicado

Pluperf.
hubiera practicado
hubieras practicado
hubiera practicado
hubiéramos practicado
hubierais practicado
hubieran practicado

Pluperf.
hubiese practicado
hubieses practicado
hubiese practicado
hubiésemos practicado
hubieseis practicado
hubiesen practicado

CONDITIONAL

Simple
practicaría
practicarías
practicaría
practicaríamos
practicaríais
practicarían

Cond. Perf.
habría practicado
habrías practicado
habría practicado
habríamos practicado
habríais practicado
habrían practicado

IMPERATIVE

practica; no practiques
practique
practiquemos
practicad; no practiquéis
practiquen

preferir

Pres. Part.: prefiriendo
Past Part.: preferido

preferir: to prefer

INDICATIVE

Pres.	*Fut.*	*Past Ant.*
prefiero	preferiré	hube preferido
prefieres	preferirás	hubiste preferido
prefiere	preferirá	hubo preferido
preferimos	preferiremos	hubimos preferido
preferís	preferiréis	hubisteis preferido
prefieren	preferirán	hubieron preferido

Imperf.	*Pres. Perf.*	*Fut. Perf.*
prefería	he preferido	habré preferido
preferías	has preferido	habrás preferido
prefería	ha preferido	habrá preferido
preferíamos	hemos preferido	habremos preferido
preferíais	habéis preferido	habréis preferido
preferían	han preferido	habrán preferido

Pret.	*Pluperf.*
preferí	había preferido
preferiste	habías preferido
prefirió	había preferido
preferimos	habíamos preferido
preferisteis	habíais preferido
prefirieron	habían preferido

SUBJUNCTIVE

Pres.	*Imperf.*	*Pluperf.*
prefiera	prefiriese	hubiera preferido
prefieras	prefirieses	hubieras preferido
prefiera	prefiriese	hubiera preferido
prefiramos	prefiriésemos	hubiéramos preferido
prefiráis	prefirieseis	hubierais preferido
prefieran	prefiriesen	hubieran preferido

Imperf.	*Pres. Perf.*	*Pluperf.*
prefiriera	haya preferido	hubiese preferido
prefirieras	hayas preferido	hubieses preferido
prefiriera	haya preferido	hubiese preferido
prefiriéramos	hayamos preferido	hubiésemos preferido
prefirierais	hayáis preferido	hubieseis preferido
prefirieran	hayan preferido	hubiesen preferido

CONDITIONAL

Simple	*Cond. Perf.*
preferiría	habría preferido
preferirías	habrías preferido
preferiría	habría preferido
preferiríamos	habríamos preferido
preferiríais	habríais preferido
preferirían	habrían preferido

IMPERATIVE

prefiere; no prefieras
prefiera
prefiramos
preferid; no prefiráis
prefieran

preguntar

Pres. Part.: preguntando
Past Part.: preguntado

preguntar: to ask; to inquire

INDICATIVE

Pres.	*Fut.*	*Past Ant.*
pregunto	preguntaré	hube preguntado
preguntas	preguntarás	hubiste preguntado
pregunta	preguntará	hubo preguntado
preguntamos	preguntaremos	hubimos preguntado
preguntáis	preguntaréis	hubisteis preguntado
preguntan	preguntarán	hubieron preguntado
Imperf.	*Pres. Perf.*	*Fut. Perf.*
preguntaba	he preguntado	habré preguntado
preguntabas	has preguntado	habrás preguntado
preguntaba	ha preguntado	habrá preguntado
preguntábamos	hemos preguntado	habremos preguntado
preguntabais	habéis preguntado	habréis preguntado
preguntaban	han preguntado	habrán preguntado
Pret.	*Pluperf.*	
pregunté	había preguntado	
preguntaste	habías preguntado	
preguntó	había preguntado	
preguntamos	habíamos preguntado	
preguntasteis	habíais preguntado	
preguntaron	habían preguntado	

SUBJUNCTIVE

Pres.	*Imperf.*	*Pluperf.*
pregunte	preguntase	hubiera preguntado
preguntes	preguntases	hubieras preguntado
pregunte	preguntase	hubiera preguntado
preguntemos	preguntásemos	hubiéramos preguntado
preguntéis	preguntaseis	hubierais preguntado
pregunten	preguntasen	hubieran preguntado
Imperf.	*Pres. Perf.*	*Pluperf.*
preguntara	haya preguntado	hubiese preguntado
preguntaras	hayas preguntado	hubieses preguntado
preguntara	haya preguntado	hubiese preguntado
preguntáramos	hayamos preguntado	hubiésemos preguntado
preguntarais	hayáis preguntado	hubieseis preguntado
preguntaran	hayan preguntado	hubiesen preguntado

CONDITIONAL		IMPERATIVE
Simple	*Cond. Perf.*	
preguntaría	habría preguntado	
preguntarías	habrías preguntado	pregunta; no preguntes
preguntaría	habría preguntado	pregunte
preguntaríamos	habríamos preguntado	preguntemos
preguntaríais	habríais preguntado	preguntad; no preguntéis
preguntarían	habrían preguntado	pregunten

Pres. Part.: preocupándose
Past Part.: preocupado

preocuparse: to be worried

INDICATIVE

Pres.	*Fut.*	*Past Ant.*
me preocupo	me preocuparé	me hube preocupado
te preocupas	te preocuparás	te hubiste preocupado
se preocupa	se preocupará	se hubo preocupado
nos preocupamos	nos preocuparemos	nos hubimos preocupado
os preocupáis	os preocuparéis	os hubisteis preocupado
se preocupan	se preocuparán	se hubieron preocupado
Imperf.	*Pres. Perf.*	*Fut. Perf.*
me preocupaba	me he preocupado	me habré preocupado
te preocupabas	te has preocupado	te habrás preocupado
se preocupaba	se ha preocupado	se habrá preocupado
nos preocupábamos	nos hemos preocupado	nos habremos preocupado
os preocupabais	os habéis preocupado	os habréis preocupado
se preocupaban	se han preocupado	se habrán preocupado
Pret.	*Pluperf.*	
me preocupé	me había preocupado	
te preocupaste	te habías preocupado	
se preocupó	se había preocupado	
nos preocupamos	nos habíamos preocupado	
os preocupasteis	os habíais preocupado	
se preocuparon	se habían preocupado	

SUBJUNCTIVE

Pres.	*Imperf.*	*Pluperf.*
me preocupe	me preocupase	me hubiera preocupado
te preocupes	te preocupases	te hubieras preocupado
se preocupe	se preocupase	se hubiera preocupado
nos preocupemos	nos preocupásemos	nos hubiéramos preocupado
os preocupéis	os preocupaseis	os hubierais preocupado
se preocupen	se preocupasen	se hubieran preocupado
Imperf.	*Pres. Imperf.*	*Pluperf.*
me preocupara	me haya preocupado	me hubiese preocupado
te preocuparas	te hayas preocupado	te hubieses preocupado
se preocupara	se haya preocupado	se hubiese preocupado
nos preocupáramos	nos hayamos preocupado	nos hubiésemos preocupado
os preocuparais	os hayáis preocupado	os hubieseis preocupado
se preocuparan	se hayan preocupado	se hubiesen preocupado

CONDITIONAL		IMPERATIVE
Simple	*Cond. Perf.*	
me preocuparía	me habría preocupado	
te preocuparías	te habrías preocupado	preocúpate; no te preocupes
se preocuparía	se habría preocupado	preocúpese
nos preocuparíamos	nos habríamos preocupado	preocupémonos
os preocuparíais	os habríais preocupado	preocupaos; no os preocupéis
se preocuparían	se habrían preocupado	preocúpense

preparar

Pres. Part.: preparando **preparar: to prepare**
Past Part.: preparado

INDICATIVE

Pres.	*Fut.*	*Past Ant.*
preparo	prepararé	hube preparado
preparas	prepararás	hubiste preparado
prepara	preparará	hubo preparado
preparamos	prepararemos	hubimos preparado
preparáis	prepararéis	hubisteis preparado
preparan	prepararán	hubieron preparado
Imperf.	*Pres. Perf.*	*Fut. Perf.*
preparaba	he preparado	habré preparado
preparabas	has preparado	habrás preparado
preparaba	ha preparado	habrá preparado
preparábamos	hemos preparado	habremos preparado
preparabais	habéis preparado	habréis preparado
preparaban	han preparado	habrán preparado
Pret.	*Pluperf.*	
preparé	había preparado	
preparaste	habías preparado	
preparó	había preparado	
prepararamos	habíamos preparado	
preparasteis	habíais preparado	
prepararon	habían preparado	

SUBJUNCTIVE

Pres.	*Imperf.*	*Pluperf.*
prepare	preparase	hubiera preparado
prepares	preparases	hubieras preparado
prepare	preparase	hubiera preparado
preparemos	preparásemos	hubiéramos preparado
preparéis	preparaseis	hubierais preparado
preparen	preparasen	hubieran preparado
Imperf.	*Pres. Perf.*	*Pluperf.*
preparara	haya preparado	hubiese preparado
prepararas	hayas preparado	hubieses preparado
preparara	haya preparado	hubiese preparado
preparáramos	hayamos preparado	hubiésemos preparado
prepararais	hayáis preparado	hubieseis preparado
prepararan	hayan preparado	hubiesen preparado

CONDITIONAL		IMPERATIVE
Simple	*Cond. Perf.*	
prepararía	habría preparado	
prepararías	habrías preparado	prepara; no prepares
prepararía	habría preparado	prepare
prepararíamos	habríamos preparado	preparemos
prepararíais	habríais preparado	preparad; no preparéis
prepararían	habrían preparado	preparen

CONJUGATED SAME AS ABOVE
parar: to stop, desist
pararse: to stop, halt; (Am.) to stand up

presentar

Pres. Part.: presentando
Past Part.: presentado

presentar: to present; to introduce

INDICATIVE

Pres.
presento
presentas
presenta
presentamos
presentáis
presentan

Imperf.
presentaba
presentabas
presentaba
presentábamos
presentabais
presentaban

Pret.
presenté
presentaste
presentó
presentamos
presentasteis
presentaron

Fut.
presentaré
presentarás
presentará
presentaremos
presentaréis
presentarán

Pres. Perf.
he presentado
has presentado
ha presentado
hemos presentado
habéis presentado
han presentado

Pluperf.
había presentado
habías presentado
había presentado
habíamos presentado
habíais presentado
habían presentado

Past Ant.
hube presentado
hubiste presentado
hubo presentado
hubimos presentado
hubisteis presentado
hubieron presentado

Fut. Perf.
habré presentado
habrás presentado
habrá presentado
habremos presentado
habréis presentado
habrán presentado

SUBJUNCTIVE

Pres.
presente
presentes
presente
presentemos
presentéis
presenten

Imperf.
presentara
presentaras
presentara
presentáramos
presentarais
presentaran

Imperf.
presentase
presentases
presentase
presentásemos
presentaseis
presentasen

Pres. Perf.
haya presentado
hayas presentado
haya presentado
hayamos presentado
hayáis presentado
hayan presentado

Pluperf.
hubiera presentado
hubieras presentado
hubiera presentado
hubiéramos presentado
hubierais presentado
hubieran presentado

Pluperf.
hubiese presentado
hubieses presentado
hubiese presentado
hubiésemos presentado
hubieseis presentado
hubiesen presentado

CONDITIONAL

Simple
presentaría
presentarías
presentaría
presentaríamos
presentaríais
presentarían

Cond. Perf.
habría presentado
habrías presentado
habría presentado
habríamos presentado
habríais presentado
habrían presentado

IMPERATIVE

presenta; no presentes
presente
presentemos
presentad; no presentéis
presenten

CONJUGATED SAME AS ABOVE
representar: to represent

prestar

Pres. Part.: prestando
Past Part.: prestado

prestar: to lend; to loan

INDICATIVE

Pres.	*Fut.*	*Past Ant.*
presto	prestaré	hube prestado
prestas	prestarás	hubiste prestado
presta	prestará	hubo prestado
prestamos	prestaremos	hubimos prestado
prestáis	prestaréis	hubisteis prestado
prestan	prestarán	hubieron prestado
Imperf.	*Pres. Perf.*	*Fut. Perf.*
prestaba	he prestado	habré prestado
prestabas	has prestado	habrás prestado
prestaba	ha prestado	habrá prestado
prestábamos	hemos prestado	habremos prestado
prestabais	habéis prestado	habréis prestado
prestaban	han prestado	habrán prestado
Pret.	*Pluperf.*	
presté	había prestado	
prestaste	habías prestado	
prestó	había prestado	
prestamos	habíamos prestado	
prestasteis	habíais prestado	
prestaron	habían prestado	

SUBJUNCTIVE

Pres.	*Imperf.*	*Pluperf.*
preste	prestase	hubiera prestado
prestes	prestases	hubieras prestado
preste	prestase	hubiera prestado
prestemos	prestásemos	hubiéramos prestado
prestéis	prestaseis	hubierais prestado
presten	prestasen	hubieran prestado
Imperf.	*Pres. Perf.*	*Pluperf.*
prestara	haya prestado	hubiese prestado
prestaras	hayas prestado	hubieses prestado
prestara	haya prestado	hubiese prestado
prestáramos	hayamos prestado	hubiésemos prestado
prestarais	hayáis prestado	hubieseis prestado
prestaran	hayan prestado	hubiesen prestado

CONDITIONAL		IMPERATIVE
Simple	*Cond. Perf.*	
prestaría	habría prestado	
prestarías	habrías prestado	presta; no prestes
prestaría	habría prestado	preste
prestaríamos	habríamos prestado	prestemos
prestaríais	habríais prestado	prestad; no prestéis
prestarían	habrían prestado	presten

Pres. Part.: probando
Past Part.: probado

probar: to try on, try, test

INDICATIVE

Pres.	*Fut.*	*Past Ant.*
pruebo	probaré	hube probado
pruebas	probarás	hubiste probado
prueba	probará	hubo probado
probamos	probaremos	hubimos probado
probáis	probaréis	hubisteis probado
prueban	probarán	hubieron probado
Imperf.	*Pres. Perf.*	*Fut. Perf.*
probaba	he probado	habré probado
probabas	has probado	habrás probado
probaba	ha probado	habrá probado
probábamos	hemos probado	habremos probado
probabais	habéis probado	habréis probado
probaban	han probado	habrán probado
Pret.	*Pluperf.*	
probé	había probado	
probaste	habías probado	
probó	había probado	
probamos	habíamos probado	
probasteis	habíais probado	
probaron	habían probado	

SUBJUNCTIVE

Pres.	*Imperf.*	*Pluperf.*
pruebe	probase	hubiera probado
pruebes	probases	hubieras probado
pruebe	probase	hubiera probado
probemos	probásemos	hubiéramos probado
probéis	probaseis	hubierais probado
prueben	probasen	hubieran probado
Imperf.	*Pres. Perf.*	*Pluperf.*
probara	haya probado	hubiese probado
probaras	hayas probado	hubieses probado
probara	haya probado	hubiese probado
probáramos	hayamos probado	hubiésemos probado
probarais	hayáis probado	hubieseis probado
probaran	hayan probado	hubiesen probado

CONDITIONAL		IMPERATIVE
Simple	*Cond. Perf.*	
probaría	habría probado	
probarías	habrías probado	prueba; no pruebes
probaría	habría probado	pruebe
probaríamos	habríamos probado	probemos
probaríais	habríais probado	probad; no probéis
probarían	habrían probado	prueben

probarse

Pres. Part.: probándose

Past Part.: probado

probarse: to try on

INDICATIVE

Pres.
me pruebo
te pruebas
se prueba
nos probamos
os probáis
se prueban

Imperf.
me probaba
te probabas
se probaba
nos probábamos
os probabais
se probaban

Pret.
me probé
te probaste
se probó
nos probamos
os probasteis
se probaron

Fut.
me probaré
te probarás
se probará
nos probaremos
os probaréis
se probarán

Pres. Perf.
me he probado
te has probado
se ha probado
nos hemos probado
os habéis probado
se han probado

Pluperf.
me había probado
te habías probado
se había probado
nos habíamos probado
os habíais probado
se habían probado

Past Ant.
me hube probado
te hubiste probado
se hubo probado
nos hubimos probado
os hubisteis probado
se hubieron probado

Fut. Perf.
me habré probado
te habrás probado
se habrá probado
nos habremos probado
os habréis probado
se habrán probado

SUBJUNCTIVE

Pres.
me pruebe
te pruebes
se pruebe
nos probemos
os probéis
se prueben

Imperf.
me probara
te probaras
se probara
nos probáramos
os probarais
se probaran

Imperf.
me probase
te probases
se probase
nos probásemos
os probaseis
se probasen

Pres. Perf.
me haya probado
te hayas probado
se haya probado
nos hayamos probado
os hayáis probado
se hayan probado

Pluperf.
me hubiera probado
te hubieras probado
se hubiera probado
nos hubiéramos probado
os hubierais probado
se hubieran probado

Pluperf.
me hubiese probado
te hubieses probado
se hubiese probado
nos hubiésemos probado
os hubieseis probado
se hubiesen probado

CONDITIONAL

Simple
me probaría
te probarías
se probaría
nos probaríamos
os probaríais
se probarían

Cond. Perf.
me habría probado
te habrías probado
se habría probado
nos habríamos probado
os habríais probado
se habrían probado

IMPERATIVE

pruébate; no te pruebes
pruébese
probémonos
probaos; no os probéis
pruébense

producir

Pres. Part.: produciendo
Past Part.: producido

producir: to produce; to cause

INDICATIVE

Pres.
produzco
produces
produce
producimos
producís
producen

Imperf.
producía
producías
producía
producíamos
producíais
producían

Pret.
produje
produjste
produjo
produjimos
produjisteis
produjeron

Fut.
produciré
producirás
producirá
produciremos
produciréis
producirán

Pres. Perf.
he producido
has producido
ha producido
hemos producido
habéis producido
han producido

Pluperf.
había producido
habías producido
había producido
habíamos producido
habíais producido
habían producido

Past Ant.
hube producido
hubiste producido
hubo producido
hubimos producido
hubisteis producido
hubieron producido

Fut. Perf.
habré producido
habrás producido
habrá producido
habremos producido
habréis producido
habrán producido

SUBJUNCTIVE

Pres.
produzca
produzcas
produzca
produzcamos
produzcáis
produzcan

Imperf.
produjera
produjeras
produjera
produjéramos
produjerais
produjeran

Imperf.
produjese
produjeses
produjese
produjésemos
produjeseis
produjesen

Pres. Perf.
haya producido
hayas producido
haya producido
hayamos producido
hayáis producido
hayan producido

Pluperf.
hubiera producido
hubieras producido
hubiera producido
hubiéramos producido
hubierais producido
hubieran producido

Pluperf.
hubiese producido
hubieses producido
hubiese producido
hubiésemos producido
hubieseis producido
hubiesen producido

CONDITIONAL

Simple
produciría
producirías
produciría
produciríamos
produciríais
producirían

Cond. Perf.
habría producido
habrías producido
habría producido
habríamos producido
habríais producido
habrían producido

IMPERATIVE

produce; no produzcas
produzca
produzcamos
producid; no produzcáis
produzcan

CONJUGATED SAME AS ABOVE

reproducir: to reproduce

prohibir

Pres. Part.: prohibiendo
Past Part.: prohibido

prohibir: to prohibit

INDICATIVE

Pres.
prohíbo
prohíbes
prohíbe
prohibimos
prohibís
prohíben

Imperf.
prohibía
prohibías
prohibía
prohibíamos
prohibíais
prohibían

Pres.
prohibí
prohibiste
prohibió
prohibimos
prohibisteis
prohibieron

Fut.
prohibiré
prohibirás
prohibirá
prohibiremos
prohibiréis
prohibirán

Pres. Perf.
he prohibido
has prohibido
ha prohibido
hemos prohibido
habéis prohibido
han prohibido

Pluperf.
había prohibido
habías prohibido
había prohibido
habíamos prohibido
habíais prohibido
habían prohibido

Past Ant.
hube prohibido
hubiste prohibido
hubo prohibido
hubimos prohibido
hubisteis prohibido
hubieron prohibido

Fut. Perf.
habré prohibido
habrás prohibido
habrá prohibido
habremos prohibido
habréis prohibido
habrán prohibido

SUBJUNCTIVE

Pres.
prohíba
prohíbas
prohíba
prohibamos
prohibáis
prohíban

Imperf.
prohibiera
prohibieras
prohibiera
prohibiéramos
prohibierais
prohibieran

Imperf.
prohibiese
prohibieses
prohibiese
prohibiésemos
prohibieseis
prohibiesen

Pres. Perf.
haya prohibido
hayas prohibido
haya prohibido
hayamos prohibido
hayáis prohibido
hayan prohibido

Pluperf.
hubiera prohibido
hubieras prohibido
hubiera prohibido
hubiéramos prohibido
hubierais prohibido
hubieran prohibido

Pluperf.
hubiese prohibido
hubieses prohibido
hubiese prohibido
hubiésemos prohibido
hubieseis prohibido
hubiesen prohibido

CONDITIONAL

Simple
prohibiría
prohibirías
prohibiría
prohibiríamos
prohibiríais
prohibirían

Cond. Perf.
habría prohibido
habrías prohibido
habría prohibido
habríamos prohibido
habríais prohibido
habrían prohibido

IMPERATIVE

prohíbe; no prohíbas
prohíba
prohibamos
prohibid; no prohibáis
prohíban

Pres. Part.: pronunciando
Past Part.: pronunciado

pronunciar: to pronounce

INDICATIVE

Pres.	*Fut.*	*Past Ant.*
pronuncio	pronunciaré	hube pronunciado
pronuncias	pronunciarás	hubiste pronunciado
pronuncia	pronunciará	hubo pronunciado
pronunciamos	pronunciaremos	hubimos pronunciado
pronunciáis	pronunciaréis	hubisteis pronunciado
pronuncian	pronunciarán	hubieron pronunciado
Imperf.	*Pres. Perf.*	*Fut. Perf.*
pronunciaba	he pronunciado	habré pronunciado
pronunciabas	has pronunciado	habrás pronunciado
pronunciaba	ha pronunciado	habrá pronunciado
pronunciábamos	hemos pronunciado	habremos pronunciado
pronunciabais	habéis pronunciado	habréis pronunciado
pronunciaban	han pronunciado	habrán pronunciado
Pret.	*Pluperf.*	
pronuncié	había pronunciado	
pronunciaste	habías pronunciado	
pronunció	había pronunciado	
pronunciamos	habíamos pronunciado	
pronunciasteis	habíais pronunciado	
pronunciaron	habían pronunciado	

SUBJUNCTIVE

Pres.	*Imperf.*	*Pluperf.*
pronuncie	pronunciase	hubiera pronunciado
pronuncies	pronunciases	hubieras pronunciado
pronuncie	pronunciase	hubiera pronunciado
pronunciemos	pronunciásemos	hubiéramos pronunciado
pronunciéis	pronunciaseis	hubierais pronunciado
pronuncien	pronunciasen	hubieran pronunciado
Imperf.	*Pres. Perf.*	*Pluperf.*
pronunciara	haya pronunciado	hubiese pronunciado
pronunciaras	hayas pronunciado	hubieses pronunciado
pronunciara	haya pronunciado	hubiese pronunciado
pronunciáramos	hayamos pronunciado	hubiésemos pronunciado
pronunciarais	hayáis pronunciado	hubieseis pronunciado
pronunciaran	hayan pronunciado	hubiesen pronunciado

CONDITIONAL		IMPERATIVE
Simple	*Cond. Perf.*	
pronunciaría	habría pronunciado	
pronunciarías	habrías pronunciado	pronuncia; no pronuncies
pronunciaría	habría pronunciado	pronuncie
pronunciaríamos	habríamos pronunciado	pronunciemos
pronunciaríais	habríais pronunciado	pronunciad; no pronunciéis
pronunciarían	habrían pronunciado	pronuncien

CONJUGATED SAME AS ABOVE

anunciar: to announce, proclaim
denunciar: to denounce
enunciar: to enunciate, state
renunciar: to renounce, resign, refuse

quedarse

Pres. Part.: quedándose **quedarse: to remain, stay**
Past Part.: quedado

INDICATIVE

Pres.	*Fut.*	*Past Ant.*
me quedo	me quedaré	me hube quedado
te quedas	te quedarás	te hubiste quedado
se queda	se quedará	se hubo quedado
nos quedamos	nos quedaremos	nos hubimos quedado
os quedáis	os quedaréis	os hubisteis quedado
se quedan	se quedarán	se hubieron quedado
Imperf.	*Pres. Perf.*	*Fut. Perf.*
me quedaba	me he quedado	me habré quedado
te quedabas	te has quedado	te habrás quedado
se quedaba	se ha quedado	se habrá quedado
nos quedábamos	nos hemos quedado	nos habremos quedado
os quedabais	os habéis quedado	os habréis quedado
se quedaban	se han quedado	se habrán quedado
Pret.	*Pluperf.*	
me quedé	me había quedado	
te quedaste	te habías quedado	
se quedó	se había quedado	
nos quedamos	nos habíamos quedado	
os quedasteis	os habíais quedado	
se quedaron	se habían quedado	

SUBJUNCTIVE

Pres.	*Imperf.*	*Pluperf.*
me quede	me quedase	me hubiera quedado
te quedes	te quedases	te hubieras quedado
se quede	se quedase	se hubiera quedado
nos quedemos	nos quedásemos	nos hubiéramos quedado
os quedéis	os quedaseis	os hubierais quedado
se queden	se quedasen	se hubieran quedado
Imperf.	*Pres. Perf.*	*Pluperf.*
me quedara	me haya quedado	me hubiese quedado
te quedaras	te hayas quedado	te hubieses quedado
se quedara	se haya quedado	se hubiese quedado
nos quedáramos	nos hayamos quedado	nos hubiésemos quedado
os quedarais	os hayáis quedado	os hubieseis quedado
se quedaran	se hayan quedado	se hubiesen quedado

CONDITIONAL		IMPERATIVE
Simple	*Cond. Perf.*	
me quedaría	me habría quedado	
te quedarías	te habrías quedado	quédate; no te quedes
se quedaría	se habría quedado	quédese
nos quedaríamos	nos habríamos quedado	quedémonos
os quedaríais	os habríais quedado	quedaos; no os quedéis
se quedarían	se habrían quedado	quédense

CONJUGATED SAME AS ABOVE
quedar: to be remaining, to be left; stop in place

Pres. Part.: quejándose
Past Part.: quejado

quejarse: to complain

INDICATIVE

Pres.	*Fut.*	*Past Ant.*
me quejo	me quejaré	me hube quejado
te quejas	te quejarás	te hubiste quejado
se queja	se quejará	se hubo quejado
nos quejamos	nos quejaremos	nos hubimos quejado
os quejáis	os quejaréis	os hubisteis quejado
se quejan	se quejarán	se hubieron quejado
Imperf.	*Pres. Perf.*	*Fut. Perf.*
me quejaba	me he quejado	me habré quejado
te quejabas	te has quejado	te habrás quejado
se quejaba	se ha quejado	se habrá quejado
nos quejábamos	nos hemos quejado	nos habremos quejado
os quejabais	os habéis quejado	os habréis quejado
se quejaban	se han quejado	se habrán quejado
Pret.	*Pluperf.*	
me quejé	me había quejado	
te quejaste	te habías quejado	
se quejó	se había quejado	
nos quejamos	nos habíamos quejado	
os quejasteis	os habíais quejado	
se quejaron	se habían quejado	

SUBJUNCTIVE

Pres.	*Imperf.*	*Pluperf.*
me queje	me quejase	me hubiera quejado
te quejes	te quejases	te hubieras quejado
se queje	se quejase	se hubiera quejado
nos quejemos	nos quejásemos	nos hubiéramos quejado
os quejéis	os quejaseis	os hubierais quejado
se quejen	se quejasen	se hubieran quejado
Imperf.	*Pres. Perf.*	*Pluperf.*
me quejara	me haya quejado	me hubiese quejado
te quejaras	te hayas quejado	te hubieses quejado
se quejara	se haya quejado	se hubiese quejado
nos quejáramos	nos hayamos quejado	nos hubiésemos quejado
os quejarais	os hayáis quejado	os hubieseis quejado
se quejaran	se hayan quejado	se hubiesen quejado

CONDITIONAL		IMPERATIVE
Simple	*Cond. Perf.*	
me quejaría	me habría quejado	
te quejarías	te habrías quejado	quéjate; no te quejes
se quejaría	se habría quejado	quéjese
nos quejaríamos	nos habríamos quejado	quejémonos
os quejaríais	os habríais quejado	quejamos; no os quejéis
se quejarían	se habrían quejado	quéjense

quitarse

Pres. Part.: quitándose **quitarse: to take off**
Past Part.: quitado

INDICATIVE

Pres.
me quito
te quitas
se quita
nos quitamos
os quitáis
se quitan

Imperf.
me quitaba
te quitabas
se quitaba
nos quitábamos
os quitabais
se quitaban

Pret.
me quité
te quitaste
se quito
nos quitamos
os quitastéis
se quitaron

Fut.
me quitaré
te quitarás
se quitará
nos quitaremos
os quitaréis
se quitarán

Pres. Perf.
me he quitado
te has quitado
se ha quitado
nos hemos quitado
os habéis quitado
se han quitado

Pluperf.
me había quitado
te habías quitado
se había quitado
nos habíamos quitado
os habíais quitado
se habían quitado

Past Ant.
me hube quitado
te hubiste quitado
se hubo quitado
nos hubimos quitado
os hubisteis quitado
se hubieron quitado

Fut. Perf.
me habré quitado
te habrás quitado
se habrá quitado
nos habremos quitado
os habréis quitado
se habrán quitado

SUBJUNCTIVE

Pres.
me quite
te quites
se quite
nos quitemos
os quitéis
se quiten

Imperf.
me quitara
te quitaras
se quitara
nos quitáramos
os quitarais
se quitaran

Imperf.
me quitase
te quitases
se quitase
nos quitásemos
os quitaseis
se quitasen

Pres. Perf.
me haya quitado
te hayas quitado
se haya quitado
nos hayamos quitado
os hayáis quitado
se hayan quitado

Pluperf.
me hubiera quitado
te hubieras quitado
se hubiera quitado
nos hubiéramos quitado
os hubierais quitado
se hubieran quitado

Pluperf.
me hubiese quitado
te hubieses quitado
se hubiese quitado
nos hubiésemos quitado
os hubieseis quitado
se hubiesen quitado

CONDITIONAL

Simple
me quitaría
te quitarías
se quitaría
nos quitaríamos
os quitaríais
se quitarían

Cond. Perf.
me habría quitado
te habrías quitado
se habría quitado
nos habríamos quitado
os habríais quitado
se habrían quitado

IMPERATIVE

quítate; no te quites
quítese
quitémonos
quitaos; no os quitéis
quítense

CONJUGATED SAME AS ABOVE
quitar: to remove, take away, rob, suppress

Pres. Part.: recibiendo
Past Part.: recibido

recibir: to receive, get; to welcome

INDICATIVE

Pres.	*Fut.*	*Past Ant.*
recibo	recibiré	hube recibido
recibes	recibirás	hubiste recibido
recibe	recibirá	hubo recibido
recibimos	recibiremos	hubimos recibido
recibís	recibiréis	hubisteis recibido
reciben	recibirán	hubieron recibido
Imperf.	*Pres. Perf.*	*Fut. Perf.*
recibía	he recibido	habré recibido
recibías	has recibido	habrás recibido
recibía	ha recibido	habrá recibido
recibíamos	hemos recibido	habremos recibido
recibíais	habéis recibido	habréis recibido
recibían	han recibido	habrán recibido
Pret.	*Pluperf.*	
recibí	había recibido	
recibiste	habías recibido	
recibió	había recibido	
recibimos	habíamos recibido	
recibisteis	habíais recibido	
recibieron	habían recibido	

SUBJUNCTIVE

Pres.	*Imperf.*	*Pluperf.*
reciba	recibiese	hubiera recibido
recibas	recibieses	hubieras recibido
reciba	recibiese	hubiera recibido
recibamos	recibiésemos	hubiéramos recibido
recibáis	recibieseis	hubierais recibido
reciban	recibiesen	hubieran recibido
Imperf.	*Pres. Perf.*	*Pluperf.*
recibiera	haya recibido	hubiese recibido
recibieras	hayas recibido	hubieses recibido
recibiera	haya recibido	hubiese recibido
recibiéramos	hayamos recibido	hubiésemos recibido
recibierais	hayáis recibido	hubieseis recibido
recibieran	hayan recibido	hubiesen recibido

CONDITIONAL		IMPERATIVE
Simple	*Cond. Perf.*	
recibiría	habría recibido	
recibirías	habrías recibido	recibe; no recibas
recibiría	habría recibido	reciba
recibiríamos	habríamos recibido	recibamos
recibiríais	habríais recibido	recibid; no recibáis
recibirían	habrían recibido	reciban

CONJUGATED SAME AS ABOVE
recibirse: to be admitted to professional practice; to be graduated

recoger

Pres. Part.: recogiendo **recoger: to pick up; to lock up; to harvest**
Past Part.: recogido

INDICATIVE

Pres.	*Fut.*	*Past Ant.*
recojo	recogeré	hube recogido
recoges	recogerás	hubiste recogido
recoge	recogerá	hubo recogido
recogemos	recogeremos	hubimos recogido
recogéis	recogeréis	hubisteis recogido
recogen	recogerán	hubieron recogido
Imperf.	*Pres. Perf.*	*Fut. Perf.*
recogía	he recogido	habré recogido
recogías	has recogido	habrás recogido
recogía	ha recogido	habrá recogido
recogíamos	hemos recogido	habremos recogido
recogíais	habéis recogido	habréis recogido
recogían	han recogido	habrán recogido
Pret.	*Pluperf.*	
recogí	había recogido	
recogiste	habías recogido	
recogió	había recogido	
recogimos	habíamos recogido	
recogisteis	habíais recogido	
recogieron	habían recogido	

SUBJUNCTIVE

Pres.	*Imperf.*	*Pluperf.*
recoja	recogiese	hubiera recogido
recojas	recogieses	hubieras recogido
recoja	recogiese	hubiera recogido
recojamos	recogiésemos	hubiéramos recogido
recojáis	recogieseis	hubierais recogido
recojan	recogiesen	hubieran recogido
Imperf.	*Pres. Perf.*	*Pluperf.*
recogiera	haya recogido	hubiese recogido
recogieras	hayas recogido	hubieses recogido
recogiera	haya recogido	hubiese recogido
recogiéramos	hayamos recogido	hubiésemos recogido
recogierais	hayáis recogido	hubieseis recogido
recogieran	hayan recogido	hubiesen recogido

CONDITIONAL / IMPERATIVE

CONDITIONAL *Simple*	*Cond. Perf.*	IMPERATIVE
recogería	habría recogido	
recogerías	habrías recogido	recoge; no recojas
recogería	habría recogido	recoja
recogeríamos	habríamos recogido	recojamos
recogeríais	habríais recogido	recoged; no recojáis
recogerían	habrían recogido	recojan

Pres. Part.: recomendando
Past Part.: recomendado

recomendar: to recommend; to advise

INDICATIVE

Pres.
recomiendo
recomiendas
recomienda
recomendamos
recomendáis
recomiendan

Imperf.
recomendaba
recomendabas
recomendaba
recomendábamos
recomendabais
recomendaban

Pret.
recomendé
recomendaste
recomendó
recomendamos
recomendasteis
recomendaron

Fut.
recomendaré
recomendarás
recomendará
recomendaremos
recomendaréis
recomendarán

Pres. Perf.
he recomendado
has recomendado
ha recomendado
hemos recomendado
habéis recomendado
han recomendado

Pluperf.
había recomendado
habías recomendado
había recomendado
habíamos recomendado
habíais recomendado
habían recomendado

Past Ant.
hube recomendado
hubiste recomendado
hubo recomendado
hubimos recomendado
hubisteis recomendado
hubieron recomendado

Fut. Perf.
habré recomendado
habrás recomendado
habrá recomendado
habremos recomendado
habréis recomendado
habrán recomendado

SUBJUNCTIVE

Pres.
recomiende
recomiendes
recomiende
recomendemos
recomendéis
recomienden

Imperf.
recomendara
recomendaras
recomendara
recomendáramos
recomendarais
recomendaran

Imperf.
recomendase
recomendases
recomendase
recomendásemos
recomendaseis
recomendasen

Pres. Perf.
haya recomendado
hayas recomendado
haya recomendado
hayamos recomendado
hayáis recomendado
hayan recomendado

Pluperf.
hubiera recomendado
hubieras recomendado
hubiera recomendado
hubiéramos recomendado
hubierais recomendado
hubieran recomendado

Pluperf.
hubiese recomendado
hubieses recomendado
hubiese recomendado
hubiésemos recomendado
hubieseis recomendado
hubiesen recomendado

CONDITIONAL

Simple
recomendaría
recomendarías
recomendaría
recomendaríamos
recomendaríais
recomendarían

Cond. Perf.
habría recomendado
habrías recomendado
habría recomendado
habríamos recomendado
habríais recomendado
habrían recomendado

IMPERATIVE

recomienda; no recomiendes
recomiende
recomendemos
recomendad; no recomendéis
recomienden

recordar

Pres. Part.: recordando **recordar: to remind**
Past Part.: recordado

INDICATIVE

Pres.	*Fut.*	*Past Ant.*
recuerdo	recordaré	hube recordado
recuerdas	recordarás	hubiste recordado
recuerda	recordará	hubo recordado
recordamos	recordaremos	hubimos recordado
recordáis	recordaréis	hubisteis recordado
recuerdan	recordarán	hubieron recordado
Imperf.	*Pres. Perf.*	*Fut. Perf.*
recordaba	he recordado	habré recordado
recordabas	has recordado	habrás recordado
recordaba	ha recordado	habrá recordado
recordábamos	hemos recordado	habremos recordado
recordabais	habéis recordado	habréis recordado
recordaban	han recordado	habrán recordado
Pret.	*Pluperf.*	
recordé	había recordado	
recordaste	habías recordado	
recordó	había recordado	
recordamos	habíamos recordado	
recordasteis	habíais recordado	
recordaron	habían recordado	

SUBJUNCTIVE

Pres.	*Imperf.*	*Pluperf.*
recuerde	recordase	hubiera recordado
recuerdes	recordases	hubieras recordado
recuerde	recordase	hubiera recordado
recordemos	recordásemos	hubiéramos recordado
recordéis	recordaseis	hubierais recordado
recuerden	recordasen	hubieran recordado
Imperf.	*Pres. Perf.*	*Pluperf.*
recordara	haya recordado	hubiese recordado
recordaras	hayas recordado	hubieses recordado
recordara	haya recordado	hubiese recordado
recordáramos	hayamos recordado	hubiésemos recordado
recordarais	hayáis recordado	hubieseis recordado
recordaran	hayan recordado	hubiesen recordado.

CONDITIONAL		IMPERATIVE
Simple	*Cond. Perf.*	
recordaría	habría recordado	
recordarías	habrías recordado	recuerda; no recuerdes
recordaría	habría recordado	recuerde
recordaríamos	habríamos recordado	recordemos
recordaríais	habríais recordado	recordad; no recordéis
recordarían	habrían recordado	recuerden

CONJUGATED SAME AS ABOVE
recordarse: to remember

Pres. Part.: regalando
Past Part.: regalado

regalar: to give a gift

INDICATIVE

Pres.	*Fut.*	*Past Ant.*
regalo	regalaré	hube regalado
regalas	regalarás	hubiste regalado
regala	regalará	hubo regalado
regalamos	regalaremos	hubimos regalado
regaláis	regalaréis	hubisteis regalado
regalan	regalarán	hubieron regalado
Imperf.	*Pres. Perf.*	*Fut. Perf.*
regalaba	he regalado	habré regalado
regalabas	has regalado	habrás regalado
regalaba	ha regalado	habrá regalado
regalábamos	hemos regalado	habremos regalado
regalabais	habéis regalado	habréis regalado
regalaban	han regalado	habrán regalado
Pret.	*Pluperf.*	
regalé	había regalado	
regalaste	habías regalado	
regaló	había regalado	
regalamos	habíamos regalado	
regalasteis	habíais regalado	
regalaron	habían regalado	

SUBJUNCTIVE

Pres.	*Imperf.*	*Pluperf.*
regale	regalase	hubiera regalado
regales	regalases	hubieras regalado
regale	regalase	hubiera regalado
regalemos	regalásemos	hubiéramos regalado
regaléis	regalaseis	hubierais regalado
regalen	regalasen	hubieran regalado
Imperf.	*Pres. Perf.*	*Pluperf.*
regalara	haya regalado	hubiese regalado
regalaras	hayas regalado	hubieses regalado
regalara	haya regalado	hubiese regalado
regaláramos	hayamos regalado	hubiésemos regalado
regalarais	hayáis regalado	hubieseis regalado
regalaran	hayan regalado	hubiesen regalado

CONDITIONAL		IMPERATIVE
Simple	*Cond. Perf.*	
regalaría	habría regalado	
regalarías	habrías regalado	regala; no regales
regalaría	habría regalado	regale
regalaríamos	habríamos regalado	regalemos
regalaríais	habríais regalado	regalad; no regaléis
regalarían	habrían regalado	regalen

regar

Pres. Part.: regando
Past Part.: regado

regar: to water; to irrigate

INDICATIVE

Pres.	*Fut.*	*Past Ant.*
riego	regaré	hube regado
riegas	regarás	hubiste regado
riega	regará	hubo regado
regamos	regaremos	hubimos regado
regáis	regaréis	hubisteis regado
riegan	regarán	hubieron regado
Imperf.	*Pres. Perf.*	*Fut. Perf.*
regaba	he regado	habré regado
regabas	has regado	habrás regado
regaba	ha regado	habrá regado
regábamos	hemos regado	habremos regado
regabais	habéis regado	habréis regado
regaban	han regado	habrán regado
Pret.	*Pluperf.*	
regué	había regado	
regaste	habías regado	
regó	había regado	
regamos	habíamos regado	
regasteis	habíais regado	
regaron	habían regado	

SUBJUNCTIVE

Pres.	*Imperf.*	*Pluperf.*
riegue	regase	hubiera regado
riegues	regases	hubieras regado
riegue	regase	hubiera regado
reguemos	regásemos	hubiéramos regado
reguéis	regaseis	hubierais regado
rieguen	regasen	hubieran regado
Imperf.	*Pres. Perf.*	*Pluperf.*
regara	haya regado	hubiese regado
regaras	hayas regado	hubieses regado
regara	haya regado	hubiese regado
regáramos	hayamos regado	hubiésemos regado
regarais	hayáis regado	hubieseis regado
regaran	hayan regado	hubiesen regado

CONDITIONAL		IMPERATIVE
Simple	*Cond. Perf.*	
regaría	habría regado	
regarías	habrías regado	riega; no riegues
regaría	habría regado	riegue
regaríamos	habríamos regado	reguemos
regaríais	habríais regado	regad; no reguéis
regarían	habrían regado	rieguen

Pres. Part.: regresando
Past Part.: regresado

regresar: to return

INDICATIVE

Pres.	*Fut.*	*Past Ant.*
regreso	regresaré	hube regresado
regresas	regresarás	hubiste regresado
regresa	regresará	hubo regresado
regresamos	regresaremos	hubimos regresado
regresáis	regresaréis	hubisteis regresado
regresan	regresarán	hubieron regresado
Imperf.	*Pres. Perf.*	*Fut. Perf.*
regresaba	he regresado	habré regresado
regresabas	has regresado	habrás regresado
regresaba	ha regresado	habrá regresado
regresábamos	hemos regresado	habremos regresado
regresabais	habéis regresado	habréis regresado
regresaban	han regresado	habrán regresado
Pret.	*Pluperf.*	
regresé	había regresado	
regresaste	habías regresado	
regresó	había regresado	
regresamos	habíamos regresado	
regresasteis	habíais regresado	
regresaron	habían regresado	

SUBJUNCTIVE

Pres.	*Imperf.*	*Pluperf.*
regrese	regresase	hubiera regresado
regreses	regresases	hubieras regresado
regrese	regresase	hubiera regresado
regresemos	regresásemos	hubiéramos regresado
regreséis	regresaseis	hubierais regresado
regresen	regresasen	hubieran regresado
Imperf.	*Pres. Perf.*	*Pluperf.*
regresara	haya regresado	hubiese regresado
regresaras	hayas regresado	hubieses regresado
regresara	haya regresado	hubiese regresado
regresáramos	hayamos regresado	hubiésemos regresado
regresarais	hayáis regresado	hubieseis regresado
regresaran	hayan regresado	hubiesen regresado

CONDITIONAL		IMPERATIVE
Simple	*Cond. Perf.*	
regresaría	habría regresado	
regresarías	habrías regresado	regresa; no regreses
regresaría	habría regresado	regrese
regresaríamos	habríamos regresado	regresemos
regresaríais	habríais regresado	regresad; no regreséis
regresarían	habrían regresado	regresen

CONJUGATED SAME AS ABOVE
ingresar: to enter, to become a member
progresar: to improve, progress

rellenar

Pres. Part.: rellenando
Past Part.: rellenado

rellenar: to refill; to stuff

INDICATIVE

Pres.	*Fut.*	*Past Ant.*
relleno	rellenaré	hube rellenado
rellenas	rellenarás	hubiste rellenado
rellena	rellenará	hubo rellenado
rellenamos	rellenaremos	hubimos rellenado
rellenáis	rellenaréis	hubisteis rellenado
rellenan	rellenarán	hubieron rellenado
Imperf.	*Pres. Perf.*	*Fut. Perf.*
rellenaba	he rellenado	habré rellenado
rellenabas	has rellenado	habrás rellenado
rellenaba	ha rellenado	habrá rellenado
rellenábamos	hemos rellenado	habremos rellenado
rellenabais	habéis rellenado	habréis rellenado
rellenaban	han rellenado	habrán rellenado
Pret.	*Pluperf.*	
rellené	había rellenado	
rellenaste	habías rellenado	
rellenó	había rellenado	
rellenamos	habíamos rellenado	
rellenasteis	habíais rellenado	
rellenaron	habían rellenado	

SUBJUNCTIVE

Pres.	*Imperf.*	*Pluperf.*
rellene	rellenase	hubiera rellenado
rellenes	rellenases	hubieras rellenado
rellene	rellenase	hubiera rellenado
rellenemos	rellenásemos	hubiéramos rellenado
rellenéis	rellenaseis	hubierais rellenado
rellenen	rellenasen	hubieran rellenado
Imperf.	*Pres. Perf.*	*Pluperf.*
rellenara	haya rellenado	hubiese rellenado
rellenaras	hayas rellenado	hubieses rellenado
rellenara	haya rellenado	hubiese rellenado
rellenáramos	hayamos rellenado	hubiésemos rellenado
rellenarais	hayáis rellenado	hubieseis rellenado
rellenaran	hayan rellenado	hubiesen rellenado

CONDITIONAL		IMPERATIVE
Simple	*Cond. Perf.*	
rellenaría	habría rellenado	
rellenarías	habrías rellenado	rellena; no rellenes
rellenaría	habría rellenado	rellene
rellenaríamos	habríamos rellenado	rellenemos
rellenaríais	habríais rellenado	rellenad; no rellenes
rellenarían	habrían rellenado	rellenen

Pres. Part.: reparando
Past Part.: reparado

reparar: to repair; to observe

INDICATIVE

Pres.
reparo
reparas
repara
reparamos
reparáis
reparan

Imperf.
reparaba
reparabas
reparaba
reparábamos
reparabais
reparaban

Pret.
reparé
reparaste
reparó
reparamos
reparasteis
repararon

Fut.
repararé
repararás
reparará
repararemos
repararéis
repararán

Pres. Perf.
he reparado
has reparado
ha reparado
hemos reparado
habéis reparado
han reparado

Pluperf.
había reparado
habías reparado
había reparado
habíamos reparado
habíais reparado
habían reparado

Past Ant.
hube reparado
hubiste reparado
hubo reparado
hubimos reparado
hubisteis reparado
hubieron reparado

Fut. Perf.
habré reparado
habrás reparado
habrá reparado
habremos reparado
habréis reparado
habrán reparado

SUBJUNCTIVE

Pres.
repare
repares
repare
reparemos
reparéis
reparen

Imperf.
reparara
repararas
reparara
reparáramos
repararais
repararan

Imperf.
reparase
reparases
reparase
reparásemos
reparaseis
reparasen

Pres. Perf.
haya reparado
hayas reparado
haya reparado
hayamos reparado
hayáis reparado
hayan reparado

Pluperf.
hubiera reparado
hubieras reparado
hubiera reparado
hubiéramos reparado
hubierais reparado
hubieran reparado

Pluperf.
hubiese reparado
hubieses reparado
hubiese reparado
hubiésemos reparado
hubieseis reparado
hubiesen reparado

CONDITIONAL

Simple
repararía
repararías
repararía
repararíamos
repararíais
repararían

Cond. Perf.
habría reparado
habrías reparado
habría reparado
habríamos reparado
habríais reparado
habrían reparado

IMPERATIVE

repara; no repares
repare
reparemos
reparad; no reparéis
reparen

repartir

Pres. Part.: repartiendo **repartir: to distribute**
Past Part.: repartido

INDICATIVE

Pres.	*Fut.*	*Past Ant.*
reparto	repartiré	hube repartido
repartes	repartirás	hubiste repartido
reparte	repartirá	hubo repartido
repartimos	repartiremos	hubimos repartido
repartís	repartiréis	hubisteis repartido
reparten	repartirán	hubieron repartido
Imperf.	*Pres. Perf.*	*Fut. Perf.*
repartía	he repartido	habré repartido
repartías	has repartido	habrás repartido
repartía	ha repartido	habrá repartido
repartíamos	hemos repartido	habremos repartido
repartíais	habéis repartido	habréis repartido
repartían	han repartido	habrán repartido
Pret.	*Pluperf.*	
repartí	había repartido	
repartiste	habías repartido	
repartió	había repartido	
repartimos	habíamos repartido	
repartisteis	habíais repartido	
repartieron	habían repartido	

SUBJUNCTIVE

Pres.	*Imperf.*	*Pluperf.*
reparta	repartiese	hubiera repartido
repartas	repartieses	hubieras repartido
reparta	repartiese	hubiera repartido
repartamos	repartiésemos	hubiéramos repartido
repartáis	repartieseis	hubierais repartido
repartan	repartiesen	hubieran repartido
Imperf.	*Pres. Perf.*	*Pluperf.*
repartiera	haya repartido	hubiese repartido
repartieras	hayas repartido	hubieses repartido
repartiera	haya repartido	hubiese repartido
repartiéramos	hayamos repartido	hubiésemos repartido
repartierais	hayáis repartido	hubieseis repartido
repartieran	hayan repartido	hubiesen repartido

CONDITIONAL		IMPERATIVE
Simple	*Cond. Perf.*	
repartiría	habría repartido	
repartirías	habrías repartido	reparte; no repartas
repartiría	habría repartido	reparta
repartiríamos	habríamos repartido	repartamos
repartiríais	habríais repartido	repartid; no repartáis
repartirían	habrían repartido	repartan

Pres. Part.: repitiendo
Past Part.: repetido

repetir: to repeat

INDICATIVE

Pres.	*Fut.*	*Past Ant.*
repito	repetiré	hube repetido
repites	repetirás	hubiste repetido
repite	repetirá	hubo repetido
repetimos	repetiremos	hubimos repetido
repetís	repetiréis	hubisteis repetido
repiten	repetirán	hubieron repetido
Imperf.	*Pres. Perf.*	*Fut. Perf.*
repetía	he repetido	habré repetido
repetías	has repetido	habrás repetido
repetía	ha repetido	habrá repetido
repetíamos	hemos repetido	habremos repetido
repetíais	habéis repetido	habréis repetido
repetían	han repetido	habrán repetido
Pret.	*Pluperf.*	
repetí	había repetido	
repetiste	habías repetido	
repitió	había repetido	
repetimos	habíamos repetido	
repetisteis	habíais repetido	
repitieron	habían repetido	

SUBJUNCTIVE

Pres.	*Imperf.*	*Pluperf.*
repita	repitiese	hubiera repetido
repitas	repitieses	hubieras repetido
repita	repitiese	hubiera repetido
repitamos	repitiésemos	hubiéramos repetido
repitáis	repitieseis	hubierais repetido
repitan	repitiesen	hubieran repetido
Imperf.	*Pres. Perf.*	*Pluperf.*
repitiera	haya repetido	hubiese repetido
repitieras	hayas repetido	hubieses repetido
repitiera	haya repetido	hubiese repetido
repitiéramos	hayamos repetido	hubiésemos repetido
repitierais	hayáis repetido	hubieseis repetido
repitieran	hayan repetido	hubiesen repetido

CONDITIONAL		IMPERATIVE
Simple	*Cond. Perf.*	
repetiría	habría repetido	
repetirías	habrías repetido	repite; no repitas
repetiría	habría repetido	repita
repetiríamos	habríamos repetido	repitamos
repetiríais	habríais repetido	repetid; no repitáis
repetirían	habrían repetido	repitan

CONJUGATED SAME AS ABOVE
competir: to contest, rival, compete

responder

Pres. Part.: respondiendo
Past Part.: respondido

responder: to answer

INDICATIVE

Pres.	*Fut.*	*Past Ant.*
respondo	responderé	hube respondido
respondes	responderás	hubiste respondido
responde	responderá	hubo respondido
respondemos	responderemos	hubimos respondido
respondéis	responderéis	hubisteis respondido
responden	responderán	hubieron respondido
Imperf.	*Pres. Perf.*	*Fut. Perf.*
respondía	he respondido	habré respondido
respondías	has respondido	habrás respondido
respondía	ha respondido	habrá respondido
respondíamos	hemos respondido	habremos respondido
respondíais	habéis respondido	habréis respondido
respondían	han respondido	habrán respondido
Pret.	*Pluperf.*	
respondí	había respondido	
respondiste	habías respondido	
respondió	había respondido	
respondimos	habíamos respondido	
respondisteis	habíais respondido	
respondieron	habían respondido	

SUBJUNCTIVE

Pres.	*Imperf.*	*Pluperf.*
responda	respondiese	hubiera respondido
respondas	respondieses	hubieras respondido
responda	respondiese	hubiera respondido
respondamos	respondiésemos	hubiéramos respondido
respondáis	respondieseis	hubierais respondido
respondan	respondiesen	hubieran respondido
Imperf.	*Pres. Perf.*	*Pluperf.*
respondiera	haya respondido	hubiese respondido
respondieras	hayas respondido	hubieses respondido
respondiera	haya respondido	hubiese respondido
respondiéramos	hayamos respondido	hubiésemos respondido
respondierais	hayáis respondido	hubieseis respondido
respondieran	hayan respondido	hubiesen respondido

CONDITIONAL		IMPERATIVE
Simple	*Cond. Perf.*	
respondería	habría respondido	
responderías	habrías respondido	responde; no respondas
respondería	habría respondido	responda
responderíamos	habríamos respondido	respondamos
responderíais	habríais respondido	responded; no respondáis
responderían	habrían respondido	respondan

CONJUGATED SAME AS ABOVE
corresponder: to correspond, suit; return (a favor, regard, affection)

Pres. Part.: retirando
Past Part.: retirado

retirar: to retire; to withdraw

INDICATIVE

Pres.	*Fut.*	*Past Ant.*
retiro	retiraré	hube retirado
retiras	retirarás	hubiste retirado
retira	retirará	hubo retirado
retiramos	retiraremos	hubimos retirado
retiráis	retiraréis	hubisteis retirado
retiran	retirarán	hubieron retirado
Imperf.	*Pres. Perf.*	*Fut. Perf.*
retiraba	he retirado	habré retirado
retirabas	has retirado	habrás retirado
retiraba	ha retirado	habrá retirado
retirábamos	hemos retirado	habremos retirado
retirabais	habéis retirado	habréis retirado
retiraban	han retirado	habrán retirado
Pret.	*Pluperf.*	
retiré	había retirado	
retiraste	habías retirado	
retiró	había retirado	
retiramos	habíamos retirado	
retirasteis	habíais retirado	
retiraron	habían retirado	

SUBJUNCTIVE

Pres.	*Imperf.*	*Pluperf.*
retire	retirase	hubiera retirado
retires	retirases	hubieras retirado
retire	retirase	hubiera retirado
retiremos	retirásemos	hubiéramos retirado
retiréis	retiraseis	hubierais retirado
retiren	retirasen	hubieran retirado
Imperf.	*Pres. Perf.*	*Pluperf.*
retirara	haya retirado	hubiese retirado
retiraras	hayas retirado	hubieses retirado
retirara	haya retirado	hubiese retirado
retiráramos	hayamos retirado	hubiésemos retirado
retirarais	hayáis retirado	hubieseis retirado
retiraran	hayan retirado	hubiesen retirado

CONDITIONAL		IMPERATIVE
Simple	*Cond. Perf.*	
retiraría	habría retirado	
retirarías	habrías retirado	retira; no retires
retiraría	habría retirado	retire
retiraríamos	habríamos retirado	retiremos
retiraríais	habríais retirado	retirad; no retiréis
retirarían	habrían retirado	retiren

CONJUGATED SAME AS ABOVE
estirar: to stretch, pull, tighten

retrasar

Pres. Part.: retrasando **retrasar: to delay**
Past Part.: retrasado

INDICATIVE

Pres.	*Fut.*	*Past Ant.*
retraso	retrasaré	hube retrasado
retrasas	retrasarás	hubiste retrasado
retrasa	retrasará	hubo retrasado
retrasamos	retrasaremos	hubimos retrasado
retrasáis	retrasaréis	hubisteis retrasado
retrasan	retrasarán	hubieron retrasado
Imperf.	*Pres. Perf.*	*Fut. Perf.*
retrasaba	he retrasado	habré retrasado
retrasabas	has retrasado	habrás retrasado
retrasaba	ha retrasado	habrá retrasado
retrasábamos	hemos retrasado	habremos retrasado
retrasabais	habéis retrasado	habréis retrasado
retrasaban	han retrasado	habrán retrasado
Pret.	*Pluperf.*	
retrasé	había retrasado	
retrasaste	habías retrasado	
retrasó	había retrasado	
retrasamos	habíamos retrasado	
retrasasteis	habíais retrasado	
retrasaron	habían retrasado	

SUBJUNCTIVE

Pres.	*Imperf.*	*Pluperf.*
retrase	retrasase	hubiera retrasado
retrases	retrasases	hubieras retrasado
retrase	retrasase	hubiera retrasado
retrasemos	retrasásemos	hubiéramos retrasado
retraséis	retrasaseis	hubierais retrasado
retrasen	retrasasen	hubieran retrasado
Imperf.	*Pres. Perf.*	*Pluperf.*
retrasara	haya retrasado	hubiese retrasado
retrasaras	hayas retrasado	hubieses retrasado
retrasara	haya retrasado	hubiese retrasado
retrasáramos	hayamos retrasado	hubiésemos retrasado
retrasarais	hayáis retrasado	hubieseis retrasado
retrasaran	hayan retrasado	hubiesen retrasado

CONDITIONAL		IMPERATIVE
Simple	*Cond. Perf.*	
retrasaría	habría retrasado	
retrasarías	habrías retrasado	retrasa; no retrases
retrasaría	habría retrasado	retrase
retrasaríamos	habríamos retrasado	retrasemos
retrasaríais	habríais retrasado	retrasad; no retraséis
retrasarían	habrían retrasado	retrasen

CONJUGATED SAME AS ABOVE
atrasar: to postpone, protract; to be slow

Pres. Part.: reuniéndose **reunirse: to assemble; to meet**
Past Part.: reunido

INDICATIVE

Pres.	*Fut.*	*Past Ant.*
me reúno	me reuniré	me hube reunido
te reúnes	te reunirás	te hubiste reunido
se reúne	se reunirá	se hubo reunido
nos reunimos	nos reuniremos	nos hubimos reunido
os reunís	os reuniréis	os hubisteis reunido
se reúnen	se reunirán	se hubieron reunido
Imperf.	*Pres. Perf.*	*Fut. Perf.*
me reunía	me he reunido	me habré reunido
te reunías	te has reunido	te habrás reunido
se reunía	se ha reunido	se habrá reunido
nos reuníamos	nos hemos reunido	nos habremos reunido
os reuníais	os habéis reunido	os habréis reunido
se reunían	se han reunido	se habrán reunido
Pret.	*Pluperf.*	
me reuní	me había reunido	
te reuniste	te habías reunido	
se reunió	se había reunido	
nos reunimos	nos habíamos reunido	
os reunisteis	os habíais reunido	
se reunieron	se habían reunido	

SUBJUNCTIVE

Pres.	*Imperf.*	*Pluperf.*
me reúna	me reuniese	me hubiera reunido
te reúnas	te reunieses	te hubieras reunido
se reúna	se reuniese	se hubiera reunido
nos reunamos	nos reuniésemos	nos hubiéramos reunido
os reunáis	os reunieseis	os hubierais reunido
se reúnan	se reuniesen	se hubieran reunido
Imperf.	*Pres. Perf.*	*Pluperf.*
me reuniera	me haya reunido	me hubiese reunido
te reunieras	te hayas reunido	te hubieses reunido
se reuniera	se haya reunido	se hubiese reunido
nos reuniéramos	nos hayamos reunido	nos hubiésemos reunido
os reunierais	os hayáis reunido	os hubieseis reunido
se reunieran	se hayan reunido	se hubiesen reunido

CONDITIONAL		IMPERATIVE
Simple	*Cond. Perf.*	
me reuniría	me habría reunido	
te reunirías	te habrías reunido	reúnete; no te reúnas
se reuniría	se habría reunido	reúnase
nos reuniríamos	nos habríamos reunido	reunámonos
os reuniríais	os habríais reunido	reuníos; no os reunáis
se reunirían	se habrían reunido	reúnanse

CONJUGATED SAME AS ABOVE
reunir: to gather, reconcile
unir: to unite, fasten
unirse: to join, to be associated

rogar

Pres. Part.: rogando **rogar: to beg; to pray**
Past Part.: rogado

INDICATIVE

Pres.	*Fut.*	*Past Ant.*
ruego	rogaré	hube rogado
ruegas	rogarás	hubiste rogado
ruega	rogará	hubo rogado
rogamos	rogaremos	hubimos rogado
rogáis	rogaréis	hubisteis rogado
ruegan	rogarán	hubieron rogado
Imperf.	*Pres. Perf.*	*Fut. Perf.*
rogaba	he rogado	habré rogado
rogabas	has rogado	habrás rogado
rogaba	ha rogado	habrá rogado
rogábamos	hemos rogado	habremos rogado
rogabais	habéis rogado	habréis rogado
rogaban	han rogado	habrán rogado
Pret.	*Pluperf.*	
rogué	había rogado	
rogaste	habías rogado	
rogó	había rogado	
rogamos	habíamos rogado	
rogasteis	habíais rogado	
rogaron	habían rogado	

SUBJUNCTIVE

Pres.	*Imperf.*	*Pluperf.*
ruegue	rogase	hubiera rogado
ruegues	rogases	hubieras rogado
ruegue	rogase	hubiera rogado
roguemos	rogásemos	hubiéramos rogado
roguéis	rogaseis	hubierais rogado
rueguen	rogasen	hubieran rogado
Imperf.	*Pres. Perf.*	*Pluperf.*
rogara	haya rogado	hubiese rogado
rogaras	hayas rogado	hubieses rogado
rogara	haya rogado	hubiese rogado
rogáramos	hayamos rogado	hubiésemos rogado
rogarais	hayáis rogado	hubieseis rogado
rogaran	hayan rogado	hubiesen rogado

Simple	*Cond. Perf.*	
rogaría	habría rogado	
rogarías	habrías rogado	ruega; no ruegues
rogaría	habría rogado	ruegue
rogaríamos	habríamos rogado	roguemos
rogaríais	habríais rogado	rogad; no roguéis
rogarían	habrían rogado	rueguen

Pres. Part.: rompiendo
Past Part.: roto

romper: to break

INDICATIVE

Pres.
rompo
rompes
rompe
rompemos
rompéis
rompen

Imperf.
rompía
rompías
rompía
rompíamos
rompíais
rompían

Pres.
rompí
rompiste
rompió
rompimos
rompisteis
rompieron

Fut.
romperé
romperás
romperá
romperemos
romperéis
romperán

Pres. Perf.
he roto
has roto
ha roto
hemos roto
habéis roto
han roto

Pluperf.
había roto
habías roto
había roto
habíamos roto
habíais roto
habían roto

Past Ant.
hube roto
hubiste roto
hubo roto
hubimos roto
hubisteis roto
hubieron roto

Fut. Perf.
habré roto
habrás roto
habrá roto
habremos roto
habréis roto
habrán roto

SUBJUNCTIVE

Pres.
rompa
rompas
rompa
rompamos
rompáis
rompan

Imperf.
rompiera
rompieras
rompiera
rompiéramos
rompierais
rompieran

Imperf.
rompiese
rompieses
rompiese
rompiésemos
rompieseis
rompiesen

Pres. Perf.
haya roto
hayas roto
haya roto
hayamos roto
hayáis roto
hayan roto

Pluperf.
hubiera roto
hubieras roto
hubiera roto
hubiéramos roto
hubierais roto
hubieran roto

Pluperf.
hubiese roto
hubieses roto
hubiese roto
hubiésemos roto
hubieseis roto
hubiesen roto

CONDITIONAL

Simple
rompería
romperías
rompería
romperíamos
romperíais
romperían

Cond. Perf.
habría roto
habrías roto
habría roto
habríamos roto
habríais roto
habrían roto

IMPERATIVE

rompe; no rompas
rompa
rompamos
romped; no rompáis
rompan

saber

Pres. Part.: sabiendo **saber: to know**
Past Part.: sabido

INDICATIVE

Pres.	*Fut.*	*Past Ant.*
sé	sabré	hube sabido
sabes	sabrás	hubiste sabido
sabe	sabrá	hubo sabido
sabemos	sabremos	hubimos sabido
sabéis	sabréis	hubisteis sabido
saben	sabrán	hubieron sabido
Imperf.	*Pres. Perf.*	*Fut. Perf.*
sabía	he sabido	habré sabido
sabías	has sabido	habrás sabido
sabía	ha sabido	habrá sabido
sabíamos	hemos sabido	habremos sabido
sabíais	habéis sabido	habréis sabido
sabían	han sabido	habrán sabido
Pret.	*Pluperf.*	
supe	había sabido	
supiste	habías sabido	
supo	había sabido	
supimos	habíamos sabido	
supisteis	habíais sabido	
supieron	habían sabido	

SUBJUNCTIVE

Pres.	*Imperf.*	*Pluperf.*
sepa	supiese	hubiera sabido
sepas	supieses	hubieras sabido
sepa	supiese	hubiera sabido
sepamos	supiésemos	hubiéramos sabido
sepáis	supieseis	hubierais sabido
sepan	supiesen	hubieran sabido
Imperf.	*Pres. Perf.*	*Pluperf.*
supiera	haya sabido	hubiese sabido
supieras	hayas sabido	hubieses sabido
supiera	haya sabido	hubiese sabido
supiéramos	hayamos sabido	hubiésemos sabido
supierais	hayáis sabido	hubieseis sabido
supieran	hayan sabido	hubiesen sabido

CONDITIONAL		IMPERATIVE
Simple	*Cond. Perf.*	
sabría	habría sabido	
sabrías	habrías sabido	sabe; no sepas
sabría	habría sabido	sepa
sabríamos	habríamos sabido	sepamos
sabríais	habríais sabido	sabed; no sepáis
sabrían	habrían sabido	sepan

Pres. Part.: sacando **sacar: to take out**
Past Part.: sacado

INDICATIVE

Pres.	*Fut.*	*Past Ant.*
saco	sacaré	hube sacado
sacas	sacarás	hubiste sacado
saca	sacará	hubo sacado
sacamos	sacaremos	hubimos sacado
sacáis	sacaráis	hubisteis sacado
sacan	sacarán	hubieron sacado
Imperf.	*Pres. Perf.*	*Fut. Perf.*
sacaba	he sacado	habré sacado
sacabas	has sacado	habrás sacado
sacaba	ha sacado	habrá sacado
sacábamos	hemos sacado	habremos sacado
sacabais	habéis sacado	habréis sacado
sacaban	han sacado	habrán sacado
Pret.	*Pluperf.*	
saqué	había sacado	
sacaste	habías sacado	
sacó	había sacado	
sacamos	habíamos sacado	
sacasteis	habíais sacado	
sacaron	habían sacado	

SUBJUNCTIVE

Pres.	*Imperf.*	*Pluperf.*
saque	sacase	hubiera sacado
saques	sacases	hubieras sacado
saque	sacase	hubiera sacado
saquemos	sacásemos	hubiéramos sacado
saquéis	sacaseis	hubierais sacado
saquen	sacasen	hubieran sacado
Imperf.	*Pres. Perf.*	*Pluperf.*
sacara	haya sacado	hubiese sacado
sacaras	hayas sacado	hubieses sacado
sacara	haya sacado	hubiese sacado
sacáramos	hayamos sacado	hubiésemos sacado
sacarais	hayáis sacado	hubieseis sacado
sacaran	hayan sacado	hubiesen sacado

CONDITIONAL		IMPERATIVE
Simple	*Cond. Perf.*	
sacaría	habría sacado	
sacarías	habrías sacado	saca; no saques
sacaría	habría sacado	saque
sacaríamos	habríamos sacado	saquemos
sacaríais	habríais sacado	sacad; no saquéis
sacarían	habrían sacado	saquen

CONJUGATED SAME AS ABOVE
ensacar: to bag

salir

Pres. Part.: saliendo
Past Part.: salido

salir: to go out, leave

INDICATIVE

Pres.	*Fut.*	*Past Ant.*
salgo	saldré	hube salido
sales	saldrás	hubiste salido
sale	saldrá	hubo salido
salimos	saldremos	hubimos salido
salís	saldréis	hubisteis salido
salen	saldrán	hubieron salido
Imperf.	*Pres. Perf.*	*Fut. Perf.*
salía	he salido	habré salido
salías	has salido	habrás salido
salía	ha salido	habrá salido
salíamos	hemos salido	habremos salido
salíais	habéis salido	habréis salido
salían	han salido	habrán salido
Pret.	*Pluperf.*	
salí	había salido	
saliste	habías salido	
salió	había salido	
salimos	habíamos salido	
salisteis	habíais salido	
salieron	habían salido	

SUBJUNCTIVE

Pres.	*Imperf.*	*Pluperf.*
salga	saliese	hubiera salido
salgas	salieses	hubieras salido
salga	saliese	hubiera salido
salgamos	saliésemos	hubiéramos salido
salgáis	salieseis	hubierais salido
salgan	saliesen	hubieran salido
Imperf.	*Pres. Perf.*	*Pluperf.*
saliera	haya salido	hubiese salido
salieras	hayas salido	hubieses salido
saliera	haya salido	hubiese salido
saliéramos	hayamos salido	hubiésemos salido
salierais	hayáis salido	hubieseis salido
salieran	hayan salido	hubiesen salido

CONDITIONAL		IMPERATIVE
Simple	*Cond. Perf.*	
saldría	habría salido	
saldrías	habrías salido	sal; no salgas
saldría	habría salido	salga
saldríamos	habríamos salido	salgamos
saldríais	habríais salido	salid; no salgáis
saldrían	habrían salido	salgan

CONJUGATED SAME AS ABOVE
resalir: to project

Pres. Part.: saludando
Past Part.: saludado

saludar: to greet; to salute

INDICATIVE

Pres.
saludo
saludas
saluda
saludamos
saludáis
saludan

Imperf.
saludaba
saludabas
saludaba
saludábamos
saludabais
saludaban

Pret.
saludé
saludaste
saludó
saludamos
saludasteis
saludaron

Fut.
saludaré
saludarás
saludará
saludaremos
saludaréis
saludarán

Pres. Perf.
he saludado
has saludado
ha saludado
hemos saludado
habéis saludado
han saludado

Pluperf.
había saludado
habías saludado
había saludado
habíamos saludado
habíais saludado
habían saludado

Past Ant.
hube saludado
hubiste saludado
hubo saludado
hubimos saludado
hubisteis saludado
hubieron saludado

Fut. Perf.
habré saludado
habrás saludado
habrá saludado
habremos saludado
habréis saludado
habrán saludado

SUBJUNCTIVE

Pres.
salude
saludes
salude
saludemos
saludéis
saluden

Imperf.
saludara
saludaras
saludara
saludáramos
saludarais
saludaran

Imperf.
saludase
saludases
saludase
saludásemos
saludaseis
saludasen

Pres. Perf.
haya saludado
hayas saludado
haya saludado
hayamos saludado
hayáis saludado
hayan saludado

Pluperf.
hubiera saludado
hubieras saludado
hubiera saludado
hubiéramos saludado
hubierais saludado
hubieran saludado

Pluperf.
hubiese saludado
hubieses saludado
hubiese saludado
hubiésemos saludado
hubieseis saludado
hubiesen saludado

CONDITIONAL

Simple
saludaría
saludarías
saludaría
saludaríamos
saludaríais
saludarían

Cond. Perf.
habría saludado
habrías saludado
habría saludado
habríamos saludado
habríais saludado
habrían saludado

IMPERATIVE

saluda; no saludes
salude
saludemos
saludad; no saludéis
saluden

seguir

Pres. Part.: siguiendo **seguir: to follow**
Past Part.: seguido

INDICATIVE

Pres.	*Fut.*	*Past Ant.*
sigo	seguiré	hube seguido
sigues	seguirás	hubiste seguido
sigue	seguirá	hubo seguido
seguimos	seguiremos	hubimos seguido
seguís	seguiréis	hubisteis seguido
siguen	seguirán	hubieron seguido
Imperf.	*Pres. Perf.*	*Fut. Perf.*
seguía	he seguido	habré seguido
seguías	has seguido	habrás seguido
seguía	ha seguido	habrá seguido
seguíamos	hemos seguido	habremos seguido
seguíais	habéis seguido	habréis seguido
seguían	han seguido	habrán seguido
Pret.	*Pluperf.*	
seguí	había seguido	
seguiste	habías seguido	
siguió	había seguido	
seguimos	habíamos seguido	
seguisteis	habíais seguido	
siguieron	habían seguido	

SUBJUNCTIVE

Pres.	*Imperf.*	*Pluperf.*
siga	siguiese	hubiera seguido
sigas	siguieses	hubieras seguido
siga	siguiese	hubiera seguido
sigamos	siguiésemos	hubiéramos seguido
sigáis	siguieseis	hubierais seguido
sigan	siguiesen	hubieran seguido
Imperf.	*Pres. Perf.*	*Pluperf.*
siguiera	haya seguido	hubiese seguido
siguieras	hayas seguido	hubieses seguido
siguiera	haya seguido	hubiese seguido
siguiéramos	hayamos seguido	hubiésemos seguido
siguierais	hayáis seguido	hubieseis seguido
siguieran	hayan seguido	hubiesen seguido

CONDITIONAL		IMPERATIVE
Simple	*Cond. Perf.*	
seguiría	habría seguido	
seguirías	habrías seguido	sigue; no sigas
seguiría	habría seguido	siga
seguiríamos	habríamos seguido	sigamos
seguiríais	habríais seguido	seguid; no sigáis
seguirían	habrían seguido	sigan

CONJUGATED SAME AS ABOVE
perseguir: to pursue

sentarse

Pres. Part.: sentándose
Past Part.: sentado

sentarse: to sit down

INDICATIVE

Pres.	*Fut.*	*Past Ant.*
me siento	me sentaré	me hube sentado
te sientas	te sentarás	te hubiste sentado
se sienta	se sentará	se hubo sentado
nos sentamos	nos sentaremos	nos hubimos sentado
os sentáis	os sentaréis	os hubisteis sentado
se sientan	se sentarán	se hubieron sentado
Imperf.	*Pres. Perf.*	*Fut. Perf.*
me sentaba	me he sentado	me habré sentado
te sentabas	te has sentado	te habrás sentado
se sentaba	se ha sentado	se habrá sentado
nos sentábamos	nos hemos sentado	nos habremos sentado
os sentabais	os habéis sentado	os habréis sentado
se sentaban	se han sentado	se habrán sentado
Pret.	*Pluperf.*	
me senté	me había sentado	
te sentaste	te habías sentado	
se sentó	se había sentado	
nos sentamos	nos habíamos sentado	
os sentasteis	os habíais sentado	
se sentaron	se habían sentado	

SUBJUNCTIVE

Pres.	*Imperf.*	*Pluperf.*
me siente	me sentase	me hubiera sentado
te sientes	te sentases	te hubieras sentado
se siente	se sentase	se hubiera sentado
nos sentemos	nos sentásemos	nos hubiéramos sentado
os sentéis	os sentaseis	os hubierais sentado
se sienten	se sentasen	se hubieran sentado
Imperf.	*Pres. Perf.*	*Pluperf.*
me sentara	me haya sentado	me hubiese sentado
te sentaras	te hayas sentado	te hubieses sentado
se sentara	se haya sentado	se hubiese sentado
nos sentáramos	nos hayamos sentado	nos hubiésemos sentado
os sentarais	os hayáis sentado	os hubieseis sentado
se sentaran	se hayan sentado	se hubiesen sentado

CONDITIONAL		IMPERATIVE
Simple	*Cond. Perf.*	
me sentaría	me habría sentado	
te sentarías	te habrías sentado	siéntate; no te sientes
se sentaría	se habría sentado	siéntese
nos sentaríamos	nos habríamos sentado	sentémonos
os sentaríais	os habríais sentado	sentaos; no os sentéis
se sentarían	se habrían sentado	siéntense

CONJUGATED SAME AS ABOVE

asentar: to seat, suppose, affirm, assess

sentir

Pres. Part.: sintiendo **sentir: to feel**
Past Part.: sentido

INDICATIVE

Pres.	*Fut.*	*Past Ant.*
siento	sentiré	hube sentido
sientes	sentirás	hubiste sentido
siente	sentirá	hubo sentido
sentimos	sentiremos	hubimos sentido
sentís	sentiréis	hubisteis sentido
sienten	sentirán	hubieron sentido
Imperf.	*Pres. Perf.*	*Fut. Perf.*
sentía	he sentido	habré sentido
sentías	has sentido	habrás sentido
sentía	ha sentido	habrá sentido
sentíamos	hemos sentido	habremos sentido
sentíais	habéis sentido	habréis sentido
sentían	han sentido	habrán sentido
Pret.	*Pluperf.*	
sentí	había sentido	
sentiste	habías sentido	
sintió	había sentido	
sentimos	habíamos sentido	
sentisteis	habíais sentido	
sintieron	habían sentido	

SUBJUNCTIVE

Pres.	*Imperf.*	*Pluperf.*
sienta	sintiese	hubiera sentido
sientas	sintieses	hubieras sentido
sienta	sintiese	hubiera sentido
sintamos	sintiésemos	hubiéramos sentido
sintáis	sintieseis	hubierais sentido
sientan	sintiesen	hubieran sentido
Imperf.	*Pres. Perf.*	*Pluperf.*
sintiera	haya sentido	hubiese sentido
sintieras	hayas sentido	hubieses sentido
sintiera	haya sentido	hubiese sentido
sintiéramos	hayamos sentido	hubiésemos sentido
sintierais	hayáis sentido	hubieseis sentido
sintieran	hayan sentido	hubiesen sentido

CONDITIONAL		IMPERATIVE
Simple	*Cond. Perf.*	
sentiría	habría sentido	
sentirías	habrías sentido	siente; no sientas
sentiría	habría sentido	sienta
sentiríamos	habríamos sentido	sintamos
sentiríais	habríais sentido	sentid; no sintáis
sentirían	habrían sentido	sientan

CONJUGATED SAME AS ABOVE
consentir: to allow
disentir: to dissent
presentir: to have a premonition
resentirse: to be resentful

Pres. Part.: separando
Past Part.: separado

separar: to separate; to set apart

INDICATIVE

Pres.
separo
separas
separa
separamos
separáis
separan

Imperf.
separaba
separabas
separaba
separábamos
separabais
separaban

Pret.
separé
separaste
separó
separamos
separasteis
separaron

Fut.
separaré
separarás
separará
separaremos
separaréis
separarán

Pres. Perf.
he separado
has separado
ha separado
hemos separado
habéis separado
han separado

Pluperf.
había separado
habías separado
había separado
habíamos separado
habíais separado
habían separado

Past Ant.
hube separado
hubiste separado
hubo separado
hubimos separado
hubisteis separado
hubieron separado

Fut. Perf.
habré separado
habrás separado
habrá separado
habremos separado
habréis separado
habrán separado

SUBJUNCTIVE

Pres.
separe
separes
separe
separemos
separéis
separen

Imperf.
separara
separaras
separara
separáramos
separarais
separaran

Imperf.
separase
separases
separase
separásemos
separaseis
separasen

Pres. Perf.
haya separado
hayas separado
haya separado
hayamos separado
hayáis separado
hayan separado

Pluperf.
hubiera separado
hubieras separado
hubiera separado
hubiéramos separado
hubierais separado
hubieran separado

Pluperf.
hubiese separado
hubieses separado
hubiese separado
hubiésemos separado
hubieseis separado
hubiesen separado

CONDITIONAL

Simple
separaría
separarías
separaría
separaríamos
separaríais
separarían

Cond. Perf.
habría separado
habrías separado
habría separado
habríamos separado
habríais separado
habrían separado

IMPERATIVE

separa; no separes
separe
separemos
separad; no separéis
separen

ser

Pres. Part.: siendo **ser: to be**
Past Part.: sido

INDICATIVE

Pres.	*Fut.*	*Past Ant.*
soy	seré	hube sido
eres	serás	hubiste sido
es	será	hubo sido
somos	seremos	hubimos sido
sois	seréis	hubisteis sido
son	serán	hubieron sido
Imperf.	*Pres. Perf.*	*Fut. Perf.*
era	he sido	habré sido
eras	has sido	habrás sido
era	ha sido	habrá sido
éramos	hemos sido	habremos sido
eráis	habéis sido	habréis sido
eran	han sido	habrán sido
Pret.	*Pluperf.*	
fui	había sido	
fuiste	habías sido	
fue	había sido	
fuimos	habíamos sido	
fuisteis	habíais sido	
fueron	habían sido	

SUBJUNCTIVE

Pres.	*Imperf.*	*Pluperf.*
sea	fuese	hubiera sido
seas	fueses	hubieras sido
sea	fuese	hubiera sido
seamos	fuésemos	hubiéramos sido
seáis	fueseis	hubierais sido
sean	fuesen	hubieran sido
Imperf.	*Pres. Perf.*	*Pluperf.*
fuera	haya sido	hubiese sido
fueras	hayas sido	hubieses sido
fuera	haya sido	hubiese sido
fuéramos	hayamos sido	hubiésemos sido
fuerais	hayáis sido	hubieseis sido
fueran	hayan sido	hubiesen sido

CONDITIONAL / IMPERATIVE

Simple	*Cond. Perf.*	IMPERATIVE
sería	habría sido	
serías	habrías sido	sé; no seas
sería	habría sido	sea
seríamos	habríamos sido	seamos
seríais	habríais sido	sed; no seáis
serían	habrían sido	sean

Pres. Part.: sirviendo
Past Part.: servido

servir: to serve; to be of use

INDICATIVE

Pres.	*Fut.*	*Past Ant.*
sirvo	serviré	hube servido
sirves	servirás	hubiste servido
sirve	servirá	hubo servido
servimos	serviremos	hubimos servido
servís	serviréis	hubisteis servido
sirven	servirán	hubieron servido
Imperf.	*Pres. Perf.*	*Fut. Perf.*
servía	he servido	habré servido
servías	has servido	habrás servido
servía	ha servido	habrá servido
servíamos	hemos servido	habremos servido
servíais	habéis servido	habréis servido
servían	han servido	habrán servido
Pret.	*Pluperf.*	
serví	había servido	
serviste	habías servido	
sirvió	había servido	
servimos	habíamos servido	
servisteis	habíais servido	
sirvieron	habían servido	

SUBJUNCTIVE

Pres.	*Imperf.*	*Pluperf.*
sirva	sirviese	hubiera servido
sirvas	sirvieses	hubieras servido
sirva	sirviese	hubiera servido
sirvamos	sirviésemos	hubiéramos servido
sirváis	sirvieseis	hubierais servido
sirvan	sirviesen	hubieran servido
Imperf.	*Pres. Perf.*	*Pluperf.*
sirviera	haya servido	hubiese servido
sirvieras	hayas servido	hubieses servido
sirviera	haya servido	hubiese servido
sirviéramos	hayamos servido	hubiésemos servido
sirvierais	hayáis servido	hubieseis servido
sirvieran	hayan servido	hubiesen servido

CONDITIONAL		IMPERATIVE
Simple	*Cond. Perf.*	
serviría	habría servido	
servirías	habrías servido	sirve; no sirvas
serviría	habría servido	sirva
serviríamos	habríamos servido	sirvamos
serviríais	habríais servido	servid; no sirváis
servirían	habrían servido	sirvan

CONJUGATED SAME AS ABOVE
servirse: to serve oneself

sonreir

Pres. Part.: sonriendo **sonreir: to smile**
Past Part.: sonreído

INDICATIVE

Pres.	*Fut.*	*Past Ant.*
sonrío	sonreiré	hube sonreído
sonríes	sonreirás	hubiste sonreído
sonríe	sonreirá	hubo sonreído
sonreímos	sonreiremos	hubimos sonreído
sonreís	sonreiréis	hubisteis sonreído
sonríen	sonreirán	hubieron sonreído
Imperf.	*Pres. Perf.*	*Fut. Perf.*
sonreía	he sonreído	habré sonreído
sonreías	has sonreído	habrás sonreído
sonreía	ha sonreído	habrá sonreído
sonreíamos	hemos sonreído	habremos sonreído
sonreíais	habéis sonreído	habréis sonreído
sonreían	han sonreído	habrán sonreído
Pres.	*Pluperf.*	
sonreí	había sonreído	
sonreíste	habías sonreído	
sonrió	había sonreído	
sonreímos	habíamos sonreído	
sonreísteis	habíais sonreído	
sonrieron	habían sonreído	

SUBJUNCTIVE

Pres.	*Imperf.*	*Pluperf.*
sonría	sonriese	hubiera sonreído
sonrías	sonrieses	hubieras sonreído
sonría	sonriese	hubiera sonreído
sonriamos	sonriésemos	hubiéramos sonreído
sonriáis	sonrieseis	hubierais sonreído
sonrían	sonriesen	hubieran sonreído
Imperf.	*Pres. Perf.*	*Pluperf.*
sonriera	haya sonreído	hubiese sonreído
sonrieras	hayas sonreído	hubieses sonreído
sonriera	haya sonreído	hubiese sonreído
sonriéramos	hayamos sonreído	hubiésemos sonreído
sonrierais	hayáis sonreído	hubieseis sonreído
sonrieran	hayan sonreído	hubiesen sonreído

CONDITIONAL		IMPERATIVE
Simple	*Cond. Perf.*	
sonreiría	habría sonreído	
sonreirías	habrías sonreído	sonríe; no sonrías
sonreiría	habría sonreído	sonría
sonreiríamos	habríamos sonreído	sonriamos
sonreiríais	habríais sonreído	sonreíd; no sonriáis
sonreirían	habrían sonreído	sonrían

CONJUGATED SAME AS ABOVE
reír: to laugh

Pres. Part.: soñando
Past Part.: soñado

soñar: to dream

INDICATIVE

Pres.	*Fut.*	*Past Ant.*
sueño	soñaré	hube soñado
sueñas	soñarás	hubiste soñado
sueña	soñará	hubo soñado
soñamos	soñaremos	hubimos soñado
soñáis	soñaréis	hubisteis soñado
sueñan	soñarán	hubieron soñado
Imperf.	*Pres. Perf.*	*Fut. Perf.*
soñaba	he soñado	habré soñado
soñabas	has soñado	habrás soñado
soñaba	ha soñado	habrá soñado
soñábamos	hemos soñado	habremos soñado
soñabais	habéis soñado	habréis soñado
soñaban	han soñado	habrán soñado
Pret.	*Pluperf.*	
soñé	había soñado	
soñaste	habías soñado	
soñó	había soñado	
soñamos	habíamos soñado	
soñasteis	habíais soñado	
soñaron	habían soñado	

SUBJUNCTIVE

Pres.	*Imperf.*	*Pluperf.*
sueñe	soñase	hubiera soñado
sueñes	soñases	hubieras soñado
sueñe	soñase	hubiera soñado
soñemos	soñásemos	hubiéramos soñado
soñéis	soñaseis	hubierais soñado
sueñen	soñasen	hubieran soñado
Imperf.	*Pres. Perf.*	*Pluperf.*
soñara	haya soñado	hubiese soñado
soñaras	hayas soñado	hubieses soñado
soñara	haya soñado	hubiese soñado
soñáramos	hayamos soñado	hubiésemos soñado
soñarais	hayáis soñado	hubieseis soñado
soñaran	hayan soñado	hubiesen soñado

CONDITIONAL / IMPERATIVE

Simple	*Cond. Perf.*	IMPERATIVE
soñaría	habría soñado	
soñarías	habrías soñado	sueña; no sueñes
soñaría	habría soñado	sueñe
soñaríamos	habríamos soñado	soñemos
soñaríais	habríais soñado	soñad; no soñéis
soñarían	habrían soñado	sueñen

sorprender

Pres. Part.: sorprendiendo
Past Part.: sorprendido

sorprender: to surprise

INDICATIVE

Pres.
sorprendo
sorprendes
sorprende
sorprendemos
sorprendéis
sorprenden

Imperf.
sorprendía
sorprendías
sorprendía
sorprendíamos
sorprendíais
sorprendían

Pret.
sorprendí
sorprendiste
sorprendió
sorprendimos
sorprendisteis
sorprendieron

Fut.
sorprenderé
sorprenderás
sorprenderá
sorprenderemos
sorprenderéis
sorprenderán

Pres. Perf.
he sorprendido
has sorprendido
ha sorprendido
hemos sorprendido
habéis sorprendido
han sorprendido

Pluperf.
había sorprendido
habías sorprendido
había sorprendido
habíamos sorprendido
habíais sorprendido
habían sorprendido

Past Ant.
hube sorprendido
hubiste sorprendido
hubo sorprendido
hubimos sorprendido
hubisteis sorprendido
hubieron sorprendido

Fut. Perf.
habré sorprendido
habrás sorprendido
habrá sorprendido
habremos sorprendido
habréis sorprendido
habrán sorprendido

SUBJUNCTIVE

Pres.
sorprenda
sorprendas
sorprenda
sorprendamos
sorprendáis
sorprendan

Imperf.
sorprendiera
sorprendieras
sorprendiera
sorprendiéramos
sorprendierais
sorprendieran

Imperf.
sorprendiese
sorprendieses
sorprendiese
sorprendiésemos
sorprendieseis
sorprendiesen

Pres. Perf.
haya sorprendido
hayas sorprendido
haya sorprendido
hayamos sorprendido
hayáis sorprendido
hayan sorprendido

Pluperf.
hubiera sorprendido
hubieras sorprendido
hubiera sorprendido
hubiéramos sorprendido
hubiérais sorprendido
hubieran sorprendido

Pluperf.
hubiese sorprendido
hubieses sorprendido
hubiese sorprendido
hubiésemos sorprendido
hubieseis sorprendido
hubiesen sorprendido

CONDITIONAL

Simple
sorprendería
sorprenderías
sorprendería
sorprenderíamos
sorprenderíais
sorprenderían

Cond. Perf.
habría sorprendido
habrías sorprendido
habría sorprendido
habríamos sorprendido
habríais sorprendido
habrían sorprendido

IMPERATIVE

sorprende; no sorprendas
sorprenda
sorprendamos
sorprended; no sorprendáis
sorprendan

Pres. Part.: subiendo
Past Part.: subido

subir: to come up

INDICATIVE

Pres.	*Fut.*	*Past Ant.*
subo	subiré	hube subido
subes	subirás	hubiste subido
sube	subirá	hubo subido
subimos	subiremos	hubimos subido
subís	subiréis	hubisteis subido
suben	subirán	hubieron subido
Imperf.	*Pres. Perf.*	*Fut. Perf.*
subía	he subido	habré subido
subías	has subido	habrás subido
subía	ha subido	habrá subido
subíamos	hemos subido	habremos subido
subíais	habéis subido	habréis subido
subían	han subido	habrán subido
Pret.	*Pluperf.*	
subí	había subido	
subiste	habías subido	
subió	había subido	
subimos	habíamos subido	
subisteis	habíais subido	
subieron	habían subido	

SUBJUNCTIVE

Pres.	*Imperf.*	*Pluperf.*
suba	subiese	hubiera subido
subas	subieses	hubieras subido
suba	subiese	hubiera subido
subamos	subiésemos	hubiéramos subido
subáis	subieseis	hubierais subido
suban	subiesen	hubieran subido
Imperf.	*Pres. Perf.*	*Pluperf.*
subiera	haya subido	hubiese subido
subieras	hayas subido	hubieses subido
subiera	haya subido	hubiese subido
subiéramos	hayamos subido	hubiésemos subido
subierais	hayáis subido	hubieseis subido
subieran	hayan subido	hubiesen subido

CONDITIONAL		IMPERATIVE
Simple	*Cond. Perf.*	
subiría	habría subido	
subirías	habrías subido	sube; no subas
subiría	habría subido	suba
subiríamos	habríamos subido	subamos
subiríais	habríais subido	subid; no subáis
subirían	habrían subido	suban

suceder

Pres. Part.: sucediendo
Past Part.: sucedido

suceder: to happen

INDICATIVE

Pres.	*Fut.*	*Past Ant.*
sucede	sucederá	hubo sucedido
suceden	sucederán	hubieron sucedido
Imperf.	*Pres. Perf.*	*Fut. Perf.*
sucedía	ha sucedido	habrá sucedido
sucedían	han sucedido	habrán sucedido
Pret.	*Pluperf.*	
sucedió	había sucedido	
sucedieron	habían sucedido	

SUBJUNCTIVE

Pres.	*Imperf.*	*Pluperf.*
suceda	sucediese	hubiera sucedido
sucedan	sucediesen	hubieran sucedido
Imperf.	*Pres. Perf.*	*Pluperf.*
sucediera	haya sucedido	hubiese sucedido
sucedieran	hayan sucedido	hubiesen sucedido

CONDITIONAL		IMPERATIVE
Simple	*Cond. Perf.*	
sucedería	habría sucedido	que suceda
sucederían	habrían sucedido	que sucedan

NOTE: This verb can be conjugated only in the third person.

Pres. Part.: sufriendo
Past Part.: sufrido

sufrir: to suffer

INDICATIVE

Pres.	*Fut.*	*Past Ant.*
sufro	sufriré	hube sufrido
sufres	sufrirás	hubiste sufrido
sufre	sufrirá	hubo sufrido
sufrimos	sufriremos	hubimos sufrido
sufrís	sufriréis	hubisteis sufrido
sufren	sufrirán	hubieron sufrido
Imperf.	*Pres. Perf.*	*Fut. Perf.*
sufría	he sufrido	habré sufrido
sufrías	has sufrido	habrás sufrido
sufría	ha sufrido	habrá sufrido
sufríamos	hemos sufrido	habremos sufrido
sufríais	habéis sufrido	habréis sufrido
sufrían	han sufrido	habrán sufrido
Pret.	*Pluperf.*	
sufrí	había sufrido	
sufriste	habías sufrido	
sufrió	había sufrido	
sufrimos	habíamos sufrido	
sufristeis	habíais sufrido	
sufrieron	habían sufrido	

SUBJUNCTIVE

Pres.	*Imperf.*	*Pluperf.*
sufra	sufriese	hubiera sufrido
sufras	sufrieses	hubieras sufrido
sufra	sufriese	hubiera sufrido
suframos	sufriésemos	hubiéramos sufrido
sufráis	sufrieseis	hubierais sufrido
sufran	sufriesen	hubieran sufrido
Imperf.	*Pres. Perf.*	*Pluperf.*
sufriera	haya sufrido	hubiese sufrido
sufrieras	hayas sufrido	hubieses sufrido
sufriera	haya sufrido	hubiese sufrido
sufriéramos	hayamos sufrido	hubiésemos sufrido
sufrierais	hayáis sufrido	hubieseis sufrido
sufrieran	hayan sufrido	hubiesen sufrido

CONDITIONAL / IMPERATIVE

Simple	*Cond. Perf.*	IMPERATIVE
sufriría	habría sufrido	
sufrirías	habrías sufrido	sufre; no sufras
sufriría	habría sufrido	sufra
sufriríamos	habríamos sufrido	suframos
sufriríais	habríais sufrido	sufrid; no sufráis
sufrirían	habrían sufrido	sufran

sugerir

Pres. Part.: sugiriendo
Past Part.: sugerido

sugerir: to suggest

INDICATIVE

Pres.	*Fut.*	*Past Ant.*
sugiero	sugeriré	hube sugerido
sugieres	sugerirás	hubiste sugerido
sugiere	sugerirá	hubo sugerido
sugerimos	sugeriremos	hubimos sugerido
sugerís	sugeriréis	hubisteis sugerido
sugieren	sugerirán	hubieron sugerido
Imperf.	*Pres. Perf.*	*Fut. Perf.*
sugería	he sugerido	habré sugerido
sugerías	has sugerido	habrás sugerido
sugería	ha sugerido	habrá sugerido
sugeríamos	hemos sugerido	habremos sugerido
sugeríais	habéis sugerido	habréis sugerido
sugerían	han sugerido	habrán sugerido
Pret.	*Pluperf.*	
sugerí	había sugerido	
sugeriste	habías sugerido	
sugirió	había sugerido	
sugerimos	habíamos sugerido	
sugeristeis	habíais sugerido	
sugirieron	habían sugerido	

SUBJUNCTIVE

Pres.	*Imperf.*	*Pluperf.*
sugiera	sugiriese	hubiera sugerido
sugieras	sugirieses	hubieras sugerido
sugiera	sugriiese	hubiera sugerido
sugiéramos	sugiriésemos	hubiéramos sugerido
sugiráis	sugirieseis	hubierais sugerido
sugieran	sugiriesen	hubieran sugerido
Imperf.	*Pres. Perf.*	*Pluperf.*
sugiriera	haya sugerido	hubiese sugerido
sugirieras	hayas sugerido	hubieses sugerido
sugiriera	haya sugerido	hubiese sugerido
sugiriéramos	hayamos sugerido	hubiésemos sugerido
surgirierais	hayáis sugerido	hubieseis sugerido
sugirieran	hayan sugerido	hubiesen sugerido

CONDITIONAL

Simple	*Cond. Perf.*	IMPERATIVE
sugeriría	habría sugerido	
sugerirías	habrías sugerido	sugiere; no sugieras
sugeriría	habría sugerido	sugiera
sugeriríamos	habríamos sugerido	sugieramos
sugeriríais	habríais sugerido	sugerid; no sugiráis
sugeririán	habrían sugerido	sugieran

Pres. Part.: teniendo
Past Part.: tenido

tener: to have

INDICATIVE

Pres.	*Fut.*	*Past Ant.*
tengo	tendré	hube tenido
tienes	tendrás	hubiste tenido
tiene	tendrá	hubo tenido
tenemos	tendremos	hubimos tenido
tenéis	tendréis	hubisteis tenido
tienen	tendrán	hubieron tenido
Imperf.	*Pres. Perf.*	*Fut. Perf.*
tenía	he tenido	habré tenido
tenías	has tenido	habrás tenido
tenía	ha tenido	habrá tenido
teníamos	hemos tenido	habremos tenido
teníais	habéis tenido	habréis tenido
tenían	han tenido	habrán tenido
Pret.	*Pluperf.*	
tuvé	había tenido	
tuviste	habías tenido	
tuvó	había tenido	
tuvimos	habíamos tenido	
tuvisteis	habíais tenido	
tuvieron	habían tenido	

SUBJUNCTIVE

Pres.	*Imperf.*	*Pluperf.*
tenga	tuviese	hubiera tenido
tengas	tuvieses	hubieras tenido
tenga	tuviese	hubiera tenido
tengamos	tuviésemos	hubiéramos tenido
tengáis	tuvieseis	hubierais tenido
tengan	tuviesen	hubieran tenido
Imperf.	*Pres. Perf.*	*Pluperf.*
tuviera	haya tenido	hubiese tenido
tuvieras	hayas tenido	hubieses tenido
tuviera	haya tenido	hubiese tenido
tuviéramos	hayamos tenido	hubiésemos tenido
tuvierais	hayáis tenido	hubieseis tenido
tuvieran	hayan tenido	hubiesen tenido

CONDITIONAL		IMPERATIVE
Simple	*Cond. Perf.*	
tendría	habría tenido	
tendrías	habrías tenido	ten; no tengas
tendría	habría tenido	tenga
tendríamos	habríamos tenido	tengamos
tendríais	habríais tenido	tened; no tengáis
tendrían	habrían tenido	tengan

CONJUGATED SAME AS ABOVE

contener: to contain
entretener: to entertain
obtener: to obtain
retener: to retain
tenerse: to stop; to hold steady

terminar

Pres. Part.: terminando
Past Part.: terminado

terminar: to finish

INDICATIVE

Pres.
termino
terminas
termina
terminamos
termináis
terminan

Imperf.
terminaba
terminabas
terminaba
terminábamos
terminabais
terminaban

Pret.
terminé
terminaste
terminó
terminamos
terminasteis
terminaron

Fut.
terminaré
terminarás
terminará
terminaremos
terminaréis
terminarán

Pres. Perf.
he terminado
has terminado
ha terminado
hemos terminado
habéis terminado
han terminado

Pluperf.
había terminado
habías terminado
había terminado
habíamos terminado
habíais terminado
habían terminado

Past Ant.
hube terminado
hubiste terminado
hubo terminado
hubimos terminado
hubisteis terminado
hubieron terminado

Fut. Perf.
habré terminado
habrás terminado
habrá terminado
habremos terminado
habréis terminado
habrán terminado

SUBJUNCTIVE

Pres.
termine
termines
termine
terminemos
terminéis
terminen

Imperf.
terminara
terminaras
terminara
termináramos
terminarais
terminaran

Imperf.
terminase
terminases
terminase
terminásemos
terminaseis
terminasen

Pres. Perf.
haya terminado
hayas terminado
haya terminado
hayamos terminado
hayáis terminado
hayan terminado

Pluperf.
hubiera terminado
hubieras terminado
hubiera terminado
hubiéramos terminado
hubierais terminado
hubieran terminado

Pluperf.
hubiese terminado
hubieses terminado
hubiese terminado
hubiésemos terminado
hubieseis terminado
hubiesen terminado

CONDITIONAL

Simple
terminaría
terminarías
terminaría
terminaríamos
terminaríais
terminarían

Cond. Perf.
habría terminado
habrías terminado
habría terminado
habríamos terminado
habríais terminado
habrían terminado

IMPERATIVE

termina; no termines
termine
terminemos
terminad; no terminéis
terminen

CONJUGATED SAME AS ABOVE
determinar: to determine

Pres. Part.: tirando
Past Part.: tirado

tirar: to throw away; to throw; to shoot

INDICATIVE

Pres.	*Fut.*	*Past Ant.*
tiro	tiraré	hube tirado
tiras	tirarás	hubiste tirado
tira	tirará	hubo tirado
tiramos	tiraremos	hubimos tirado
tiráis	tiraréis	hubisteis tirado
tiran	tirarán	hubieron tirado
Imperf.	*Pres. Perf.*	*Fut. Perf.*
tiraba	he tirado	habré tirado
tirabas	has tirado	habrás tirado
tiraba	ha tirado	habrá tirado
tirábamos	hemos tirado	habremos tirado
tirabais	habéis tirado	habréis tirado
tiraban	han tirado	habrán tirado
Pret.	*Pluperf.*	
tiré	había tirado	
tiraste	habías tirado	
tiró	había tirado	
tiramos	habíamos tirado	
tirasteis	habíais tirado	
tiraron	habían tirado	

SUBJUNCTIVE

Pres.	*Imperf.*	*Pluperf.*
tire	tirase	hubiera tirado
tires	tirases	hubieras tirado
tire	tirase	hubiera tirado
tiremos	tirásemos	hubiéramos tirado
tiréis	tiraseis	hubierais tirado
tiren	tirasen	hubieran tirado
Imperf.	*Pres. Perf.*	*Pluperf.*
tirara	haya tirado	hubiese tirado
tiraras	hayas tirado	hubieses tirado
tirara	haya tirado	hubiese tirado
tiráramos	hayamos tirado	hubiésemos tirado
tirarais	hayáis tirado	hubieseis tirado
tiraran	hayan tirado	hubiesen tirado

CONDITIONAL		IMPERATIVE
Simple	*Cond. Perf.*	
tiraría	habría tirado	
tirarías	habrías tirado	tira; no tires
tiraría	habría tirado	tire
tiraríamos	habríamos tirado	tiremos
tiraríais	habríais tirado	tirad; no tiréis
tirarían	habrían tirado	tiren

tocar

Pres. Part.: tocando
Past Part.: tocado

tocar: to touch; to play

INDICATIVE

Pres.	*Fut.*	*Past Ant.*
toco	tocaré	hube tocado
tocas	tocarás	hubiste tocado
toca	tocará	hubo tocado
tocamos	tocaremos	hubimos tocado
tocáis	tocaréis	hubisteis tocado
tocan	tocarán	hubieron tocado
Imperf.	*Pres. Perf.*	*Fut. Perf.*
tocaba	he tocado	habré tocado
tocabas	has tocado	habrás tocado
tocaba	ha tocado	habrá tocado
tocábamos	hemos tocado	habremos tocado
tocabais	habéis tocado	habréis tocado
tocaban	han tocado	habrán tocado
Pret.	*Pluperf.*	
toqué	había tocado	
tocaste	habías tocado	
tocó	había tocado	
tocamos	habíamos tocado	
tocasteis	habíais tocado	
tocaron	habían tocado	

SUBJUNCTIVE

Pres.	*Imperf.*	*Pluperf.*
toque	tocase	hubiera tocado
toques	tocases	hubieras tocado
toque	tocase	hubiera tocado
toquemos	tocásemos	hubiéramos tocado
toquéis	tocaseis	hubierais tocado
toquen	tocasen	hubieran tocado
Imperf.	*Pres. Perf.*	*Pluperf.*
tocara	haya tocado	hubiese tocado
tocaras	hayas tocado	hubieses tocado
tocara	haya tocado	hubiese tocado
tocáramos	hayamos tocado	hubiésemos tocado
tocarais	hayáis tocado	hubieseis tocado
tocaran	hayan tocado	hubiesen tocado

CONDITIONAL		IMPERATIVE
Simple	*Cond. Perf.*	
tocaría	habría tocado	
tocarías	habrías tocado	toca; no toques
tocaría	habría tocado	toque
tocaríamos	habríamos tocado	toquemos
tocaríais	habríais tocado	tocad; no toquéis
tocarían	habrían tocado	toquen

CONJUGATED SAME AS ABOVE

chocar: to strike, knock, dash one thing against another, collide
retocar: to retouch

Pres. Part.: tomando

Past Part.: tomado

tomar: to get to take; to have (food or drink)

INDICATIVE

Pres.	*Fut.*	*Past Ant.*
tomo	tomaré	hube tomado
tomas	tomarás	hubiste tomado
toma	tomará	hubo tomado
tomamos	tomaremos	hubimos tomado
tomáis	tomaréis	hubisteis tomado
toman	tomarán	hubieron tomado
Imperf.	*Pres. Perf.*	*Fut. Perf.*
tomaba	he tomado	habré tomado
tomabas	has tomado	habrás tomado
tomaba	ha tomado	habrá tomado
tomábamos	hemos tomado	habremos tomado
tomabais	habéis tomado	habréis tomado
tomaban	han tomado	habrán tomado
Pret.	*Pluperf.*	
tomé	había tomado	
tomaste	habías tomado	
tomó	había tomado	
tomamos	habíamos tomado	
tomasteis	habíais tomado	
tomaron	habían tomado	

SUBJUNCTIVE

Pres.	*Imperf.*	*Pluperf.*
tome	tomase	hubiera tomado
tomes	tomases	hubieras tomado
tome	tomase	hubiera tomado
tomemos	tomásemos	hubiéramos tomado
toméis	tomaseis	hubierais tomado
tomen	tomasen	hubieran tomado
Imperf.	*Pres. Perf.*	*Pluperf.*
tomara	haya tomado	hubiese tomado
tomaras	hayas tomado	hubieses tomado
tomara	haya tomado	hubiese tomado
tomáramos	hayamos tomado	hubiésemos tomado
tomarais	hayáis tomado	hubieseis tomado
tomaran	hayan tomado	hubiesen tomado

CONDITIONAL / IMPERATIVE

Simple	*Cond. Perf.*	IMPERATIVE
tomaría	habría tomado	
tomarías	habrías tomado	toma; no tomes
tomaría	habría tomado	tome
tomaríamos	habríamos tomado	tomemos
tomaríais	habríais tomado	tomad; no toméis
tomarían	habrían tomado	tomen

trabajar

Pres. Part.: trabajando — **trabajar: to work**
Past Part: trabajado

INDICATIVE

Pres.	*Fut.*	*Past Ant.*
trabajo	trabajaré	hube trabajado
trabajas	trabajarás	hubiste trabajado
trabaja	trabajará	hubo trabajado
trabajamos	trabajaremos	hubimos trabajado
trabajáis	trabajaréis	hubisteis trabajado
trabajan	trabajarán	hubieron trabajado
Imperf.	*Pres. Perf.*	*Fut. Perf.*
trabajaba	he trabajado	habré trabajado
trabajabas	has trabajado	habrás trabajado
trabajaba	ha trabajado	habrá trabajado
trabajábamos	hemos trabajado	habremos trabajado
trabajabais	habéis trabajado	habréis trabajado
trabajaban	han trabajado	habrán trabajado
Pret.	*Pluperf.*	
trabajé	había trabajado	
trabajaste	habías trabajado	
trabajó	había trabajado	
trabajamos	habíamos trabajado	
trabajasteis	habíais trabajado	
trabajaron	habían trabajado	

SUBJUNCTIVE

Pres.	*imperf.*	*Pluperf.*
trabaje	trabajase	hubiera trabajado
trabajes	trabajases	hubieras trabajado
trabaje	trabajase	hubiera trabajado
trabajemos	trabajásemos	hubiéramos trabajado
trabajéis	trabajaseis	hubierais trabajado
trabajen	trabajasen	hubieran trabajado
Imperf.	*Pres. Perf.*	*Pluperf.*
trabajara	haya trabajado	hubiese trabajado
trabajaras	hayas trabajado	hubieses trabajado
trabajara	haya trabajado	hubiese trabajado
trabajáramos	hayamos trabajado	hubiésemos trabajado
trabajarais	hayáis trabajado	hubieseis trabajado
trabajaran	hayan trabajado	hubiesen trabajado

CONDITIONAL		IMPERATIVE
Simple	*Cond. Perf.*	
trabajaría	habría trabajado	
trabajarías	habrías trabajado	trabaja; no trabajes
trabajaría	habría trabajado	trabaje
trabajaríamos	habríamos trabajado	trabajemos
trabajaríais	habríais trabajado	trabajad; no trabajéis
trabajarían	habrían trabajado	trabajen

traducir

Pres. Part.: traduciendo
Past Part.: traducido

traducir: to translate

INDICATIVE

Pres.
traduzco
traduces
traduce
traducimos
traducís
traducen

Imperf.
traducía
traducías
traducía
traducíamos
traducíais
traducían

Pret.
traduje
tradujiste
tradujo
tradujimos
tradujisteis
tradujeron

Fut.
traduciré
traducirás
traducirá
traduciremos
traduciréis
traducirán

Pres. Perf.
he traducido
has traducido
ha traducido
hemos traducido
habéis traducido
han traducido

Pluperf.
había traducido
habías traducido
había traducido
habíamos traducido
habíais traducido
habían traducido

Past Ant.
hube traducido
hubiste traducido
hubo traducido
hubimos traducido
hubisteis traducido
hubieron traducido

Fut. Perf.
habré traducido
habrás traducido
habrá traducido
habremos traducido
habréis traducido
habrán traducido

SUBJUNCTIVE

Pres.
traduzca
traduzcas
traduzca
traduzcamos
traduzcáis
traduzcan

Imperf.
tradujera
tradujeras
tradujera
tradujéramos
tradujerais
tradujeran

Imperf.
tradujese
tradujeses
tradujese
tradujésemos
tradujeseis
tradujesen

Pres. Perf.
haya traducido
hayas traducido
haya traducido
hayamos traducido
hayáis traducido
hayan traducido

Pluperf.
hubiera traducido
hubieras traducido
hubiera traducido
hubiéramos traducido
hubierais traducido
hubieran traducido

Pluperf.
hubiese traducido
hubieses traducido
hubiese traducido
hubiésemos traducido
hubieseis traducido
hubiesen traducido

CONDITIONAL

Simple
traduciría
traducirías
traduciría
traduciríamos
traduciríais
traducirían

Cond. Perf.
habría traducido
habrías traducido
habría traducido
habríamos traducido
habríais traducido
habrían traducido

IMPERATIVE

traduce; no traduzcas
traduzca
traduzcamos
traducid; no traduzcáis
traduzcan

traer

Pres. Part.: trayendo
Past Part.: traído

traer: to bring; to wear

INDICATIVE

Pres.
traigo
traes
trae
traemos
traéis
traen

Imperf.
traía
traías
traía
traíamos
traíais
traían

Pret.
trajé
trajste
trajó
trajimos
trajisteis
trajeron

Fut.
traeré
traerás
traerá
traeremos
traeréis
traerán

Pres. Perf.
he traído
has traído
ha traído
hemos traído
habéis traído
han traído

Pluperf.
había traído
habías traído
había traído
habíamos traído
habíais traído
habían traído

Past Ant.
hube traído
hubiste traído
hubo traído
hubimos traído
hubisteis traído
hubieron traído

Fut. Perf.
habré traído
habrás traído
habrá traído
habremos traído
habréis traído
habrán traído

SUBJUNCTIVE

Pres.
traiga
traigas
traiga
traigamos
traigáis
traigan

Imperf.
trajera
trajeras
trajera
trajéramos
trajerais
trajeran

Imperf.
trajese
trajeses
trajese
trajésemos
trajeseis
trajesen

Pres. Perf.
haya traído
hayas traído
haya traído
hayamos traído
hayáis traído
hayan traído

Pluperf.
hubiera traído
hubieras traído
hubiera traído
hubiéramos traído
hubierais traído
hubieran traído

Pluperf.
hubiese traído
hubieses traído
hubiese traído
hubiésemos traído
hubieseis traído
hubiesen traído

CONDITIONAL

Simple
traería
traerías
traería
traeríamos
traeríais
traerían

Cond. Perf.
habría traído
habrías traído
habría traído
habríamos traído
habríais traído
habrían traído

IMPERATIVE

trae; no traigas
traiga
traigamos
traed; no traigáis
traigan

CONJUGATED SAME AS ABOVE

contraer: to contract
retraer: to dissuade
retraerse: to retire; to take refuge

Pres. Part.: usando
Past Part.: usado

usar: to use

INDICATIVE

Pres.	*Fut.*	*Past Ant.*
uso	usaré	hube usado
usas	usarás	hubiste usado
usa	usará	hubo usado
usamos	usaremos	hubimos usado
usáis	usaréis	hubisteis usado
usan	usarán	hubieron usado

Imperf.	*Pres. Perf.*	*Fut. Perf.*
usaba	he usado	habré usado
usabas	has usado	habrás usado
usaba	ha usado	habrá usado
usábamos	hemos usado	habremos usado
usabais	habéis usado	habréis usado
usaban	han usado	habrán usado

Pret.	*Pluperf.*
usé	había usado
usaste	habías usado
usó	había usado
usamos	habíamos usado
usasteis	habíais usado
usaron	habían usado

SUBJUNCTIVE

Pres.	*Imperf.*	*Pluperf.*
use	usase	hubiera usado
uses	usases	hubieras usado
use	usase	hubiera usado
usemos	usásemos	hubiéramos usado
uséis	usaseis	hubierais usado
usen	usasen	hubieran usado

Imperf.	*Pres. Perf.*	*Pluperf.*
usara	haya usado	hubiese usado
usaras	hayas usado	hubieses usado
usara	haya usado	hubiese usado
usáramos	hayamos usado	hubiésemos usado
usarais	hayáis usado	hubieseis usado
usaran	hayan usado	hubiesen usado

Simple	*Cond. Perf.*	
usaría	habría usado	
usarías	habrías usado	usa; no uses
usaría	habría usado	use
usaríamos	habríamos usado	usemos
usaríais	habríais usado	usad; no uséis
usarían	habrían usado	usen

CONJUGATED SAME AS ABOVE
desusarse: to become obsolete

vaciar

Pres. Part.: vaciando **vaciar: to empty**
Past Part.: vaciado

INDICATIVE

Pres.	*Fut.*	*Past Ant.*
vacío	vaciaré	hube vaciado
vacías	vaciarás	hubiste vaciado
vacia	vaciará	hubo vaciado
vaciamos	vaciaremos	hubimos vaciado
vaciáis	vaciaréis	hubisteis vaciado
vacían	vaciarán	hubieron vaciado
Imperf.	*Pres. Perf.*	*Fut. Perf.*
vaciaba	he vaciado	habré vaciado
vaciabas	has vaciado	habrás vaciado
vaciaba	ha vaciado	habrá vaciado
vaciábamos	hemos vaciado	habremos vaciado
vaciabais	habéis vaciado	habréis vaciado
vaciaban	han vaciado	habrán vaciado
Pret.	*Pluperf.*	
vacié	había vaciado	
vaciaste	habías vaciado	
vació	había vaciado	
vaciamos	habíamos vaciado	
vaciasteis	habíais vaciado	
vaciaron	habían vaciado	

SUBJUNCTIVE

Pres.	*Imperf.*	*Pluperf.*
vacíe	vaciase	hubiera vaciado
vacíes	vaciases	hubieras vaciado
vacíe	vaciase	hubiera vaciado
vaciemos	vaciásemos	hubiéramos vaciado
vaciéis	vaciaseis	hubierais vaciado
vacíen	vaciasen	hubieran vaciado
Imperf.	*Pres. Perf.*	*Pluperf.*
vaciara	haya vaciado	hubiese vaciado
vaciaras	hayas vaciado	hubieses vaciado
vaciara	haya vaciado	hubiese vaciado
vaciáramos	hayamos vaciado	hubiésemos vaciado
vaciarais	hayáis vaciado	hubieseis vaciado
vaciaran	hayan vaciado	hubiesen vaciado

CONDITIONAL		IMPERATIVE
Simple	*Cond. Perf.*	
vaciaría	habría vaciado	
vaciarías	habrías vaciado	vacía; no vacíes
vaciaría	habría vaciado	vacíe
vaciaríamos	habríamos vaciado	vaciemos
vaciaríais	habríais vaciado	vaciad; no vaciéis
vaciarían	habrían vaciado	vacíen

Pres. Part.: valiendo
Past Part.: valido

valer: to cost; to be useful

INDICATIVE

Pres.	*Fut.*	*Past Ant.*
valgo	valdré	hube valido
vales	valdrás	hubiste valido
vale	valdrá	hubo valido
valemos	valdremos	hubimos valido
valéis	valdréis	hubisteis valido
valen	valdrán	hubieron valido
Imperf.	*Pres. Perf.*	*Fut. Perf.*
valía	he valido	habré valido
valías	has valido	habrás valido
valía	ha valido	habrá valido
valíamos	hemos valido	habremos valido
valíais	habéis valido	habréis valido
valían	han valido	habrán valido
Pret.	*Pluperf.*	
valí	había valido	
valiste	habías valido	
valió	había valido	
valimos	habíamos valido	
valisteis	habíais valido	
valieron	habían valido	

SUBJUNCTIVE

Pres.	*Imperf.*	*Pluperf.*
valga	valiese	hubiera valido
valgas	valieses	hubieras valido
valga	valiese	hubiera valido
valgamos	valiésemos	hubiéramos valido
valgáis	valieseis	hubierais vaildo
valgan	valiesen	hubieran valido
Imperf.	*Pres. Perf.*	*Pluperf.*
valiera	haya valido	hubiese valido
valieras	hayas valido	hubieses valido
valiera	haya valido	hubiese valido
valiéramos	hayamos valido	hubiésemos valido
valierais	hayáis valido	hubieseis valido
valieran	hayan valido	hubiesen valido

CONDITIONAL		IMPERATIVE
Simple	*Cond. Perf.*	
valdría	habría valido	
valdrías	habrías valido	vale; no valgas
valdría	habría valido	valga
valdríamos	habríamos valido	valgamos
valdríais	habríais valido	valed; no valgáis
valdrían	habrían valido	valgan

vender

Pres. Part.: vendiendo
Past Part.: vendido

vender: to sell

INDICATIVE

Pres.
vendo
vendes
vende
vendemos
vendéis
venden

Imperf.
vendía
vendías
vendía
vendíamos
vendíais
vendían

Pret.
vendí
vendiste
vendió
vendimos
vendisteis
vendieron

Fut.
venderé
venderás
venderá
venderemos
venderéis
venderán

Pres. Perf.
he vendido
has vendido
ha vendido
hemos vendido
habéis vendido
han vendido

Pluperf.
había vendido
habías vendido
había vendido
habíamos vendido
habíais vendido
habían vendido

Past Ant.
hube vendido
hubiste vendido
hubo vendido
hubimos vendido
hubisteis vendido
hubieron vendido

Fut. Perf.
habré vendido
habrás vendido
habrá vendido
habremos vendido
habréis vendido
habrán vendido

SUBJUNCTIVE

Pres.
venda
vendas
venda
vendamos
vendáis
vendan

Imperf.
vendiera
vendieras
vendiera
vendiéramos
vendierais
vendieran

Imperf.
vendiese
vendieses
vendiese
vendiésemos
vendieseis
vendiesen

Pres. Perf.
haya vendido
hayas vendido
haya vendido
hayamos vendido
hayáis vendido
hayan vendido

Pluperf.
hubiera vendido
hubieras vendido
hubiera vendido
hubiéramos vendido
hubierais vendido
hubieran vendido

Pluperf.
hubiese vendido
hubieses vendido
hubiese vendido
hubiésemos vendido
hubieseis vendido
hubiesen vendido

CONDITIONAL

Simple
vendería
venderías
vendería
venderíamos
venderíais
venderían

Cond. Perf.
habría vendido
habrías vendido
habría vendido
habríamos vendido
habríais vendido
habrían vendido

IMPERATIVE

vende; no vendas
venda
vendamos
vended; no vendáis
vendan

CONJUGATED SAME AS ABOVE
revender: to resell

Pres. Part.: viniendo
Past Part.: venido

venir: to come

INDICATIVE

Pres.	*Fut.*	*Past Ant.*
vengo	vendré	hube venido
vienes	vendrás	hubiste venido
viene	vendrá	hubo venido
venimos	vendremos	hubimos venido
venís	vendréis	hubisteis venido
vienen	vendrán	hubieron venido
Imperf.	*Pres. Perf.*	*Fut. Perf.*
venía	he venido	habré venido
venías	has venido	habrás venido
venía	ha venido	habrá venido
veníamos	hemos venido	habremos venido
veníais	habéis venido	habréis venido
venían	han venido	habrán venido
Pret.	*Pluperf.*	
viné	había venido	
viniste	habías venido	
vinó	había venido	
vinimos	habíamos venido	
vinisteis	habíais venido	
vinieron	habían venido	

SUBJUNCTIVE

Pres.	*Imperf.*	*Pluperf.*
venga	viniese	hubiera venido
vengas	vinieses	hubieras venido
venga	viniese	hubiera venido
vengamos	viniésemos	hubiéramos venido
vengáis	vinieseis	hubierais venido
vengan	viniesen	hubieran venido
Imperf.	*Pres. Perf.*	*Pluperf.*
viniera	haya venido	hubiese venido
vinieras	hayas venido	hubieses venido
viniera	haya venido	hubiese venido
viniéramos	hayamos venido	hubiésemos venido
vinierais	hayáis venido	hubieseis venido
vinieran	hayan venido	hubiesen venido

CONDITIONAL		IMPERATIVE
Simple	*Cond. Perf.*	
vendría	habría venido	
vendrías	habrías venido	ven; no vengas
vendría	habría venido	venga
vendríamos	habríamos venido	vengamos
vendríais	habríais venido	venid; no vengáis
vendrían	habrían venido	vengan

CONJUGATED SAME AS ABOVE

contravenir: to violate
convenir: to agree, belong to; to convene
intervenir: to intervene, mediate
prevenir: to prepare
revenirse: to shrivel; to spoil
sobrevenir: to fall out, take place, happen

ver

Pres. Part.: viendo **ver: to see**
Past Part.: visto

INDICATIVE

Pres.	*Fut.*	*Past Ant.*
veo	veré	hube visto
ves	verás	hubiste visto
ve	verá	hubo visto
vemos	veremos	hubimos visto
veis	veréis	hubisteis visto
ven	verán	hubieron visto
Imperf.	*Pres. Perf.*	*Fut. Perf.*
veía	he visto	habré visto
veías	has visto	habrás visto
veía	ha visto	habrá visto
veíamos	hemos visto	habremos visto
veíais	habéis visto	habréis visto
veían	han visto	habrán visto
Pret.	*Pluperf.*	
ví	había visto	
viste	habías visto	
vió	había visto	
vimos	habíamos visto	
visteis	habíais visto	
vieron	habían visto	

SUBJUNCTIVE

Pres.	*Imperf.*	*Pluperf.*
vea	viese	hubiera visto
veas	vieses	hubieras visto
vea	viese	hubiera visto
veamos	viésemos	hubiéramos visto
veáis	vieseis	hubierais visto
vean	viesen	hubieran visto
Imperf.	*Pres. Perf.*	*Pluperf.*
viera	haya visto	hubiese visto
vieras	hayas visto	hubieses visto
viera	haya visto	hubiese visto
viéramos	hayamos visto	hubiésemos visto
vierais	hayáis visto	hubieseis visto
vieran	hayan visto	hubiesen visto

CONDITIONAL		IMPERATIVE
Simple	*Cond. Perf.*	
vería	habría visto	
verías	habrías visto	ve; no veas
vería	habría visto	vea
veríamos	habríamos visto	veamos
veríais	habríais visto	ved; no veáis
verían	habrían visto	vean

CONJUGATED SAME AS ABOVE
entrever: to see imperfectly, catch a glimpse
prever: to foresee

Pres. Part.: vistiéndose
Past Part.: vestido

vestirse: to get dressed

INDICATIVE

Pres.
me visto
te vistes
se viste
nos vestimos
os vestís
se visten

Imperf.
me vestía
te vestías
se vestía
nos vestíamos
os vestíais
se vestían

Pret.
me vestí
te vestiste
se vistió
nos vestimos
os vestisteis
se vistieron

Fut.
me vestiré
te vestirás
se vestirá
nos vestiremos
os vestiréis
se vestirán

Pres. Perf.
me he vestido
te has vestido
se ha vestido
nos hemos vestido
os habéis vestido
se han vestido

Pluperf.
me había vestido
te habías vestido
se había vestido
nos habíamos vestido
os habíais vestido
se habían vestido

Past Ant.
me hube vestido
te hubiste vestido
se hubo vestido
nos hubimos vestido
os hubisteis vestido
se hubieron vestido

Fut. Perf.
me habré vestido
te habrás vestido
se habrá vestido
nos habremos vestido
os habréis vestido
se habrán vestido

SUBJUNCTIVE

Pres.
me vista
te vistas
se vista
nos vistamos
os vistáis
se vistan

Imperf.
me vistiera
te vistieras
se vistiera
nos vistiéramos
os vistierais
se vistieran

Imperf.
me vistiese
te vistieses
se vistiese
nos vistiésemos
os vistieseis
se vistiesen

Pres. Perf.
me haya vestido
te hayas vestido
se haya vestido
nos hayamos vestido
os hayáis vestido
se hayan vestido

Pluperf.
me hubiera vestido
te hubieras vestido
se hubiera vestido
nos hubiéramos vestido
os hubierais vestido
se hubieran vestido

Pluperf.
me hubiese vestido
te hubieses vestido
se hubiese vestido
nos hubiésemos vestido
os hubieseis vestido
se hubiesen vestido

CONDITIONAL

Simple
me vestiría
te vestirías
se vestiría
nos vestiríamos
os vestiríais
se vestirían

Cond. Perf.
me habría vestido
te habrías vestido
se habría vestido
nos habríamos vestido
os habríais vestido
se habrían vestido

IMPERATIVE

vístete; no te vistas
vístase
vistámonos
vestíos; no os vistáis
vístanse

CONJUGATED SAME AS ABOVE

desvestirse: to undress oneself
vestir: to dress, clothe

viajar

Pres. Part.: viajando
Past Part.: viajado

viajar: to travel

INDICATIVE

Pres.	*Fut.*	*Past Ant.*
viajo	viajaré	hube viajado
viajas	viajarás	hubiste viajado
viaja	viajará	hubo viajado
viajamos	viajaremos	hubimos viajado
viajáis	viajaréis	hubisteis viajado
viajan	viajarán	hubieron viajado
Imperf.	*Pres. Perf.*	*Fut. Perf.*
viajaba	he viajado	habré viajado
viajabas	has viajado	habrás viajado
viajaba	ha viajado	habrá viajado
viajábamos	hemos viajado	habremos viajado
viajabais	habéis viajado	habréis viajado
viajaban	han viajado	habrán viajado
Pret.	*Pluperf.*	
viajé	había viajado	
viajaste	habías viajado	
viajó	había viajado	
viajamos	habíamos viajado	
viajasteis	habíais viajado	
viajaron	habían viajado	

SUBJUNCTIVE

Pres.	*Imperf.*	*Pluperf.*
viaje	viajase	hubiera viajado
viajes	viajases	hubieras viajado
viaje	viajase	hubiera viajado
viajemos	viajásemos	hubiéramos viajado
viajéis	viajaseis	hubierais viajado
viajen	viajasen	hubieran viajado
Imperf.	*Pres. Perf.*	*Pluperf.*
viajara	haya viajado	hubiese viajado
viajaras	hayas viajado	hubieses viajado
viajara	haya viajado	hubiese viajado
viajáramos	hayamos viajado	hubiésemos viajado
viajarais	hayáis viajado	hubieseis viajado
viajaran	hayan viajado	hubiesen viajado

CONDITIONAL		IMPERATIVE
Simple	*Cond. Perf.*	
viajaría	habría viajado	
viajarías	habrías viajado	viaja; no viajes
viajaría	habría viajado	viaje
viajaríamos	habríamos viajado	viajemos
viajaríais	habríais viajado	viajad; no viajéis
viajarían	habrían viajado	viajen

Pres. Part.: vigilando
Past Part.: vigilado

vigilar: to watch

INDICATIVE

Pres.	*Fut.*	*Past Ant.*
vigilo	vigilaré	hube vigilado
vigilas	vigilarás	hubiste vigilado
vigila	vigilará	hubo vigilado
vigilamos	vigilaremos	hubimos vigilado
vigiláis	vigilaréis	hubisteis vigilado
vigilan	vigilarán	hubieron vigilado
Imperf.	*Pres. Perf.*	*Fut. Perf.*
vigilaba	he vigilado	habré vigilado
vigilabas	has vigilado	habrás vigilado
vigilaba	ha vigilado	habrá vigilado
vigilábamos	hemos vigilado	habremos vigilado
vigilabais	habéis vigilado	habréis vigilado
vigilaban	han vigilado	habrán vigilado
Pret.	*Pluperf.*	
vigilé	había vigilado	
vigilaste	habías vigilado	
vigiló	había vigilado	
vigilamos	habíamos vigilado	
vigilasteis	habíais vigilado	
vigilaron	habían vigilado	

SUBJUNCTIVE

Pres.	*Imperf.*	*Pluperf.*
vigile	vigilase	hubiera vigilado
vigiles	vigilases	hubieras vigilado
vigile	vigilase	hubiera vigilado
vigilemos	vigilásemos	hubiéramos vigilado
vigiléis	vigilaseis	hubierais vigilado
vigilen	vigilasen	hubieran vigilado
Imperf.	*Pres. Perf.*	*Pluperf.*
vigilara	haya vigilado	hubiese vigilado
vigilaras	hayas vigilado	hubieses vigilado
vigilara	haya vigilado	hubiese vigilado
vigiláramos	hayamos vigilado	hubiésemos vigilado
vigilarais	hayáis vigilado	hubieseis vigilado
vigilaran	hayan vigilado	hubiesen vigilado

CONDITIONAL		IMPERATIVE
Simple	*Cond. Perf.*	
vigilaría	habría vigilado	
vigilarías	habrías vigilado	vigila; no vigile
vigilaría	habría vigilado	vigile
vigilaríamos	habríamos vigilado	vigilemos
vigilaríais	habríais vigilado	vigilad; no vigiléis
vigilarían	habrían vigilado	vigilen

visitar

Pres. Part.: visitando
Past Part.: visitado

visitar: to visit

INDICATIVE

Pres.
visito
visitas
visita
visitamos
visitáis
visitan

Imperf.
visitaba
visitabas
visitaba
visitábamos
visitabais
visitaban

Pret.
visité
visitaste
visitó
visitamos
visitasteis
visitaron

Fut.
visitaré
visitarás
visitará
visitaremos
visitaréis
visitaran

Pres. Perf.
he visitado
has visitado
ha visitado
hemos visitado
habéis visitado
han visitado

Pluperf.
había visitado
habías visitado
había visitado
habíamos visitado
habíais visitado
habían visitado

Past Ant.
hube visitado
hubiste visitado
hubo visitado
hubimos visitado
hubisteis visitado
hubieron visitado

Fut. Perf.
habré visitado
habrás visitado
habrá visitado
habremos visitado
habréis visitado
habrán visitado

SUBJUNCTIVE

Pres.
visite
visites
visite
visitemos
visitéis
visiten

Imperf.
visitara
visitaras
visitara
visitáramos
visitarais
visitaran

Imperf.
visitase
visitases
visitase
visitásemos
visitaseis
visitasen

Pres. Perf.
haya visitado
hayas visitado
haya visitado
hayamos visitado
hayáis visitado
hayan visitado

Pluperf.
hubiera visitado
hubieras visitado
hubiera visitado
hubiéramos visitado
hubierais visitado
hubieran visitado

Pluperf.
hubiese visitado
hubieses visitado
hubiese visitado
hubiésemos visitado
hubieseis visitado
hubiesen visitado

CONDITIONAL

Simple
visitaría
visitarías
visitaría
visitaríamos
visitaríais
visitarían

Cond. Perf.
habría visitado
habrías visitado
habría visitado
habríamos visitado
habríais visitado
habrían visitado

IMPERATIVE

visita; no visites
visite
visitemos
visitad; no visitéis
visiten

Pres. Part.: viviendo
Past Part.: vivido

vivir: to live

INDICATIVE

Pres.	*Fut.*	*Past Ant.*
vivo	viviré	hube vivido
vives	vivirás	hubiste vivido
vive	vivirá	hubo vivido
vivimos	viviremos	hubimos vivido
vivís	viviréis	hubisteis vivido
viven	vivirán	hubieron vivido
Imperf.	*Pres. Perf.*	*Fut. Perf.*
vivía	he vivido	habré vivido
vivías	has vivido	habrás vivido
vivía	ha vivido	habrá vivido
vivíamos	hemos vivido	habremos vivido
vivíais	habéis vivido	habréis vivido
vivían	han vivido	habrán vivido
Pret.	*Pluperf.*	
viví	había vivido	
viviste	habías vivido	
vivió	había vivido	
vivimos	habíamos vivido	
vivisteis	habíais vivido	
vivieron	habían vivido	

SUBJUNCTIVE

Pres.	*Imperf.*	*Pluperf.*
viva	viviese	hubiera vivido
vivas	vivieses	hubieras vivido
viva	viviese	hubiera vivido
vivamos	viviésemos	hubiéramos vivido
viváis	vivieseis	hubierais vivido
vivan	viviesen	hubieran vivido
Imperf.	*Pres. Perf.*	*Pluperf.*
viviera	haya vivido	hubiese vivido
vivieras	hayas vivido	hubieses vivido
viviera	haya vivido	hubiese vivido
viviéramos	hayamos vivido	hubiésemos vivido
vivierais	hayáis vivido	hubieseis vivido
vivieran	hayan vivido	hubiesen vivido

CONDITIONAL		IMPERATIVE
Simple	*Cond. Perf.*	
viviría	habría vivido	
vivirías	habrías vivido	vive; no vivas
viviría	habría vivido	viva
viviríamos	habríamos vivido	vivamos
viviríais	habríais vivido	vivid; no viváis
vivirían	habrían vivido	vivan

CONJUGATED SAME AS ABOVE

desvivirse: to yearn; to be eager
revivir: to revive

volar

Pres. Part.: volando
Past Part.: volado

volar: to fly

INDICATIVE

Pres.	*Fut.*	*Past Ant.*
vuelo	volaré	hube volado
vuelas	volarás	hubiste volado
vuela	volará	hubo volado
volamos	volaremos	hubimos volado
voláis	volaréis	hubisteis volado
vuelan	volarán	hubieron volado
Imperf.	*Pres. Perf.*	*Fut. Perf.*
volaba	he volado	habré volado
volabas	has volado	habrás volado
volaba	ha volado	habrá volado
volábamos	hemos volado	habremos volado
volabais	habéis volado	habréis volado
volaban	han volado	habrán volado
Pret.	*Pluperf.*	
volé	había volado	
volaste	habías volado	
voló	había volado	
volamos	habíamos volado	
volasteis	habíais volado	
volaron	habían volado	

SUBJUNCTIVE

Pres.	*Imperf.*	*Pluperf.*
vuele	volase	hubiera volado
vueles	volases	hubieras volado
vuele	volase	hubiera volado
volemos	volásemos	hubiéramos volado
voléis	volaseis	hubierais volado
vuelen	volasen	hubieran volado
Imperf.	*Past Perf.*	*Pluperf.*
volara	haya volado	hubiese volado
volaras	hayas volado	hubieses volado
volara	haya volado	hubiese volado
voláramos	hayamos volado	hubiésemos volado
volarais	hayáis volado	hubieseis volado
volaran	hayan volado	hubiesen volado

CONDITIONAL		IMPERATIVE
Simple	*Cond. Perf.*	
volaría	habría volado	
volarías	habrías volado	vuela; no vueles
volaría	habría volado	vuele
volaríamos	habríamos volado	volemos
volaríais	habríais volado	volad; no voléis
volarían	habrían volado	vuelen

Pres. Part.: volviendo
Past Part.: vuelto

volver: to return; to turn over; to become

INDICATIVE

Pres.	*Fut.*	*Past Ant.*
vuelvo	volveré	hube vuelto
vuelves	volverás	hubiste vuelto
vuelve	volverá	hubo vuelto
volvemos	volveremos	hubimos vuelto
volvéis	volveréis	hubisteis vuelto
vuelven	volverán	hubieron vuelto
Imperf.	*Pres. Perf.*	*Fut. Perf.*
volvía	he vuelto	habré vuelto
volvías	has vuelto	habrás vuelto
volvía	ha vuelto	habrá vuelto
volvíamos	hemos vuelto	habremos vuelto
volvíais	habéis vuelto	habréis vuelto
volvían	han vuelto	habrán vuelto
Pret.	*Pluperf.*	
volví	había vuelto	
volviste	habías vuelto	
volvió	había vuelto	
volvimos	habíamos vuelto	
volvisteis	habíais vuelto	
volvieron	habían vuelto	

SUBJUNCTIVE

Pres.	*Imperf.*	*Pluperf.*
vuelva	volviese	hubiera vuelto
vuelvas	volvieses	hubieras vuelto
vuelva	volviese	hubiera vuelto
volvamos	volviésemos	hubiéramos vuelto
volváis	volvieseis	hubierais vuelto
vuelvan	volviesen	hubieran vuelto
Imperf.	*Pres. Perf.*	*Pluperf.*
volviera	haya vuelto	hubiese vuelto
volvieras	hayas vuelto	hubieses vuelto
volviera	haya vuelto	hubiese vuelto
volviéramos	hayamos vuelto	hubiésemos vuelto
volvierais	hayáis vuelto	hubieseis vuelto
volvieran	hayan vuelto	hubiesen vuelto

CONDITIONAL		IMPERATIVE
Simple	*Cond. Perf.*	
volvería	habría vuelto	
volverías	habrías vuelto	vuelve; no vuelvas
volvería	habría vuelto	vuelva
volveríamos	habríamos vuelto	volvamos
volveríais	habríais vuelto	volved; no volváis
volverían	habrían vuelto	vuelvan

CONJUGATED SAME AS ABOVE

devolver: to return
desenvolver: to unfold; to discover
envolver: to wrap up
revolver: to mix; to turn over

votar

Pres. Part.: votando
Past Part.: votado

votar: to vote

INDICATIVE

Pres.	*Fut.*	*Past Ant.*
voto	votaré	hube votado
votas	votarás	hubiste votado
vota	votará	hubo votado
votamos	votaremos	hubimos votado
votáis	votaréis	hubisteis votado
votan	votarán	hubieron votado
Imperf.	*Pres. Perf.*	*Fut. Perf.*
votaba	he votado	habré votado
votabas	has votado	habrás votado
votaba	ha votado	habrá votado
votábamos	hemos votado	habremos votado
votabais	habéis votado	habréis votado
votaban	han votado	habrán votado
Pret.	*Pluperf.*	
voté	había votado	
votaste	habías votado	
votó	había votado	
votamos	habíamos votado	
votasteis	habíais votado	
votaron	habían votado	

SUBJUNCTIVE

Pres.	*Imperf.*	*Pluperf.*
vote	votase	hubiera votado
votes	votases	hubieras votado
vote	votase	hubiera votado
votemos	votásemos	hubiéramos votado
votéis	votaseis	hubierais votado
voten	votasen	hubieran votado
Imperf.	*Pres. Perf.*	*Pluperf.*
votara	haya votado	hubiese votado
votaras	hayas votado	hubieses votado
votara	haya votado	hubiese votado
votáramos	hayamos votado	hubiésemos votado
votarais	hayáis votado	hubieseis votado
votaran	hayan votado	hubiesen votado

CONDITIONAL		IMPERATIVE
Simple	*Cond. Perf.*	
votaría	habría votado	
votarías	habrías votado	vota; no votes
votaría	habría votado	vote
votaríamos	habríamos votado	votemos
votaríais	habríais votado	votad; no votéis
votarían	habrían votado	voten

Glossary of Selected Verb Idioms

abrir
- abrir brecha, (also) abrir paso—to clear the way

acabar
- acabar con—to finish off
- acabar de—to have just
- acabar por—to end up; to finish

acostar
- acostarse con las gallinas—to go to bed very early

andar
- andar + participio—to be + participle

bañar
- bañar la luz—to illuminate
- bañar un papel en lágrimas—to write a sad letter
- bañarse en agua rosada—to see the world through rose-colored glasses

caer
- caer bien—to please
- caer como chinches—to drop (die) like flies
- caer en la cuenta—to realize

cuidar
- cuidar de—to take care of

cumplir
- cumplir con—to fulfill

dar
- dar a conocer—to make known
- dar con—to find
- dar de sí—to stretch
- dar de comer—to feed
- dar por supuesto—to assume
- darle por + inf.—the action expressed by the inf. is done with exaggeration
- darse por enterado—to acknowledge
- darse cuenta de—to realize

deber
- deber de + inf.—expresses probability
- deber + *haber* + partic.—must (have + participle)
- descansar en paz—to be dead

dejar
- dejar en paz—to leave someone alone

echar
- echar a + inf.—to start
- echar a perder—to spoil
- echar de menos—to miss
- echar raíces—to establish

estar
- estar aburrido—to be bored
- estar a dos velas—to know nothing
- estar a todo—to be ready for anything

(estar—continued)
- estar bien—to be well
- estar callado—to be silent
- estar de más—to be unnecessary
- estar listo—to be ready
- estar loco—to be crazy
- estar malo—to be ill
- estar para + inf.—to be about to
- estar que hecha chispas—to be angry

haber
- haber de—to have to
- haber que—to be necessary

hablar
- hablar a gritos—to shout

hacer
- hacer calor—to be warm or hot (weather)
- hacer fresco—to be cool (weather)
- hacer frío—to be cold (weather)
- hacerse—to become, make oneself

ir
- ir a medias—to go halves
- ir con tiento—to go quietly
- ir en demanda de—to be on the lookout for
- nada me va en ello—it is none of my business
- ir por delante—to go ahead
- ir a una—to act as one
- ir de capa caída—to be downcast
- ir de campo—to picnic
- irsele a uno la cabeza—to lose one's head
- irsele a uno la mula—to speak without thinking
- ir por—to pursue

juntar
- juntar meriendas—to join interests
- juntar con—to associate with
- juntarse con—to associate with

lavar
- lavar—to paint in watercolors; to do a wash drawing

leer
- leer para sí—to read to oneself
- leer cátedra—to hold a university chair
- leer a uno la cartilla—to reprimand someone

levantar
- levantar un mapa—to survey
- levantar falso testiminio—to perjure
- levantar la mesa—to clear the table
- levantar fuego—to make a disturbance
- levantar la cabeza—to take heart

limpiar
- limpiar faltriguera—to pickpocket

llamar
llamar por—to make a call (radio, phone, etc.)
llamar por los nombres—to call the role
llamarse andana or antana—to deny forcefully what one has said earlier
llegar
llegar a—to reach
llevar
llevar a cabo—to accomplish
llevar puesto—to wear
llorar
llorar con un ojo—to shed crocodile tears
llover
llover chuzos—to rain cats and dogs
llueva o no—rain or shine
mirar
mirar por—to look after, to help
antes que ates, mira que desates—look before you leap
mirar de través—to squint
mirarse a los pies—to look at one's failings
mirarse en—to follow the example of
montar
montar en cuidado—to be careful
montar en pelo—to mount a bare-backed animal
morir
morir al mundo—to be dead to the world
morir vestido—to die suddenly or violently
morirse de tristeza—to die of a broken heart
nacer
nacer tarde—to lack intelligence or experience
nacer de pies—to be born under a lucky star
negar
negar los oídos—to refuse to listen
negarse a sí mismo—to be in control of one's emotions
obedecer
obedecer al tiempo—to act according to circumstances
oír
oír, ver y callar—mind your own business
oler
no oler bien—it smells bad, or it sounds suspicious
pagar
pagar en buena moneda—to give satisfaction
pagar el pato—to suffer for someone else's misbehavior
estar uno muy pagado de sí mismo

(pagar—continued)
—to have a high opinion of oneself
parecer
al parecer—to all appearances
me parece—it seems to me
por el bien parecer—for appearance's sake
parecerse—to resemble
pedir
pedir prestado—to borrow
peinar
no peinar canas—to be young
pensar
pensar en lo excusado—to attempt something impossible
pensar + inf.—to intend to + inf.
poder
no poder con—not to be able to handle something
no poder más—to be at the end of one's patience or strength
no poder ver—not to be able to understand someone
lo menos que + poder (conjugated) + hacer—the least one can do
poner
poner—to put, place, set
poner coto a—to put a stop to
poner en duda—to doubt; to put in doubt
poner fuego a—to set on fire
poner en limpio—to make a clean copy of
poner los ojos en—to set one's heart on (to have one's eye on)
poner peros—to find fault (poner defectos)
poner por escrito—to set down in writing
poner verde—to discredit (someone)
poner una carta—to write a letter
ponerse—to become
ponerse a—to start
ponerse en caso de—to put oneself in the place of
ponerse en jarras/asas—to set one's arms akimbo
ponerse en la razón—to listen to reason
ponerse flaco—to get very thin
practicar
practicar investigaciones—to look into
quedar
quedar limpio—to be completely without money
quedarse muerto—to be dumbfounded
quedarse frío—to have what is contrary to what one wished occur
quedar atrás—to be beaten by others

querer
- querer decir—to mean
- ¿que quiere ser eso?—what is this about?
- como quiera que—anyway; whereas

quitar
- quíteselo de la cabeza—to get that idea out of your head

recibir
- recibir a cuenta—to receive on account

romper
- romper a lorar, reír—to burst into tears, laughter

saber
- saber a—to taste of (like)
- saber de buena tinta—to have on good authority
- a saber—that is to say

sacar
- sacar a luz—to publish, to bring out
- sacar apodos—to call names
- sacar en claro—to resolve all doubts
- sacar de madre—to lose patience
- sacar el pecho—to stand up for something

salir
- salir a—to resemble
- salir de—to get out of

seguir
- seguirle los pasos a uno—to keep one's eye on someone
- seguir + part.—to keep on + part.

ser
- ser aburrido—to be boring
- ser bueno—to be good
- ser callado—to be taciturn
- ser cierto—to be true
- ser de—to be made of; to come from

(ser—continued)
- ser listo—to be clever
- ser loco—to be silly
- ser malo—to be bad (evil)

tener
- tener calma—to be good-natured
- tener frío—to be cold
- tener hambre—to be hungry
- tener en contra—to be contrary
- tener lugar—to take place
- tener mala cabeza—to be unscrupulous
- tener miedo—to be afraid
- tener por—to weigh, to judge
- tener que—to have to
- tener que ver con—to have to do with something
- tener gana(s)—to want
- tener razón—to be correct
- tener buena mano—to have a good hand (to be lucky)
- tener sueño—to be sleepy
- tener en buen estado—to be in good order
- tener vista—to be a show-off

venir
- venir al caso—to be appropriate
- venir a pelo—to come at the last moment or to suit perfectly
- venir a las manos—to come to blows
- venir ancho—to get more than deserved
- venga lo que viniere—come what may
- vengo en ello—I agree
- si a mano viene—maybe, perhaps
- venirse a casa—to come home

volver
- volver a + inf.—to do again the action expressed by the inf.

Spanish–English Index

A

abrir: to open
acabar: to finish; to end
aceptar: to accept
acompañar: to accompany; to keep company
aconsejar: to advise
acordarse: to remember
acostarse: to go to bed
adelantarse: to move ahead
afeitarse: to shave oneself
agarrar: to grasp; to catch; to take
agitar: to shake up
agradecer: to thank
ahorrar: to shave; to economize
alcanzar: to reach
alegrarse: to be glad
alquilar: to rent; to hire
amar: to love
andar: to walk
añadir: to add
apagar: to put out; to turn off
aprender: to learn
aprobar: to approve; to pass (a test)
arrancar: to tear off
asistir: to attend; to be present; to assist
asustarse: to be frightened
ayudar: to help

B

bailar: to dance
bajar: to come down; to descend
bañarse: to take a bath
barrer: to sweep
beber: to drink
borrar: to erase
botar: to cast off; to throw away
broncearse: to become tanned
buscar: to look for

C

caer: to fall
calentar: to heat, to warm
cansarse: to grow tired
cantar: to sing
cenar: to eat supper
cerrar: to close; to lock
cocinar: to cook
coger: to get; to catch
comenzar: to begin
comer: to eat
comprar: to buy
comprender: to understand
conducir: to drive; to convey; to transport; to direct
confirmar: to confirm
conmover: to disturb; to move one's emotions
conocer: to know
conseguir: to achieve, to get
consentir: to allow
construir: to build
contar: to relate; to tell; to recount
contener: to contain
contestar: to answer
continuar: to continue
contraer: to contract
contravenir: to violate
convencer: to convince
cortar: to cut off; to cut out
correr: to run
costar: to cost
creer: to believe
cruzar: to cross
cubrir: to cover
cuidar: to care; to look after
cuidarse: to look after oneself
cumplir: to accomplish

CH

charlar: to chat

D

dar: to give; to supply; to grant
darse: to give in; to yield
deber: to owe; ought; must
decaer: to decay
decidir: to decide; to resolve
decir: to tell; to say
declarar: to declare
dedicarse: to be devoted to
dejar: to leave; to permit
demudar: to change
demudarse: to change color or expression
depender: to depend
deponer: to depose
desagredecer: to be ungrateful
desalquilar: to discontinue renting; to give notice; to quit a lease
desandar: to retrace
desayunarse: to have breakfast
descansar: to rest; to relax
desconocer: to be ignorant of
descontar: to discount
descontinuar: to discontinue
descreer: to disbelieve
descubrir: to discover
descuidar: to overlook
desdecir: to detract
desdecirse: to retract
desear: to desire
desechar: to reject
desentenderse: to ignore
desganar: to dissuade; to disillusion
desganarse: to be bored; to lose the appetite
deshacer: to take apart; to destroy
deslavar: to rinse; to remove color or forcefulness from something
desobedecer: to disobey
desocupar: to vacate
desoír: to pretend not to hear; to ignore
despedirse: to take leave of
despegar: to detach; to take off
despeinarse: to dishevel oneself
despertarse: to awaken (oneself)
desvestirse: to remove one's clothes
desvivirse: to yearn; to be eager
detener: to detain
detenerse: to stop oneself; to linger
determinar: to determine
devolver: to return
disculparse: to excuse oneself
discutir: to discuss
disentir: to dissent
divertirse: to have a good time
divorciarse: to get divorced
dormir: to sleep
ducharse: to take a shower
dudar: to doubt

E

echar: to throw out; to serve (food)
elegir: to elect; to choose
empezar: to begin
emplear: to employ
encantar: to enchant

encender: to light
encerrar: to lock up
encerrarse: to live in seclusion; to be locked up alone
encoger: to shrink
encontrar: to encounter
encontrarse: to meet; to find oneself
enfermarse: to get sick
ensacar: to bag
enseñar: to teach; to demonstrate
entender: to understand
entrar: to enter
entretener: to entertain
enviar: to send
envolver: to envelope; to wrap
escribir: to write
escuchar: to listen
esperar: to wait for; to hope for
esquiar: to ski
estar: to be (telling the current condition or position of the subject)
estudiar: to study
exigir: to demand
explicar: to explain
exponer: to exhibit; to risk

F

fabricar: to fabricate
felicitar: to congratulate
firmar: to sign
fregar: to scrub, to wash (dishes); to annoy (Amer.)
fumar: to smoke
funcionar: to function

G

ganar: to win, to earn, to gain
gastar: to spend; to wear out
gritar: to scream
gustar: to taste; to be liked

H

haber: to have
hablar: to talk
hacer: to do; to make
helar: to freeze
huir: to flee

I

imponer: to impose
importar: to be important; to matter
indisponer: to indispose
indisponerse: to become ill; to be upset with a person
informarse: to inform oneself
inscribirse: to register
interesarse: to be interested in
invitar: to invite
ir: to go
irse: to go away

J

jugar: to play; to gamble
juntarse: to meet
juzgar: to judge

L

lavar: to wash
leer: to read
levantar: to lift
levantarse: to get up
limpiar: to clean
luchar: to struggle

LL

llamar: to call
llamarse: to be called
llegar: to arrive
llevar: to carry; to manage; to wear
llorar: to weep
llover: to rain

M

manejar: to handle; to operate; to drive
marcharse: to leave
mejorar: to improve
mirar: to look at
mirarse: to look at oneself
mojarse: to moisten
morir: to die; to end
mover: to move
mudarse: to change; to move

N

nacer: to be born
nadar: to swim
necesitar: to need
negar: to deny
nevar: to snow

O

obedecer: to obey
obtener: to obtain
ocultarse: to hide oneself
ocupar: to occupy
ocurrir: to occur
ofrecer: to offer
oir: to hear
oler: to smell
olvidar: to forget

P

pagar: to pay; to reciprocate
parecerse: to look alike; to seem
pasear: to take a walk
pedir: to ask for; to request; to beg for
peinarse: to comb one's hair
pensar: to think
perder: to lose; to waste; to miss
perdonar: to forgive; to excuse
permitir: to allow
perseguir: to pursue
pintar: to paint
pisar: to step on
platicar: to chat
poder: to be able to
ponerse: to put on
practicar: to practice
prefabricar: to prefabricate
preferir: to prefer
preguntar: to ask; to inquire
prejuzgar: to prejudge
preocuparse: to be worried
presentar: to present; to introduce
presentir: to have a premonition
prestar: to lead; to loan
prevenir: to prepare
prever: to foresee
probar: to test, to try on; to prove
probarse: to try oneself
producir: to produce; to cause
prohibir: to prohibit
pronunciar: to pronounce

Q

quedarse: to remain
quejarse: to complain
quitarse: to take off

R

rebajar: to reduce
rebotar: to rebound
rebuscar: to search
recaer: to relapse
recalentar: to reheat
recibir: to receive; to welcome;
recoger: to pick up; to look up; to gather
recomendar: to recommend; to advise
reconocer: to admit
reconstruir: to reconstruct
recontar: to recount
recordar: to remind

recordarse: to remember
recorrer: to pass through
recortar: to cut away
reelegir: to re-elect
refregar: to rub
regalar: to give (a present)
regar: to water
regresar: to return
rehacer: to redo
rehuir: to refuse
releer: to reread
rellenar: to refill; to stuff
remirar: to review
remover: to remove
renacer: to be reborn
renegar: to renounce
reparar: to repair; to observe
repartir: to distribute
repensar: to reconsider
repetir: to repeat
repintar: to repaint
reponer: to replace
reponerse: to recover one's health
representar: to represent
reproducir: to reproduce
resalir: to project
resentirse: to be resentful
responder: to answer
retener: to retain
retirar: to retire; to withdraw; to remove
retocar: to retouch
retraer: to dissuade
retraerse: to retire; to take refuge
retrasar: to delay; to set back; to go back
reunirse: to get together
revender: to resell
revenirse: to shrivel; to spoil
revivir: to revive
revolver: to mix; to turn over
rogar: to beg; to pray
romper: to break

S

saber: to know
sacar: to take out
salir: to go out
saludar: to greet; to salute
seguir: to follow
sentarse: to sit
sentirse: to feel
separar: to separate; to set apart
ser: to be (telling who the subject is or what the subject is innately)
servir: to serve; to be of use
sonreír: to smile
soñar: to dream
sorprender: to surprise
subir: to come up
suceder: to happen
sufrir: to suffer
sugerir: to suggest

T

tener: to have
terminar: to finish
tirar: to throw away; to throw; to shoot
tocar: to touch; to play (a musical instrument)
tomar: to get; to take; to have
trabajar: to work
traducir: to translate
traer: to bring; to wear

U V

usar: to use
vaciar: to empty
valer: to cost; to be useful; to be worth
vender: to sell
venir: to come
ver: to see
vestirse: to get dressed
viajar: to travel
vigilar: to watch
visitar: to visit
vivir: to live
volar: to fly
volver: to return; to become; to turn over
votar: to vote

English–Spanish Index

A

abandon: dejarse, 70
abhor: aborrecer, 12
accept: aceptar, 3
accompany: acompañar, 4
accomplish: cumplir, 63; alcanzar, 14
achieve: conseguir, 50
add: añadir, 18
admire: admirar, 146
admit: reconocer, 49; admitir, 174
advance: adelantar, 8
advise: aconsejar, 5; recomendar, 197
affirm: asentar, 217
agitate: agitar, 11
agree: acordar, 6; convenir, 241
aid: conllevar, 140
allow: permitir, 174; consentir, 218
announce: anunciar, 191
annoy: fregar, 109
answer: contestar, 53; responder, 206
appear: aparecer, 12; parecer, 167
approve: aprobar, 21
arrive: llegar, 139
ask: preguntar, 182; pedir, 169
assemble: reunirse, 209
assist: asistir, 23
attain: conseguir, 50
attend: asistir, 23; conllevar, 140
attribute: atribuir, 51
avoid: evitar, 125
await: esperar, 100
awaken: despertarse, 78

B

bag: ensacar, 213
banish: deportar, 121
bathe: bañarse, 28
be: estar (telling the current condition or position of the subject), 102; ser (telling who the subject is or what the subject is innately), 220
be able to: poder, 178
be admitted to a professional practice: recibirse, 195
be astonished: admirarse, 146
be bored: desganarse, 112
be born: nacer, 153
be closely united: juntarse, 129
be eager: desvivirse, 247
be forgetful: desacordarse, 6
be frightened: asustarse, 24
be graduated: recibir, 195
be ignorant of: desconocer, 49
be important: importar, 121
be interested in: interesarse, 124
be liked: gustar, 115
be named: llamarse, 138
be of use: servir, 221
be present: asistir, 23
be reborn: renacer, 153
be remaining: quedar, 192
be resentful: resentirse, 218
be slow: atrasar, 208
be ungrateful: desagradecer, 12
be upset: indisponerse, 179
be useful: valer, 239
become: volverse, 249; hacerse, 118
become ill: indisponerse, 179
become obsolete: desusarse, 237
become tanned: broncearse, 33
beg: rogar, 210; pedir, 169
begin: comenzar, 44; empezar, 89
believe: creer, 59
blame: desaprobar, 21; culpar, 80
blame oneself: culparse, 80
break: romper, 211
bring: traer, 236
bronze: broncear, 33
build: construir, 51
buy: comprar, 46

C

call: llamar, 137
can: poder, 178
care: cuidar, 62
carry: llegar, 140
cast: botar, 32
catch: coger, 43; agarrar, 10
cause: producir, 189
change: demudar, mudar, mudarse, 152; variar, 101
change color or expression: demudarse, 152
chat: platicar, 177; charlar, 41
choose: escoger, 43; elegir, 88
clean: limpiar, 135
clear of stones: descantar, 38
close: cerrar, 40
collide: chocar, 232
comb: peinarse, 170
come: venir, 241
come in: entrar, 96
come down: bajar, 27
come up: subir, 225
compare: comprobar, 21
compete: desafiar, 97; competir, 205
complain: quejarse, 193
confirm: confirmar, 108
consist: consistir, 23
contain: contener, 229
contest: competir, 205
continue: continuar, 54
contract: contraer, 236
convene: convenir, 241
convey: conducir, 48; transmitir, 174
convince: convencer, 55
cook: cocinar, 42
copulate: juntarse, 129
correct: corregir, 88
correspond: corresponder, 206
cost: costar, 58; valer, 239
counsel: aconsejar, 5
count: contar, 52
counterfeit: contrahacer, 118
cover: cubrir, 61
crave: desear, 74
create: criar, 97
cross: cruzar, 60
cut away: recortar, 57
cut off, cut out: cortar, 57
cut off loose threads: desoborrar, 31

D

dance: bailar, 26
dangle: pender, 71
dare: desafiar, 97
debase: desmejorar, 145
decay: decaer, 35; desmejorarse, 145
decide: decidir, 66

declare: declarar, 68
dedicate: dedicar, 69
defeat: vencer, 55
delay: retrasar, 208; suspender, 7
demand: exigir, 104
denounce: denunciar, 191
deny: negar, 156
depend: depender, 71
depose: deponer, 179
desire: desear, 74
despair: desesperar, 100
destroy: deshacer, 75
detach: despegar, 77
detain: detener, 79
determine: prescribir, 98; determinar, 230
detract: desdecir, 67
devote oneself: dedicarse, 69
die: morir, 150
direct: conducir, 48; dirigir, 104
disappear: desaparecer, 12
disapprove: desaprobar, 21
disbelieve: descreer, 59
discharge: despedir, 76
discontinue: descontinuar, 54
  discontinue renting: desalquilar, 15
discount: descontar, 52
discover: descubrir, 61; desenvolver, 249
discuss: discutir, 81
disguise: demudarse, 152
dishevel oneself: despeinarse, 170
disillusion: desganar, 112
dismiss: despedir, 76
disobey: desobedecer, 158
dissent: disentir, 218
dissuade: desganar, 112; retraer, 236
distribute: repartir, 204
disturb: conmover, 151
divert: desviar, 97
divorce: divorciar, 83
do: hacer, 118
doubt: dudar, 86
draw: diseñar, 94
dream: soñar, 223
dress: vestir, 243
dress oneself: ponerse, 179
drink: beber, 30; tomar, 233
drive: conducir, 48; manejar, 143
drop: caer, 35

E

earn: ganar, 112
ease another's burden: sobrellevar, 140
eat: comer, 45
  eat supper: cenar, 39
  eat up: comerse, 45
economize: ahorrar, 13
elect: elegir, 88
emit: emitir, 174
employ: emplear, 90
empty: vaciar, 238
enchant: encantar, 38
encounter: encontrar, 92
end: acabar, 2; morir, 150
endure: sobrellevar, 140
enter: ingresar, 201
entertain: entretener, 229; divertir, 82
enunciate: enunciar, 191
erase: borrar, 31
excuse: disculpar, 80; perdonar, 173
  excuse oneself: disculparse, 80
exhibit: exponer, 179
exile: deportar, 121
expectorate: desgarrar, 10
expend: descoger, 43
experiment: probar, 188
explain: explicar, 105
export: exportar, 121

F

fabricate: fabricar, 106
fall: caerse, 35
  fall asleep: dormise, 84
  fall ill: enfermar, 93
  fall out: sobrevenir, 241
fast: ayunar, 72
feel: sentir, 218; encontrarse, 92
find: encontrar, 92
  find oneself: encontrarse, 92
  find out: informarse, 122
finish: terminar, 230; acabar, 2
flee: huir, 120
flicker: entremorir, 150
fly: volar, 248
follow: seguir, 216
forget: olvidar, 165
  forget oneself: olvidarse, 165
forgive: perdonar, 173
forsee: prever, 242
forward: reenviar, 97; promover, 151
freeze: helar, 119
frighten: asustar, 24
  frighten away: remontar, 149
function: funcionar, 111

G

gain: ganar, 112
gamble: jugar, 128
gather: reunir, 209
get: tomar, 233; recibir, 195; conseguir, 50; coger, 43
  get back: recoger, 43
  get divorced: divorciarse, 83
  get dressed: vestirse, 243
  get into a passion: montarse, 149
  get on: montarse, 149
  get sick: enfermarse, 93
  get up: levantarse, 134
give: dar, 64; regalar, 199
  give a gift: regalar, 199
  give back: restituir, 51
  give in: darse, 64
  give way: desprenderse, 20
go: ir, 126
  go away, go off: irse, 127
  go back: regresar, 201; volver, 249
  go out: morirse, 150; salir, 214
  go to bed: acostarse, 7
grant: dar, 64
grasp: agarrar, 10
greet: saludar, 215
grow displeased: despegarse, 77
grow tired: cansarse, 37

H

halt: pararse, 184
handle: manejar, 143
hang: pender, 71
happen: suceder, 226; sobrevenir, 241
harvest: recoger, 196
have: haber, 116; tener, 229; tomar, 233
  have a breakfast: desayunarse, 72
  have a good time: divertirse, 82
  have a premonition: presentir, 218
hear: oir, 163
heat: calentar, 36
help: ayudar, 25
hide: encubrir, 1; ocultarse, 159
hire: alquilar, 15
hold steady: tenerse, 229
hope for: esperar, 100

I

ignore: desentenderse, 95; desoír, 163
implicate: implicar, 105
important: importar, 121
impose: imponer, 179
imprison: prender, 20

improve: mejorar, 145
improve oneself: mejorarse, 145
indispose: indisponer, 179
inform: informar, 122
inquire: preguntar, 182
insist: insistir, 23
instruct: instituir, 51
interest: interestar, 124
interfere: mojar, 148
intervene: intervenir, 241
introduce: presentar, 185
invite: invitar, 125
irrigate: regar, 200

J

join: pegar, 77; juntar, 129; unirse, 209
judge: juzgar, 130

K

know: saber, 212; conocer, 49

L

laugh: reír, 222
lay down: acostar, 7
lead: prestar, 186; conducir, 48
learn: aprender, 20
leave: dejar, 70; marcharse, 144; salir, 214
lend: prestar, 186
lie down: acostarse, 7
lift: levantar, 133
light: encender, 91
linger: detenerse, 79
listen: escuchar, 99
live: vivir, 247
live alone: encerrarse, 40
loan: prestar, 186
lock: cerrar, 40
lock up: encerrar, 40; recoger, 196
look:
look after oneself: cuidarse, 62
look alike: parecerse, 167
look at: mirar, 146
look at oneself: mirarse, 147
look for: buscar, 34
lose: perder, 172
lose interest: desinteresarse, 124
love: amar, 16

M

make: hacer, 118
manage: llevar, 140
matter: importar, 121
may: poder, 178
meet: encontrarse, 92; reunirse, 209
mimic: contrahacer, 118; reunirse, 209
miss: perder, 172
mix: revolver, 249
moisten: mojarse, 148
mount: montar, 149
move: mover, 151
move ahead: adelantarse, 8
move backwards: descorrer, 56
move one's emotions: conmover, 151
must: deber, 65

N

need: necesitar, 155
neglect oneself: dejarse, 70

O

obey: obedecer, 158
observe: reparar, 203
obtain: obtener, 229
occupy: ocupar, 160
occupy oneself: ocuparse, 160
occur: ocurrir, 161
offer: ofrecer, 162
open: abrir, 1
operate: manejar, 143
ought: deber, 65
outlaw: proscribir, 98
overlook: descuidar, 62; perdonar, 173
owe: deber, 65

P

pad: emborrar, 31
paint: pintar, 175
pass:
pass a test: aprobar, 21
pass beyond the mountains: trasmontar, 149
pass through: recorrer, 56
pay: pagar, 166
persist: persistir, 23
pick up: recoger, 196
play: jugar, 128
play a musical instrument: tocar, 232
practice: practicar, 180
pray: rogar, 210
preach: predicar, 69
predict: predecir, 67
prefabricate: prefabricar, 106
prefer: preferir, 181
prejudge: prejuzgar, 130
prepare: preparar, 184; prevenir, 241
present: presentar, 185; ofrecer, 162
pretend not to hear: desoír, 163
produce: producir, 189
progress: progresar, 201
prohibit: prohibir, 190; entredecir, 67
project: resalir, 214
pronounce: pronunciar, 191
prosecute: proseguir, 50
protect: acoger, 43
protest: protestar, 53
pull: estirar, 207
pursue: perseguir, 216
put on: ponerse, 216
put out: apagar, 19; sacar, 213

R

rain: llover, 142
raise: levantar, 133
reach: alcanzar, 14
read: leer, 132
rebound: rebotar, 32
receive: recibir, 195
reciprocate: pagar, 166
recommend: recomendar, 197
reconcile: reunir, 209
reconsider: repensar, 171
reconstruct: reconstruir, 51
recount: recontar, 52
recover one's health: reponerse, 179
redo: rehacer, 118
reduce: rebajar, 27; reducir, 48
re-elect: reelegir, 88
refill: rellenar, 202
refuse: rehuir, 120; negarse, 156
register: inscribirse, 123
reheat: recalentar, 36
reject: desechar, 87
relapse: recaer, 35
relate: contar, 52
relax: descansar, 73
remain: quedarse, 92; estar, 102
remember: acordarse, 6; recordarse, 198
remind: recordar, 198
remount: remontar, 149
remove: remover, 151; quitar, 194
remove color or forcefulness: deslavar, 131
renounce: renegar, 156; renunciar, 191
rent: alquilar, 15
repaint: repintar, 175
repair: reparar, 203
repeat: repetir, 205
replace: reponer, 179
represent: representar, 185
reproduce: reproducir, 189
request: pedir, 169

reread: releer, 132
resell: revender, 240
resemble: parecerse, 167
resolve: decidir, 66;
resolver, 249
rest: descansar, 73; echarse, 87
restore: restituir, 51
retain: retener, 229
retire: retirar, 207; retraerse, 236
retouch: retocar, 232
retrace: desandar, 17
retract: desdecirse, 67
return: volver, 249;
regresar, 201; devolver, 249
review: remirar, 146
revive: revivir, 247
ride: montarse, 149
rinse: deslavar, 131
risk: exponer, 179
rob: quitar, 194
rub: refregar, 109; peinar, 170
rule: regir, 88
run: correr, 56

S

salute: saludar, 215
save: ahorrar, 13
say: decir, 67
say goodbye: despedirse, 76
scold: reprender, 20
scream: gritar, 114
scrub: fregar, 109
search: rebuscar, 34
seat: asentar, 217
seduce: seducir, 48
see: ver, 242
see imperfectly: entrever, 242
seek: buscar, 34
seem: parecer, 167
sell: vender, 240
send: enviar, 97
separate: desprender, 20;
separar, 219
serve: servir, 221; echar (comida), 87
serve oneself: servirse, 221
set apart: separar, 219
set back: retrasar, 208
shake up: agitar, 11
shave: afeitarse, 9
shoot: tirar, 231
show: enseñar, 94
shower: ducharse, 85
shrink: encoger, 43
shrivel: revenirse, 241
sign: firmar, 108
sing: cantar, 38
sit: sentarse, 217
ski: esquiar, 101
skip: comerse, 45
sleep: dormir, 84
smell: oler, 164
smile: sonreír, 222
smoke: fumar, 110
snow: nevar, 157
soak: remojar, 148
soar: remontarse, 149
speak: hablar, 117
spend: descoger, 43; gastar, 113
spoil: revenirse, 241
spoil (a child): malcriar, 101
step on: pisar, 176
stimulate: aguzar, 60
stop: detenerse, 79; parar, 184; tenerse, 229
stretch: estirar, 207
strike: chocar, 232
struggle: luchar, 136
study: estudiar, 103
stuff: rellenar, 202
suffer: sufrir, 227
suggest: sugerir, 228
suntan oneself: broncearse, 33
superscribe: sobrescribir, 98
supper: cenar, 39
supply: dar, 64
surprise: sorprender, 224
suspend: suspender, 71
sustain: sostener, 79
sweep: barrer, 29
swim: nadar, 154
sympathize: compadecer, 12

T

take: tomar, 233; agarrar, 10
take apart: deshacer, 75
take a bath: bañarse, 28
take the lead: adelantarse, 8
take refuge: retraerse, 236
take a walk: pasear, 168
take a shower: ducharse, 85
take off: despegar, 77;
quitarse, 194
take one's leave:
despedirse, 76
take out: sacar, 213
talk: hablar, 117
tamp: repisar, 176
taste: gustar, 115
teach: enseñar, 94
tear off: arrancar, 22
tell: decir, 67; contar, 52
test: probar, 187
thank: agradecer, 12
think: pensar, 171
throw: tirar, 231
throw away: tirar, 231
tire: cansar, 37
touch: tocar, 232
translate: traducir, 235
transmit: transmitir, 174
transport: conducir, 48;
trasmudar, transmudar, 152
travel: viajar, 244
try: probar, 187
try on: probarse, 188
turn off: apagar, 19
turn over: volver, 249;
revolver, 249

U

understand: comprender, 47; entender, 95
undress: desvestirse, 243
unfold: desenvolver, 249
unite: unir, 209
untune: desacordar, 6
use: usar, 237

V

vacate: desocupar, 160
verify comprobar, 21
violate: contravenir, 241
visit: visitar, 246
vote: votar, 250

W

wake up: despertar, 78
walk: andar, 17
warm: calentar, 36
wash: fregar, 109; lavar, 131
waste: perder, 172;
malgastar, 113
watch: vigilar, 245; mirar, 146
water: regar, 200
wear: llevar, 140; traer, 236
wear out: gastar, 113
weep: llorar, 141
welcome: acoger, 43; recibir, 195
wet: mojarse, 148
whet: aguzar, 60
win: ganar, 112
withdraw: retirar, 207
withdraw affection:
despegarse, 77
wonder: admirarse, 146
work: trabajar, 234
worry: preocuparse, 183
worth: valer, 239
wrap up: envolver, 249
write: escribir, 98

Y

yearn: desvivirse, 247
yield: darse, 64